理论力学

主　编　张　博　孙曙光
副主编　郭庆华　郝素红
　　　　桑振远　李　雪

哈尔滨工程大学出版社
Harbin Engineering University Press

内容简介

本书根据工科专业少学时理论力学课程基本要求编写而成。

本书共分为三篇:静力学、运动学、动力学。本书在取材和章节内容编排方面遵循少而精的原则,注重基本内容的掌握和应用,以及理论与实践的紧密结合,突出内容的实用性和应用性。

本书面向培养应用型人才的高等院校,可作为机械设计制造及其自动化、土木工程等专业的教材。

图书在版编目(CIP)数据

理论力学 / 张博, 孙曙光主编. —哈尔滨 : 哈尔滨工程大学出版社, 2020.12(2024.7 重印)
ISBN 978-7-5661-2863-8

①理… Ⅱ. ①张… ②孙… Ⅲ. ①理论力学
Ⅳ. ①O31

中国版本图书馆 CIP 数据核字(2020)第 224398 号

选题策划 马佳佳
责任编辑 张 曦 马毓聪
封面设计 刘长友

出版发行 哈尔滨工程大学出版社
社　　址 哈尔滨市南岗区南通大街 145 号
邮政编码 150001
发行电话 0451-82519328
传　　真 0451-82519699
经　　销 新华书店
印　　刷 哈尔滨午阳印刷有限公司
开　　本 787 mm×1 092 mm 1/16
印　　张 11.5
字　　数 295 千字
版　　次 2020 年 12 月第 1 版
印　　次 2024 年 7 月第 2 次印刷
定　　价 35.00 元
http://www.hrbeupress.com
E-mail:heupress@hrbeu.edu.cn

前　言

本书在编写中，综合考虑了应用型人才的培养目标，以及理论力学学时普遍减少等因素，在满足工科专业少学时理论力学课程基本要求的前提下，秉持少而精的理念进行取材和编排章节内容，注重基本内容的掌握和应用，以及理论与实践的紧密结合，突出内容的实用性和应用性。

本书共分为三篇。第一篇为静力学，内容包括静力学基础、平面汇交力系、平面力偶系、平面任意力系；第二篇为运动学，内容包括点的运动学、刚体的基本运动、点的合成运动、刚体平面运动；第三篇为动力学，内容包括质点动力学基本方程、动量定理、动量矩定理、动能定理。

本书由张博、孙曙光任主编，郭庆华、郝素红、桑振远、李雪任副主编。具体编写分工如下：黑龙江东方学院机电工程学部郭庆华负责第 1 章、第 2 章，黑龙江东方学院机电工程学部郝素红负责第 3 章、第 4 章，黑龙江东方学院机电工程学部桑振远负责第 5 章、第 6 章，黑龙江东方学院机电工程学部张博负责第 8 章至第 10 章，哈尔滨剑桥学院机电工程学院李雪负责第 7 章，黑龙江东方学院机电工程学部孙曙光负责第 11 章、第 12 章。

由于编者水平有限，书中难免有疏漏和不足之处，敬请广大读者批评指正。

编　者

2020 年 7 月

目　录

第一篇　静力学

第二篇　运动学

第三篇 动力学

第一篇　静　力　学

第1章　静力学基础

本章将介绍静力学基本概念和静力学公理、工程中常见的约束与约束力，以及物体的受力分析和受力图。

1.1　静力学基本概念和静力学公理

1.1.1　静力学基本概念

1. 刚体

在力的作用下，体积和形状都不发生改变的物体叫作刚体。在很多情况下，固体在受力和运动过程中变形很小，基本上保持原来的大小和形状不变。对此，人们提出了刚体这一理想模型。理想的刚体是一个形变情况可以被忽略的物体。刚体内任意两点之间的距离都不会改变。事实上，任何物体受到外力作用时，不可能不改变形状。实际物体都不是真正的刚体，只是如果物体的形变不影响整个运动过程，为使被研究的问题简化，可将该物体当作刚体来处理，这样所得结果仍与实际情况符合。通常机械零件、工程中的结构件在工作时，受力产生的变形是很微小的，往往只有专门的仪器才能测量出来。例如，一根受拉的钢筋，在其载荷允许范围内，杆长的变化不超过原长的千分之几。这种微小的变化对于物体的受力平衡影响极小，可忽略不计。

2. 力和力系

人用手推放置于冰面的静止箱子，人手和箱子之间发生了相互作用，这种作用使箱子在冰面上运动；运动员踢球时，运动员的脚对足球的作用使足球的运动状态和形状都发生变化；地球对月球的作用使月球不断改变运动方向而绕着地球运转；锻锤对工件的冲击使工件改变形状，等等。人们在长期的生产实践中，通过观察分析，逐步形成和建立了力的概念：力是物体之间的相互作用，这种作用使物体运动状态发生改变或使物体形状发生改变。物体运动状态的改变是力的外效应，物体形状的改变是力的内效应。

实践证明，力对物体的内外效应取决于三个要素：力的大小、力的方向和力的作用点。

力的作用点表示力对物体作用的位置。力的作用位置，实际中一般不是一个点，而往往是物体的某一部分面积或体积。例如，地对桌子的支撑，桌脚与地之间的相互作用力分布在接触面上，物体的重力则分布在整个物体的体积上，这种分布作用的力称为分布力；但桌脚的作用面积不大时，可忽略桌脚的作用面积，认为桌脚与地接触处是一个点，这时可以将二者之间的相互作用力简化为集中作用在这个点上的力，这样的力称为集中力。由此可见，力的作用点是力的作用位置的抽象化。

力的国际单位制：力的大小以牛顿为单位，用 N 表示。1 000 牛顿简称千牛(kN)。

在物理学中，物理量有标量和矢量两种。只有数值大小而没有方向的量称为标量。长度、时间、质量、功等都是标量。既有数值大小又有方向的量称为矢量。力、速度和加速度等都是矢量。矢量可用具有方向的线段来表示。如图 1 - 1 所示，线段的起点 A（或终点 B）表示力的作用点，沿力矢顺着箭头的指向表示力的作用方向；线段的长度（按一定的比例尺）表示力的大小。本书中用黑体字母表示矢量，而以白体字母表示该矢量的大小。图 1 - 1 中 $\boldsymbol{F}$ 表示力矢量，F 表示该力矢量的大小（$F=600$ N）。

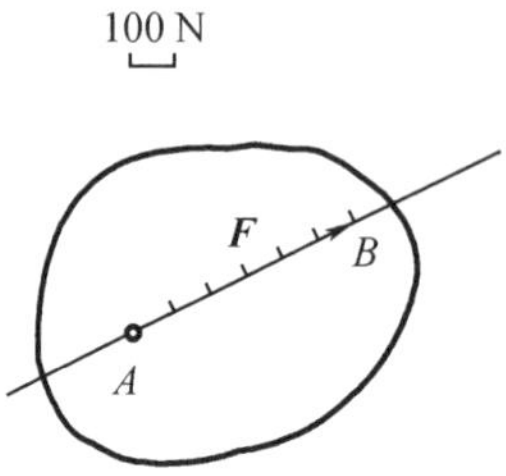

图 1 - 1　力的三要素

力系指作用在物体上的一组力。作用在物体上的一个力系如果可以用另一个力系来代替而效应相同，那么这两个力系互为等效力系。若一个力与一个力系等效，则称这个力为该力系的合力。

3. 平衡

静力学研究物体的平衡规律。在工程中，把物体相对于地球静止或做匀速直线运动的状态称为平衡。例如，机床的床身、固定的管路、匀速直线提升重物的提升机等，都处于平衡状态。物体的平衡是物体机械运动的特殊形式。平衡规律远比一般的运动规律简单。

如果刚体在某一个力系作用下处于平衡状态，则称此力系为平衡力系。力系平衡时所满足的条件称为力系的平衡条件。力系的平衡条件在工程中有着十分重要的意义。在设计工程结构的构件或做匀速运动的机械零件时，需要先分析物体的受力情况，再运用平衡条件计算所受的未知力，最后按照材料的力学性能确定几何尺寸或选择适当的材料品种。有时对低速转动或直线运动加速度较小的机械零件，也可近似地应用平衡条件进行计算。人们在设计各种机械零件或结构物时，常常需要进行静力分析和计算，平衡规律在工程中有着广泛的应用。

1.1.2　静力学公理

在长期的生活和实践中，人们通过细心观察、反复的实践检验，总结出了许多有关力学的客观规律，这些规律无须证明，可以直接应用于生产实践，一般称这些规律为公理。

公理 1　二力平衡条件　作用于刚体上的两个力，使刚体保持平衡的充分必要条件是这两个力大小相等，方向相反，并且作用在同一直线上，如图 1 - 2 所示。简称此两力等值、反向、共线。即

$$\boldsymbol{F}_1 = -\boldsymbol{F}_2 \tag{1-1}$$

这个公理是刚体平衡的最简单力系必须满足的充分必要条件，但是对于变形体来说，仅仅是必要条件。例如，绳索受两个等值反向的拉力作用时可以平衡，而两端受一对等值反向

的压力作用时就不能平衡。

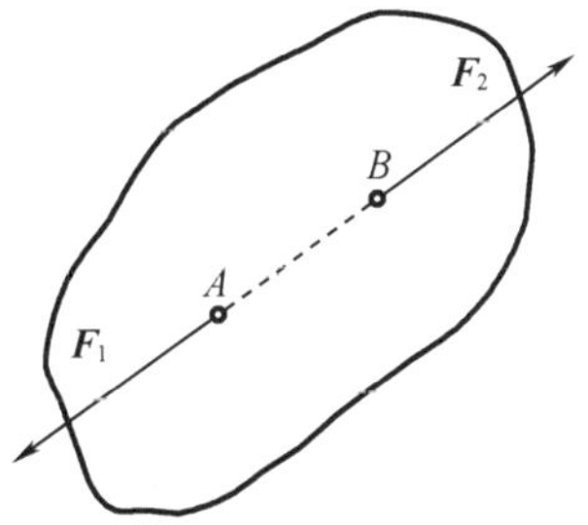

图 1-2　二力平衡条件

公理 2　加减平衡力系原理　作用于刚体上的任何一个力系，加上或减去任意的平衡力系，并不改变原力系对刚体的作用效果。

该公理说明平衡力系不会影响刚体的运动状态，如果作用于刚体的力系之间，只差一个或多个平衡力系，它们对刚体的作用效果相同。

推论　力的可传性原理　作用在刚体上的力，可沿其作用线任意移动作用点而不改变此力对刚体的作用效果。

证明　设有力 $\boldsymbol{F}$ 作用在刚体上的 A 点，如图 1-3(a)所示。根据加减平衡力系原理，可在力的作用线上任取一点 B，并加上一对相互平衡的力 $\boldsymbol{F}_1$ 和 $\boldsymbol{F}_2$，使 $\boldsymbol{F}=\boldsymbol{F}_2=-\boldsymbol{F}_1$，如图 1-3(b)所示。也就是说，力 $\boldsymbol{F}$ 对刚体的作用效果和力系 $\boldsymbol{F}$、$\boldsymbol{F}_1$、$\boldsymbol{F}_2$ 对刚体的作用效果相同。由于力 $\boldsymbol{F}$ 和 $\boldsymbol{F}_1$ 也是一对平衡力系，故可减去，这样只剩下一个力 $\boldsymbol{F}_2$，如图 1-3(c)所示，即力 $\boldsymbol{F}_2$ 对刚体的作用效果与力 $\boldsymbol{F}$ 对刚体的作用效果等效，相当于原来的力 $\boldsymbol{F}$ 沿其作用线移到了 B 点。

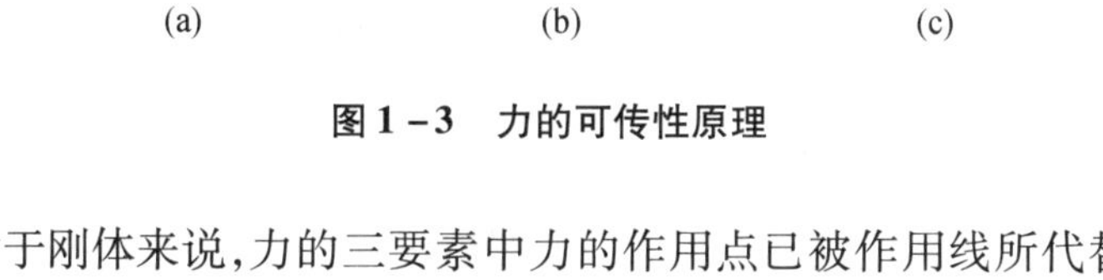

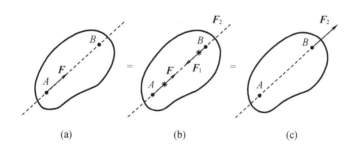

图 1-3　力的可传性原理

由此可见，对于刚体来说，力的三要素中力的作用点已被作用线所代替。由此可知，作用于刚体上的力的三要素是力的大小、力的方向和力的作用线。作用于刚体上的力可以沿着作用线移动，这种矢量称为滑动矢量。

公理 3　力的平行四边形法则　作用在物体上同一点的两个力可以合成一个合力，合力也作用于该点，其大小和方向可由以这两个力为邻边所构成的平行四边形的对角线确定，如

图1－4(a)所示。这种求合力的方法称为矢量加法，用公式表示为

$$\boldsymbol{F}_R=\boldsymbol{F}_1+\boldsymbol{F}_2 \tag{1-2}$$

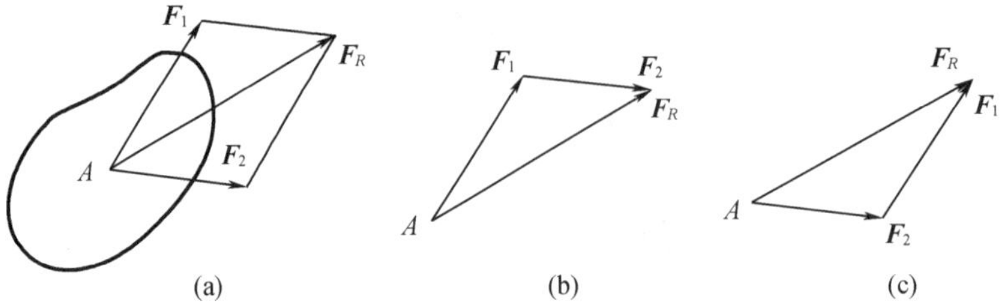

图1－4　力的平行四边形法则

上述求合力的方法，称为力的平行四边形法则。

为了方便起见，在用矢量加法求合力时，可不必画出整个平行四边形，而是从力 $\boldsymbol{F}_1$ 的终端作一个与力 $\boldsymbol{F}_2$ 大小相等、方向相同的矢量，如图1－4(b)所示，则力的作用点 A 与力 $\boldsymbol{F}_2$ 的终端的连线就是合力 $\boldsymbol{F}_R$。同理，可将力 $\boldsymbol{F}_1$ 移到力 $\boldsymbol{F}_2$ 的终端，如图1－4(c)所示，得到的合力 $\boldsymbol{F}_R$ 大小、方向不变。这种求合力的方法，称为力的三角形法则。

推论　三力平衡汇交定理　当刚体受三个力作用(其中两个力的作用线相交于一点)而处于平衡时，则此三力必在同一平面内，并且它们的作用线汇交于一点。

证明　如图1－5所示，刚体上 A、B、C 三点，分别作用着三个力 $\boldsymbol{F}_1$、$\boldsymbol{F}_2$、$\boldsymbol{F}_3$，刚体平衡，它们的作用线不平行，$\boldsymbol{F}_1$ 与 $\boldsymbol{F}_2$ 的作用线交于 O 点。根据力的可传性原理，将此二力分别移至 O 点，则此二力的合力 $\boldsymbol{F}_R$ 必定通过 O 点。由二力平衡条件可知，如果 $\boldsymbol{F}_R$ 和 F_3 平衡，此二力必须作用于同一直线，所以 $\boldsymbol{F}_3$ 的作用线亦必通过力 $\boldsymbol{F}_1$、$\boldsymbol{F}_2$ 的交点 O，即三个力的作用线汇交于一点。

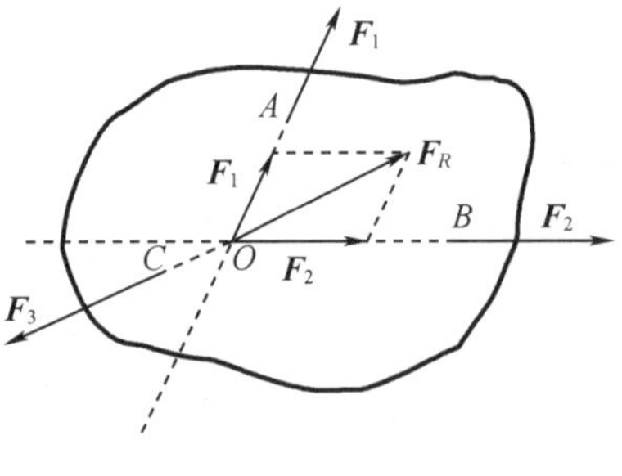

图1－5　三力平衡汇交定理

两条相交直线形成一个平面，力 $\boldsymbol{F}_1$ 与 $\boldsymbol{F}_2$ 相交，形成一个平面，力 $\boldsymbol{F}_R$ 在此平面内，$\boldsymbol{F}_3$ 与 $\boldsymbol{F}_R$ 在同一直线上，所以力 $\boldsymbol{F}_3$ 在力 $\boldsymbol{F}_1$ 与 $\boldsymbol{F}_2$ 形成的平面内，三力在同一平面内。

公理4　作用和反作用定律　两个物体间相互作用的力，总是同时存在并且大小相等、方向相反、作用线相同，分别作用在这两个物体上。

例如，车刀在加工工件时(图1－6)，车刀作用于工件上的切削力为 $\boldsymbol{P}$，如图1－6(a)所示，同时工件必有反作用力 $\boldsymbol{P}'$ 加到车刀上，如图1－6(b)所示。$\boldsymbol{P}$ 和 $\boldsymbol{P}'$ 总是等值、反向、

共线。

机器中力的传递都是通过零件之间的作用与反作用的关系来实现的。借助这个定律，我们能够从机器一个零件的受力分析过渡到另一个零件的受力分析。

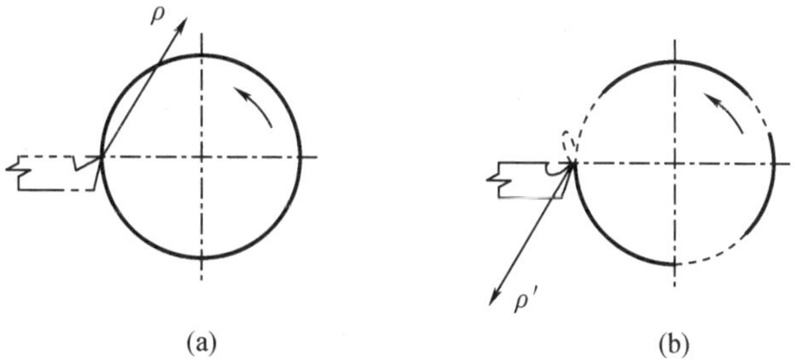

图 1－6　作用和反作用定律

特别要注意的是，必须把作用和反作用定律与二力平衡条件严格地区分开来。作用和反作用定律表明两个物体之间的相互作用，即力作用在两个不同的物体上；而二力平衡条件则说明一个刚体受两个力的作用且处于平衡状态时两个力应满足的条件，两个力作用在同一个物体上。

公理 5　刚化原理　变形体在某一力系作用下处于平衡，如将此变形体刚化为刚体，其平衡状态保持不变。

此公理提供了把变形体视为刚体的条件。如图 1－7 所示，绳索在等值、反向、共线的两个力作用下处于平衡状态，如果将绳索刚化为刚体，其平衡状态保持不变，反之不一定成立。例如，刚体在两个等值、反向的压力作用下平衡，如果用绳索将它代替就不能保持平衡了。

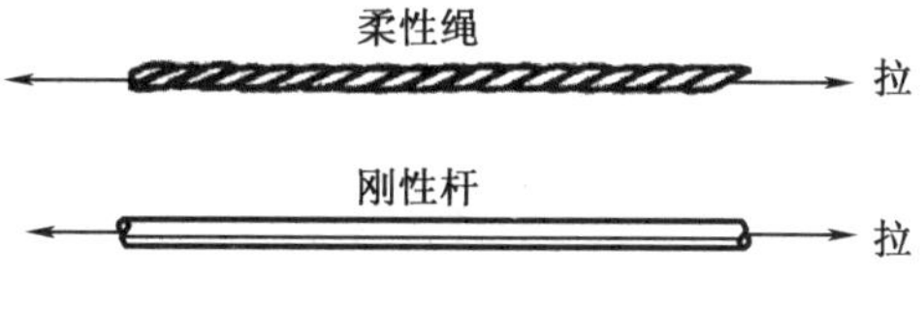

图 1－7　刚化原理

由此可见，刚体的平衡条件是变形体平衡的必要条件，而非充分条件。在刚体静力学的基础上，考虑变形体的特性，可以进一步研究变形体的平衡问题。

以上五条静力学公理，不可能用更简单的原理去代替，也无须证明，而被大家所公认。静力学公理概括了力的基本性质，是建立静力学理论的基础。

1.2　约束与约束力

在空间中能自由运动的物体称为自由体，例如空中飞行的飞机、足球和导弹等。若物体的运动受到某种限制，不能在空间中自由运动，这种物体称为非自由体，例如：高速行驶的动车受到轨道的限制，只能沿轨道方向运动；管道中流动的液体受到管壁的限制，只能沿管道流动;电机转子受到轴承的限制,只能绕轴线转动。限制物体运动的条件称为约束。这些限制物体运动的条件,是由其周围物体的限制作用引起的,因此起限制作用的物体也可称为约束。例如,铁轨对列车,管壁对液体,轴承对转子等都是约束。

既然约束能够限制物体沿某些方向自由运动,那么沿着这个方向,物体之间会发生相互作用,产生相互作用力。约束作用于物体以限制物体沿某些方向运动的力称为约束力。约束力以外的其他力统称主动力,例如重力、切削力、流体的压力、万有引力等,它们往往是给定的或可测定的。约束力的大小往往是未知的,在静力学问题中,约束力与主动力组成平衡力系,因此可用平衡条件求出约束力。

工程中有大量平衡问题是求解未知力(约束力)。任何非自由体都受到约束力的作用,因此研究约束及其约束力的特征对于解决静力平衡问题具有十分重要的意义。下面介绍在工程实际中常遇到的几种基本约束类型和确定约束力方向的方法。

1. 光滑接触面

当两个物体接触处之间的摩擦力很小,可以忽略不计时,则可认为接触处是光滑的。例如支承物体的固定平面(图 1-8(a))、啮合齿轮的齿面(图 1-8(b))、直杆搁置在凹槽中的接触处(图 1-9)、光滑棒料搁在 V 形铁上的接触处(图 1-10)。由于支承面不能限制物体沿接触处切线方向的位移,只能阻碍物体沿接触处法线方向的位移,因此光滑接触面对物体的约束力作用在接触点处,作用线方向沿接触面的公法线并指向物体(即物体受压力)。

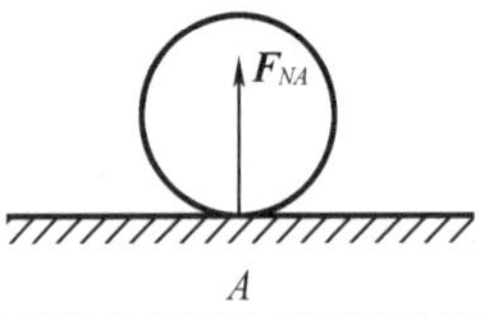

(a)支承物体的固定平面处的约束力

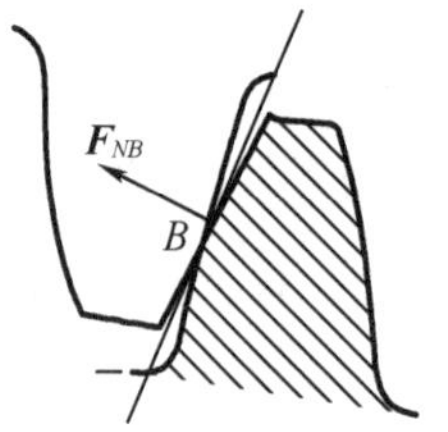

(b)啮合齿轮的齿面处的约束力

图 1-8 光滑接触的约束力

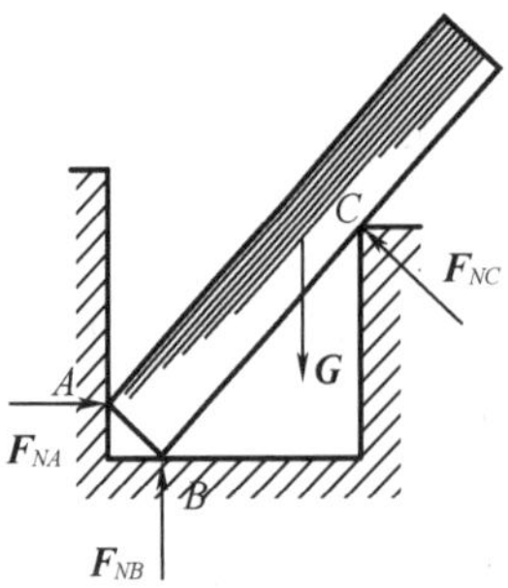

图 1-9 直杆搁置在凹槽中的接触处的约束力

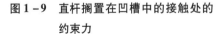

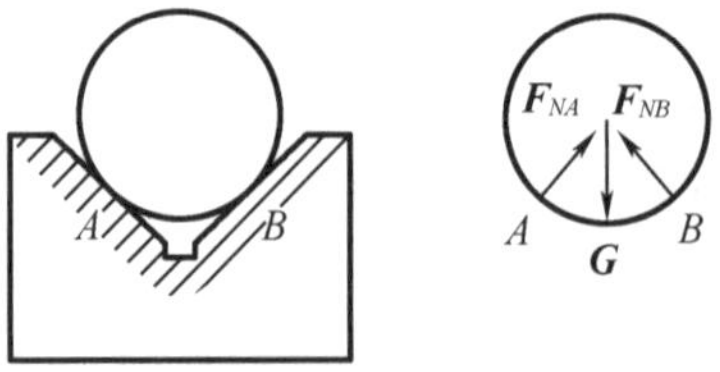

图 1-10 光滑棒料搁在 V 形铁上的接触处的约束力

这种约束力称为法向力,用 $\boldsymbol{F}_N$ 表示,如图 1-8(a)中的 $\boldsymbol{F}_{NA}$ 和图 1-8(b)中 $\boldsymbol{F}_{NB}$。图

1－9 中直杆在 A、B、C 三点受到约束，按照光滑接触面的性质，约束力 $\boldsymbol{F}_{NA}$、$\boldsymbol{F}_{NB}$ 和 $\boldsymbol{F}_{NC}$ 方向沿相应接触面的公法线并指向物体。图 1－10 中，棒料受到 V 形铁的约束力 $\boldsymbol{F}_{NA}$、$\boldsymbol{F}_{NB}$，它们的方向垂直于相应的接触面。

2. 柔索

工程中皮带、尼龙绳、链条、钢丝绳等都可以简化为柔软的绳索，简称柔索。如图 1－11(a) 所示的绳索吊挂物体情况，由于柔软的绳索本身只能承受拉力（图 1－11(b)），所以它给物体的约束力也只能是拉力（图 1－11(c)）。因此，柔索对物体的约束力，作用在接触点上，方向沿着柔索背离物体（即柔索承受拉力）。皮带同样只能承受拉力。当绕过皮带轮时，皮带给皮带轮的约束力沿轮缘的切线方向背离物体，如图 1－12 所示。

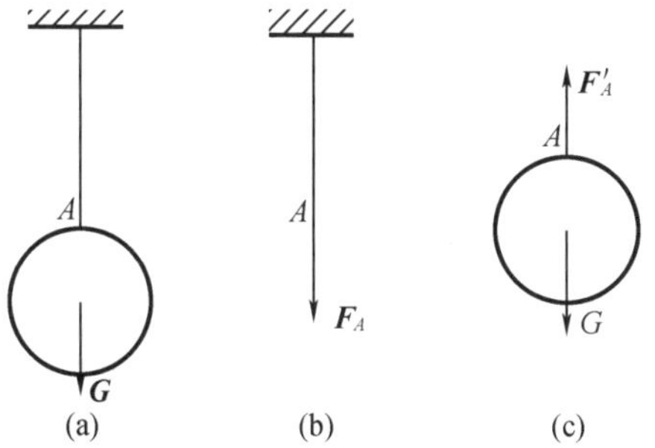

图 1－11　绳索吊挂物体的约束力

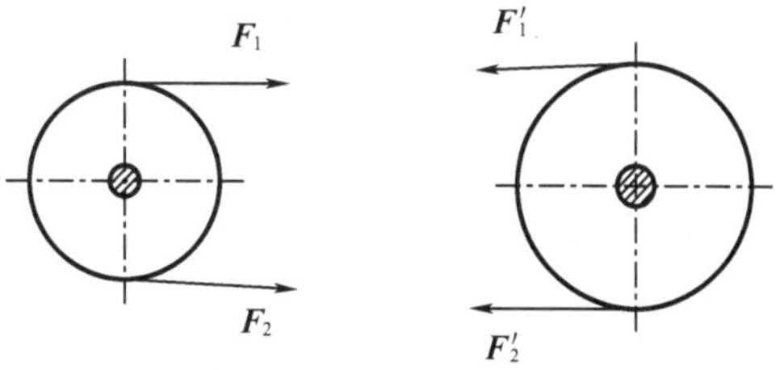

图 1－12　皮带轮上的约束力

3. 光滑圆柱铰链

光滑圆柱铰链是工程中常见的约束。其典型结构由两个带有圆孔的构件通过圆柱销钉连接构成。它在机械工程中的具体应用形式如下。

(1) 光滑圆柱销钉连接

这类铰链用光滑圆柱销钉将两个物体连接在一起，如图 1－13(a)、图 1－13(b) 所示。两个物体被光滑圆柱销钉连接后，只能围绕光滑圆柱销钉的轴线转动，这种约束常采用如图 1－13(c) 所示的简图表示。

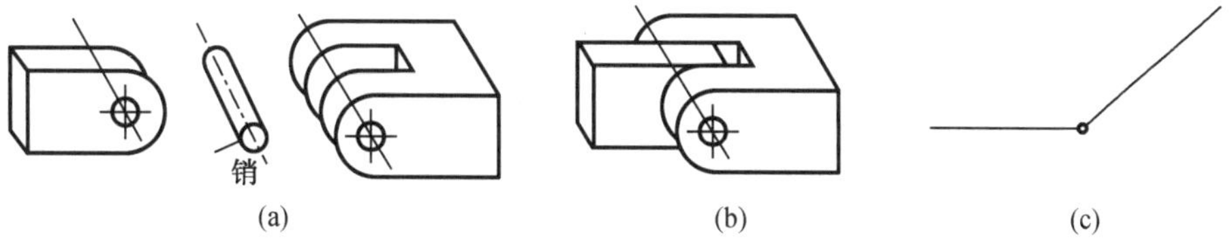

图 1－13　光滑圆柱销钉连接

如果对微小的摩擦忽略不计，光滑圆柱销钉与物体实际上是以两个光滑圆柱面相接触的，如图 1－14 所示。当物体受主动力作用时，光滑圆柱面间形成线接触，若把 K 点视为接触点，根据光滑接触面约束力的特点，可知光滑圆柱销钉给物体的约束力应沿接触点 K 的公法线，必通过光滑圆柱销钉中心（即光滑圆柱铰链中心），但因主动力的方向不能预先确定，所以约束力方向也不能预先确定。由此可得出如下结论：光滑圆柱销钉连接的约束力必通过光滑圆柱铰链中心，方向随接触点位置变化。该约束力可用二维正交分力 F_x、F_y 来表示。

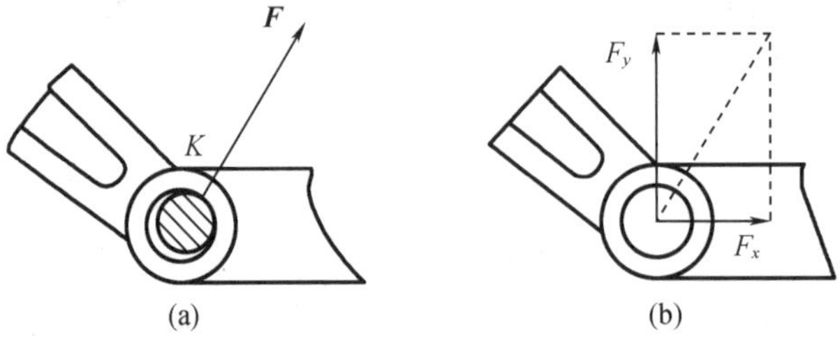

图 1－14　光滑圆柱销钉连接处的约束力

（2）向心轴承

轴承是机器中常见的一种约束，它的性质与光滑圆柱铰链相同，轴只能绕轴承转动。向心轴承是承受径向力的轴承，包括向心滑动轴承（图 1－15）和向心滚动轴承（图 1－16）。

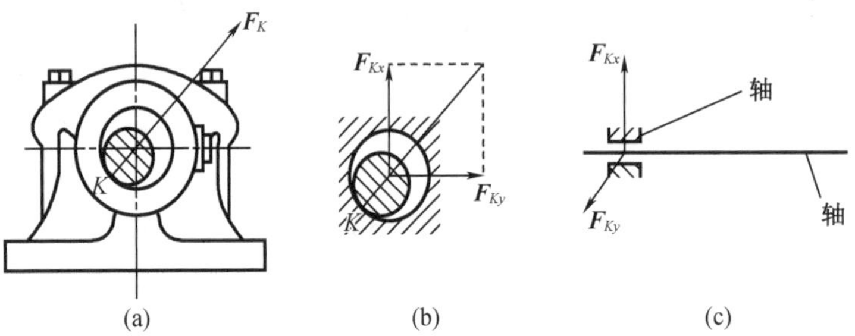

图 1－15　向心滑动轴承

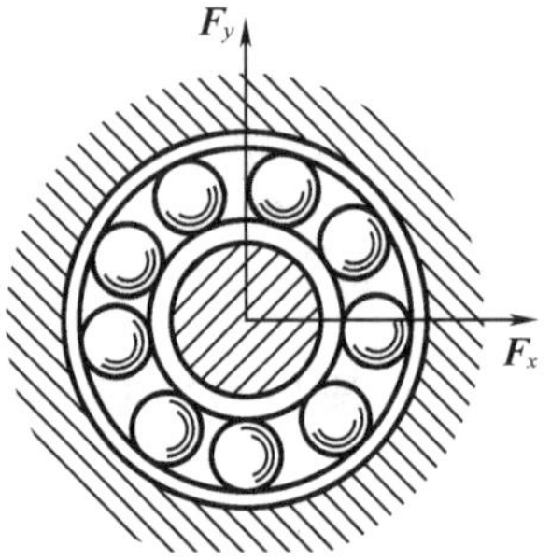

图 1－16　向心滚动轴承

向心轴承在受力分析上与光滑圆柱销钉连接相同。对于向心滑动轴承，转轴的轴颈受到约束力的作用，约束力的作用线过轴和轴承中心，沿着轴的横断面，其方向不能预先确定，故采用正交分力表示。同样，对于向心滚动轴承，在垂直于轴线的平面内，轴承只限制轴的移动而不限制轴的转动，轴所受约束性质与光滑圆柱销钉连接中的光滑圆柱销钉相同，所受约束力可用正交分力表示。

（3）固定铰链支座

用销钉连接两个物体后，销钉转轴轴线在空间中固定不动时，构成固定铰链支座，如图 1－17（a）所示。工程中其常用于机架与杆件之间的连接。当以被连接构件作为研究对象并受到一定的载荷作用时，固定铰链支座上的销孔壁便压在销钉的某处，于是销钉通过接触点给研究对象一个反作用力 $\boldsymbol{F}$（图 1－17（c））。

根据光滑接触面约束力的特点可知，这个约束力应沿圆柱面接触点的公法线并通过销钉中心。若研究对象所受载荷不同，则销孔与销钉接触点的位置不同，即约束力的方向不同。因此，固定铰链支座约束力的作用线必定通过销钉中心，但方向需要根据研究对象的受载情况确定。

工程上，固定铰链支座常用如图 1－17（d）所示的简图表示。通过销钉中心而方向待定的约束力，常用两个互相垂直的分力 F_x、F_y 表示。可以假定两分力的指向，通过计算判定其是否正确。

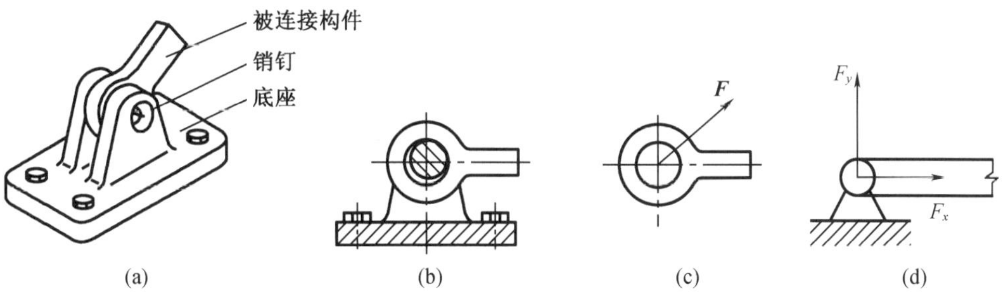

图 1－17　固定铰链支座

(4)可动铰链支座

如果固定铰链支座中的底座不用螺钉与固定基础相固联,而改用滚子与支承面相接触(图 1－18(a)),便形成了可动铰链支座。视支承面为光滑,可动铰链支座对结构沿支承面的运动没有限制,所以可动铰链支座对结构的约束力 $\boldsymbol{F}_N$ 垂直于支承面。图 1－18(b)为可动铰链支座的简化图。桥梁简化时一端使用固定铰链固定,另一端采用可动铰链支座,这样可解决桥梁因热胀冷缩而发生变化的问题,因为可动铰链支座可沿支承面移动,从而避免了桥梁产生温度应力。

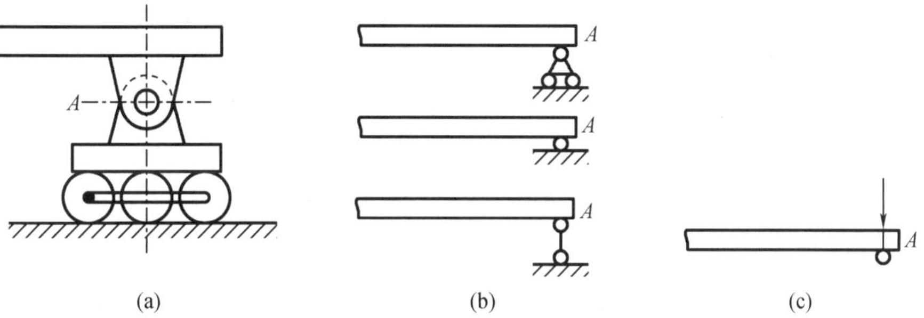

图 1－18　可动铰链支座

4. 光滑球铰链

光滑球铰链如图 1－19(a)所示,杆端为球形,被约束在一个固定的球窝中,球和球窝半径近似相等,球转动时球心是固定不动的,杆可以绕球心在空间中任意转动。光滑球铰链应用于空间问题,例如收音机天线与基座的连接,机床上照明灯具的固定,汽车上变速操纵杆的固定,以及照相机与三脚架之间的接头等。对于光滑球铰链,由于不计摩擦力,并且球只能绕球心相对转动,所以约束力必通过球心并且垂直于球面,即沿半径方向。因为预先不能确定球与球窝接触点的位置,所以约束力在空间中的方位不能确定。图 1－19(b)为光滑球铰链简图的表示方法,约束力以三个正交分量 F_x、F_y、F_z 表示。

5. 链杆

两端用光滑铰链与其他物体相连且不计自重的刚性直杆称为链杆。只受两个力作用并且平衡的构件称为二力杆。链杆只是在两端各受到铰链作用于它的一个力而处于平衡状态,故属于二力杆,这两个力必定沿转轴中心的连线。链杆对物体的约束力也必沿着链杆轴线,指向不能预先确定。图1-20(a)为链杆的简图,链杆所产生的约束力 $\boldsymbol{F}_A$ 如图1-20(b)所示。

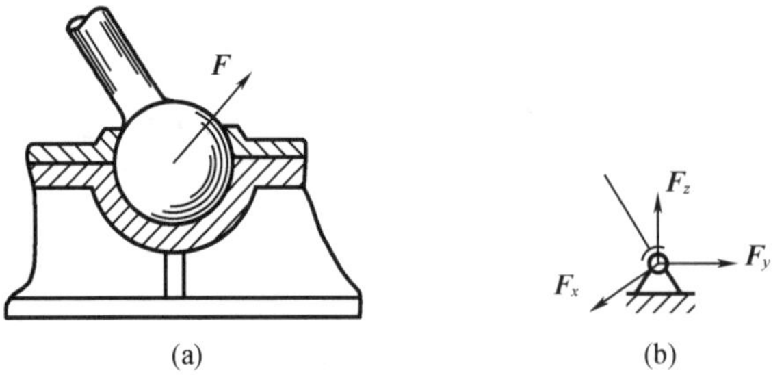

图1-19 光滑球铰链

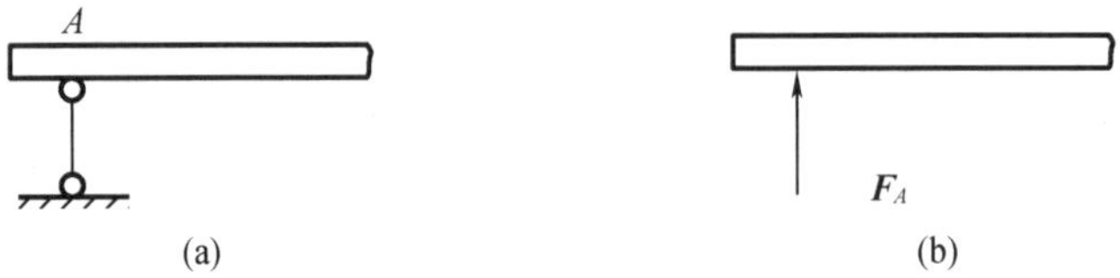

图1-20 链杆

以上介绍的几种约束类型是比较常见的,在工程实际中应用的约束有时不完全是上述各种典型的约束,这时我们应该对实际约束的构造及其性质进行全面考虑,抓住主要矛盾,忽略次要因素,将其近似地简化为相应的典型约束,以便计算分析。

1.3 物体的受力分析和受力图

在工程实际中,为了求出未知的约束力,需要根据已知力应用平衡条件求解。为此先要分析确定构件受到几个力,各个力的作用点和力的作用方向,这个分析过程称为物体的受力分析。

作用在物体上的力可分为两类:主动力和被动力。物体受到的约束力是被动力,且未知;约束力以外的其他力称为主动力。

静力学中要研究力系的简化和力系的平衡条件,就必须分析物体的受力情况。为此我们对所研究的非自由体解除全部约束,将它所受的全部主动力和约束力画在其上,这种表示物体受力的简明图形称为受力图。为了正确地画出受力图,应当注意以下问题。

1. 明确研究对象

所谓研究对象就是所要研究的受力体。求解静力学平衡问题,首先要明确研究对象是哪一个物体。只有明确了研究对象,才能进行受力分析。在研究对象不明、受力情况不清的情况下,不要急于画受力图。

2. 取分离体、画受力图

明确研究对象后,把研究对象从它与周围物体的联系中分离出来,把其他物体对它的作用以相应的力表示,这就是取分离体、画受力图的过程。分离体是解除了约束的自由体,它受到主动力和约束力的作用。画出主动力相对容易一些，受力分析的关键在于确定约束力的方向和作用点。建议根据以下三条原则来判断约束力的方向和作用点。

(1)将约束按照性质归入某类典型约束，例如光滑接触面、光滑圆柱铰链、链杆等，根据典型约束的特征，可以确定约束力的作用点、作用线和方向。这是分析约束力的基本出发点。

(2)运用静力学公理及推论确定某些约束力。例如，若构件受同一平面内三个不平行的力的作用而处于平衡状态，已知两力作用线相交于一点，第三个力为未知的约束力，则此约束力的作用线必通过此交点。

(3)按照作用和反作用定律，分析两个物体之间的相互作用力。讨论作用力和反作用力时，要特别注意明确每一个力的受力体和施力体。研究对象是受力体，要把其他物体对它的作用力画在它的受力图上。当研究对象改变时，受力体也随之改变。

下面举例说明受力图的画法。

例题 1-1　如图 1-21(a)所示，重力为 $\boldsymbol{G}$ 的钢球，用细绳悬挂在光滑的铅直墙上。画出该钢球受力图。

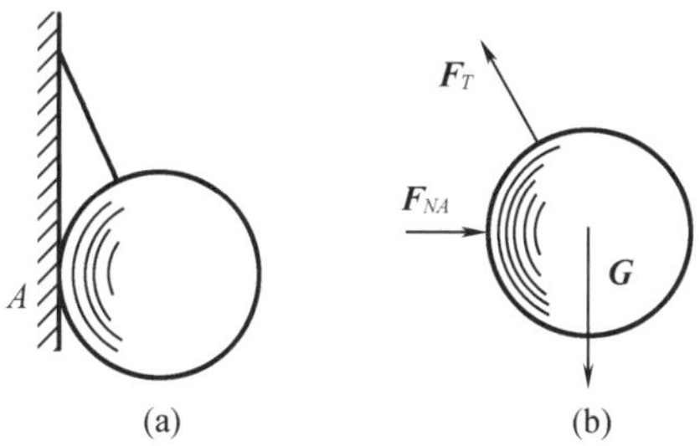

图 1-21　例题 1-1 图

解　(1)以钢球为研究对象，画出如图 1-21(b)所示分离体，解除细绳和墙的约束。

(2)画出主动力 $\boldsymbol{G}$。

(3)根据约束力的类型，画出绳的约束力 $\boldsymbol{F}_T$ 和光滑接触面约束力 $\boldsymbol{F}_{NA}$。

例题 1-2　两个圆柱放在如图 1-22(a)所示的槽中，圆柱的重力分别为 $\boldsymbol{G}_1$、$\boldsymbol{G}_2$，已知接触处均光滑。画出每个圆柱的受力图。

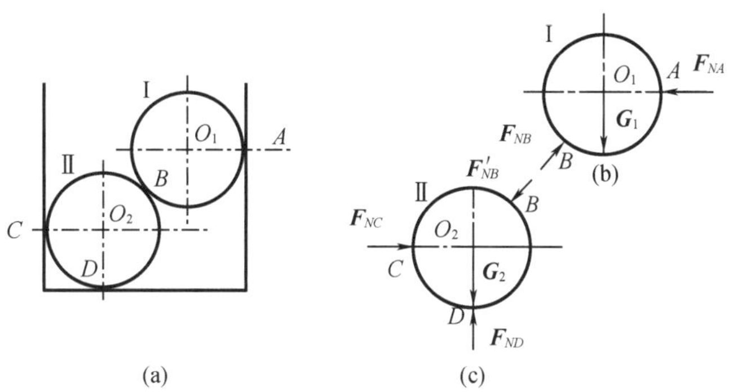

图 1-22　例题 1-2 图

解 (1)分析圆柱Ⅰ的受力情况。取圆柱Ⅰ为研究对象,画出分离体。圆柱Ⅰ的主动力为 $\boldsymbol{G}_1$;圆柱Ⅰ在 A 和 B 两处都受到光滑接触面约束,其约束力 $\boldsymbol{F}_{NA}$、$\boldsymbol{F}_{NB}$ 都通过圆柱Ⅰ的中心 O_1。圆柱Ⅰ的受力图如图 1-22(b)所示。

(2)分析圆柱Ⅱ的受力情况。取圆柱Ⅱ为研究对象,画出分离体。圆柱Ⅱ的主动力除了重力 $\boldsymbol{G}_2$ 外,还有上面圆柱Ⅰ传来的压力 $\boldsymbol{F}'_{NB}$,注意 $\boldsymbol{F}'_{NB}$ 与 $\boldsymbol{F}_{NB}$ 为作用力和反作用力,圆柱Ⅱ在 B、C、D 三处都受到光滑接触面约束,其约束力 $\boldsymbol{F}'_{NB}$、$\boldsymbol{F}_{NC}$、$\boldsymbol{F}_{ND}$ 都通过圆柱Ⅱ的中心 O_2,并且 $F'_{NB} = -F_{NB}$。圆柱Ⅱ的受力图如图 1-22(c)所示。

例题 1-3 如图 1-23(a)所示,梁 AB 的 B 端受到载荷 $\boldsymbol{P}$ 的作用,A 端以光滑圆柱铰链固定于墙上,C 处受直杆 CD 支撑,C、D 均为光滑圆柱铰链,不计梁 AB 和直杆 CD 的自身质量,画出直杆 CD 和梁 AB 的受力图。

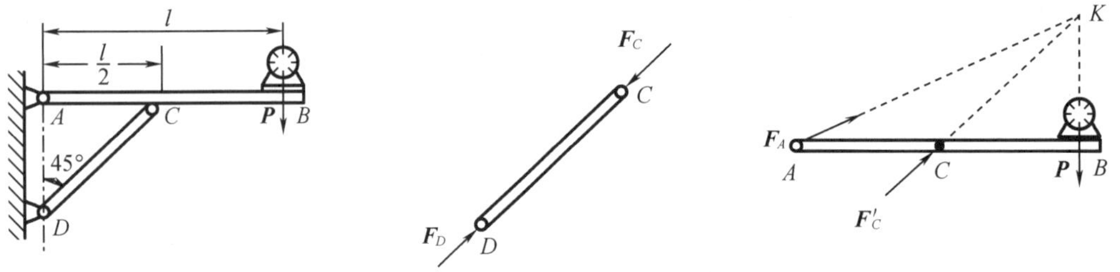

(a) (b) (c)

图 1-23 例题 1-3 图

解 先分析直杆 CD 的受力情况。已知直杆 CD 处于平衡状态,由于直杆 CD 只受到两端光滑圆柱铰链 C、D 的约束力作用,且杆重不计,即直杆 CD 在 $\boldsymbol{F}_C$ 和 $\boldsymbol{F}_D$ 作用下处于平衡状态,是二力构件中的链杆。所以 $\boldsymbol{F}_C$ 和 $\boldsymbol{F}_D$ 作用线为 CD 连线,并假设它们的指向如图 1-23(b)所示。

再分析梁 AB 的受力情况。载荷 $\boldsymbol{P}$ 垂直向下,直杆 CD 通过光滑圆柱铰链 C 对梁 AB 的作用力为 $\boldsymbol{F}'_C$,$\boldsymbol{F}'_C$ 为 $\boldsymbol{F}_C$ 的反作用力,方向为从 D 指向 C,$\boldsymbol{F}'_C$ 与 $\boldsymbol{P}$ 的作用线相交于 K 点,由三力平衡汇交定理可知 $\boldsymbol{F}_A$ 必沿 AK 方向,如图 1-23(c)所示。

例题 1-4 如图 1-24(a)所示的三铰拱桥,由左、右两拱铰接而成。设各拱重不计,在拱 AC 上作用有载荷 $\boldsymbol{P}$。分别画出拱 AC 和 CB 的受力图。

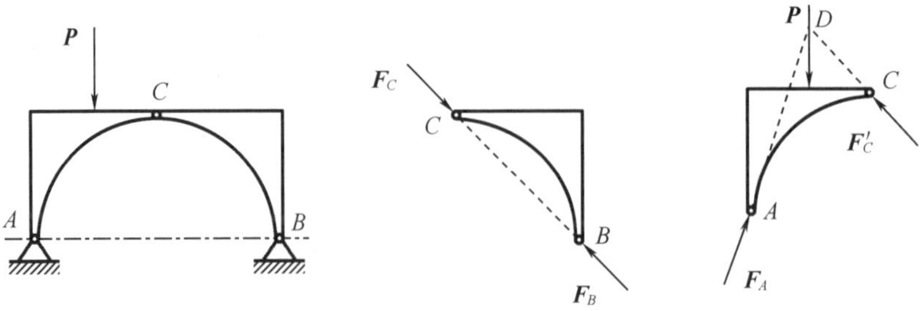

(a) (b) (c)

图 1-24 例题 1-4 图

解 (1)先分析受力较少的拱 BC。因为不考虑拱 BC 的自重,并且只有 B、C 两处受到铰链约束,因此拱 BC 为二力构件。在铰链中心 B、C 处分别受 $\boldsymbol{F}_B$、$\boldsymbol{F}_C$ 两力的作用,方向如图 1-24(b)所示,且 $\boldsymbol{F}_B=-\boldsymbol{F}_C$。

(2)取拱 AC 为研究对象。由于不考虑自重,因此主动力只有载荷 $\boldsymbol{P}$。拱 AC 在铰链 C 处受拱 BC 给它的约束力 $\boldsymbol{F}'_C$ 的作用,根据作用和反作用定律,$\boldsymbol{F}'_C=-\boldsymbol{F}_C$。拱 AC 在 A 处受到固定铰链支座给它的约束力 $\boldsymbol{F}_A$ 的作用,由于拱 AC 在 $\boldsymbol{P}$、$\boldsymbol{F}'_C$ 和 $\boldsymbol{F}_A$ 三个力作用下保持平衡,根据三力平衡汇交定理可确定 A 处约束力 $\boldsymbol{F}_A$ 的方向。点 D 为 $\boldsymbol{P}$ 和 $\boldsymbol{F}'_C$ 作用线的交点,当拱 AC 平衡时,约束力 $\boldsymbol{F}_A$ 的作用线必通过点 D。至于 $\boldsymbol{F}_A$ 的指向,需要用下一章介绍的平衡条件来确定。拱 AC 的受力图如图 1-24(c)所示。

例题 1-5 如图 1-25(a)所示,梯子的两部分 AB、AC 由绳子 DE 连接,A 处为光滑铰链。梯子放在光滑的水平面上,自重不计。重力为 G 的人站在 AB 上的 H 处。画出整个系统的受力图,以及绳子 DE 和梯子的 AB、AC 部分的受力图。

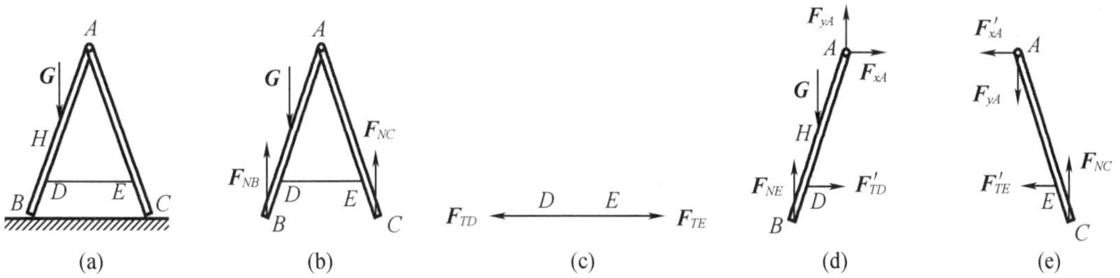

图 1-25 例题 1-5 图

解 (1)讨论整个系统受力情况,主动力为 $\boldsymbol{G}$,按照光滑接触面的性质,B、C 处受到沿法线方向的约束力 $\boldsymbol{F}_{NB}$、$\boldsymbol{F}_{NC}$ 的作用,受力图如图 1-25(b)所示。

(2)对绳子 DE 进行受力分析。绳子 DE 两端 D、E 分别受到梯子对它的拉力 $\boldsymbol{F}_{TD}$、$\boldsymbol{F}_{TE}$ 的作用,如图 1-25(c)所示。

(3)梯子 AB 部分在 H 处受到人对它的作用力 $\boldsymbol{G}$,在光滑铰链 A 处受到梯子 AC 部分给它的约束力 $\boldsymbol{F}_{xA}$ 和 $\boldsymbol{F}_{yA}$ 的作用,在点 D 处受到绳子 DE 对它的拉力 $\boldsymbol{F}'_{TD}$ 的作用,在点 B 处受到光滑水平面对它的沿法线方向的约束力 $\boldsymbol{F}_{NB}$ 的作用。梯子 AB 部分的受力图如图 1-25(d)所示。

(4)梯子 AC 部分在光滑铰链 A 处受到梯子 AB 部分给它的约束力 $\boldsymbol{F}'_{xA}$ 和 $\boldsymbol{F}'_{yA}$ 的作用,在点 E 处受到绳子 DE 对它的拉力 $\boldsymbol{F}'_{TE}$ 的作用,在点 C 处受到光滑水平面对它的沿法线方向的约束力 $\boldsymbol{F}_{NC}$ 的作用。梯子 AC 部分的受力图如图 1-25(e)所示。

在讨论整个系统的受力情况时,选择不同的研究对象,内力与外力之间可以相互转化。例如,在进行例题 1-5 中整个系统的受力分析时,$\boldsymbol{F}'_{xA}$、$\boldsymbol{F}'_{yA}$ 和 $\boldsymbol{F}'_{TD}$ 是内力;而在进行梯子 AC 部分的受力分析时,$\boldsymbol{F}'_{xA}$、$\boldsymbol{F}'_{yA}$ 和 $\boldsymbol{F}'_{TD}$ 便是外力。可见,内力与外力的区分,只有相对于某一确定的研究对象才有意义。

正确地画出物体的受力图是分析解决力学问题的基础。在本节开头已经介绍了画受力图时应注意的几个问题,通过上面几个例题,同学们对如何画受力图已有了一些认识,下面总结一下正确进行受力分析及画好受力图的关键。

(1)选好研究对象。根据解题的需要,可以选取单个物体或整个系统为研究对象,也可以选取由几个物体组成的子系统为研究对象。

(2)正确确定研究对象受力的数目。既不能少画力,也不能多画力。力是物体之间相互的作用,因此受力图上每个力都要明确它是哪一个施力物体作用的,不能凭空想象。物体之间的相互作用力可分为两类:第一类为场力,例如万有引力、电磁力等;第二类为物体之间相互的接触作用力,例如压力、摩擦力等。分析第二类力时,必须注意研究对象与周围物体在何处接触。

(3)一定要按照约束的性质画约束力。当一个物体同时受到几个约束的作用时,应分别根据每个约束单独作用情况,由该约束本身的性质来确定约束力的方向,绝不能按照自己的想象画约束力的方向。

(4)当几个物体相互接触时,它们之间的相互作用关系要根据作用和反作用定律来分析。

(5)分析系统受力情况时,只画外力,不画内力。

习　　题

1-1　画出图1-26中各球的受力图。

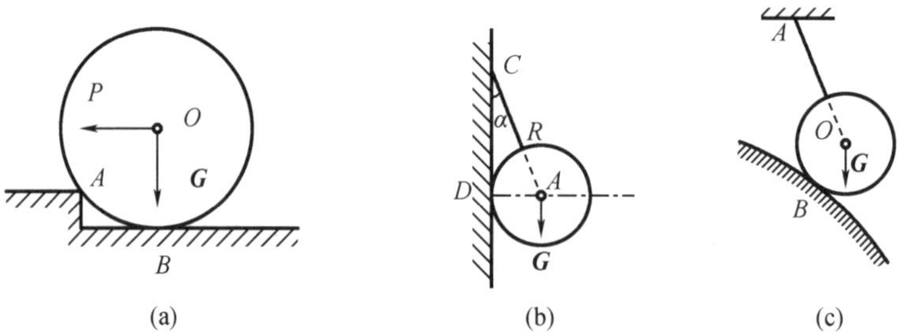

图1-26　习题1-1图

1-2　画出图1-27中各杆的受力图。

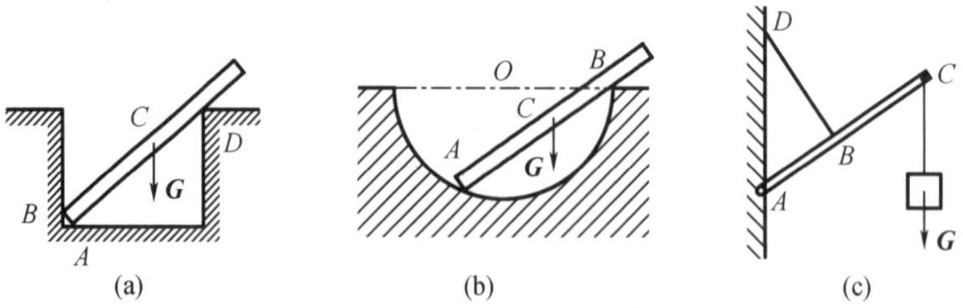

图1-27　习题1-2图

1-3　画出图1-28中A、B两处反力的方向(包括方位和指向)。

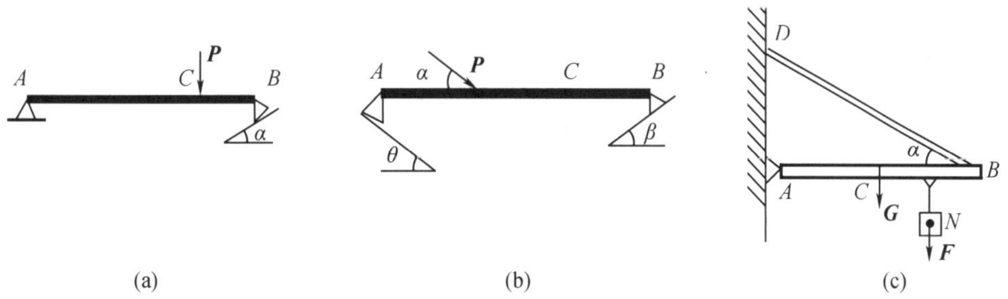

图 1 − 28　习题 1 − 3 图

1 − 4　画出图 1 − 29 中每个标注字符的物体的受力图及各分图的整体受力图。未画重力的物体其自重均不计,所有接触处均为光滑接触。

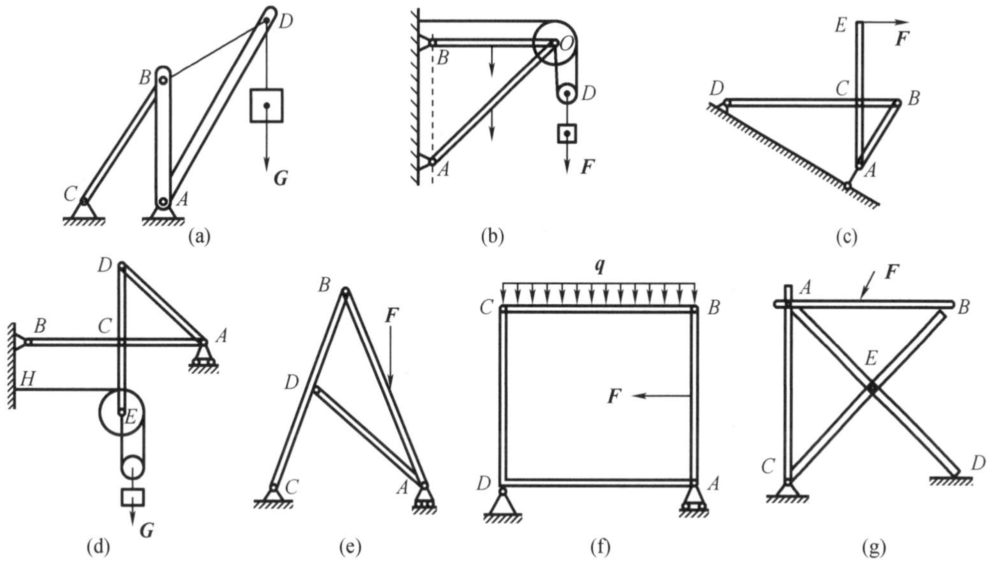

图 1 − 29　习题 1 − 4 图

第 2 章　平面汇交力系

本章将研究平面汇交力系的合成和平衡问题。

平面汇交力系是指各力的作用线都在同一平面内且汇交于一点的力系。

平面汇交力系合成与平衡问题的求解方法可以分为几何法与解析法两种。几何法是应用力的平行四边形法则(或力的三角形法则),用几何作图的方法,研究力系中各分力与合力的关系,从而求出力系的合力,并得出其平衡条件;解析法则是用列方程的方法,研究力系中各分力与合力的关系,然后求出力系的合力,并得出其平衡条件。

2.1　平面汇交力系合成与平衡的几何法

1. 平面汇交力系合成的几何法、力的多边形法规则

设一刚体受到平面汇交力系 $\boldsymbol{F}_1$、$\boldsymbol{F}_2$、$\boldsymbol{F}_3$、$\boldsymbol{F}_4$ 的作用,各力作用线汇交于点 A,根据刚体内部力的可传性,可将各力沿其作用线移至汇交点 A,如图 2 - 1(a)所示。

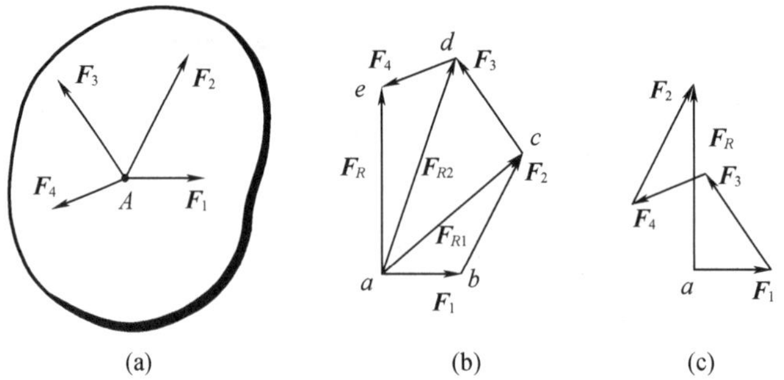

图 2 - 1　力的多边形法则

为简化此力系,根据力的平行四边形法则,逐步两两合成各力,最后求得一个通过汇交点 A 的合力 $\boldsymbol{F}_R$;还可以用更简便的方法求此合力 $\boldsymbol{F}_R$ 的大小与方向:任取一点 a,先作力的三角形求出 $\boldsymbol{F}_1$ 与 $\boldsymbol{F}_2$ 的合力 $\boldsymbol{F}_{R1}$,再作力的三角形合成 $\boldsymbol{F}_{R1}$ 与 $\boldsymbol{F}_3$ 得 $\boldsymbol{F}_{R2}$,最后合成 $\boldsymbol{F}_{R2}$ 与 $\boldsymbol{F}_4$ 得 $\boldsymbol{F}_R$,如图 2 - 1(b)所示。

多边形 $abcde$ 称为此平面汇交力系的力多边形,矢量 $\overrightarrow{ae}$ 称为此力多边形的封闭边。封闭边矢量 $\overrightarrow{ae}$ 即表示此平面汇交力系合力 $\boldsymbol{F}_R$ 的大小与方向(即合力矢),而合力的作用线仍应通过原汇交点 A。这种用力多边形求合力的作图方法,即为力的多边形法则,称这种合成力的方法为几何法。

综上所述,平面汇交力系可合成一合力,合力矢等于各分力的矢量和,合力的作用线通过汇交点。设平面汇交力系包含 n 个力,以 $\boldsymbol{F}_R$ 表示它们的合力矢,则有

$$F_R = F_1 + F_2 + \cdots + F_n = \sum_{i=1}^{n} F_i \tag{2-1}$$

如果一力与某一力系等效，则称此力为该力系的合力。如力系中各力的作用线都沿同一直线，则称此力系为共线力系，它是平面汇交力系的特殊情况，它的力多边形在同一直线上。若沿直线的某一指向为正，相反为负，则共线力系合力的大小与方向取决于各分力的代数和，即

$$F_R = \sum_{i=1}^{n} F_i \tag{2-2}$$

应用几何法求平面汇交力系的合力必须注意以下几点。

(1)各分力的矢量沿着环绕力多边形边界的同一方向首尾相接。

(2)力系合力的大小是力多边形中第一个力的起点与最后一个力的终点的连线长度，方向由第一个力的起点指向最后一个力的终点，如图2-1(b)所示。

(3)根据矢量相加的交换律，任意变换各分力矢的作图次序，可得形状不同的力多边形，但其合力矢仍然不变，如图2-1(c)所示。

(4)力系中各分力的作用点位于同一点，因为根据力的可传性原理，只要它们的作用线汇交于同一点即可。

(5)几何法只适用于平面汇交力系，而对于空间汇交力系来说，由于作图不方便，用几何法求解是不适宜的。

(6)对于由多个力组成的平面汇交力系，用几何法进行简化的优点是直观、方便、快捷，画出力多边形后，按与画分力同样的比例，用尺子和量角器即可量得合力的大小和方向。但是，这种方法要求画图精确，否则误差较大。

2. 平面汇交力系平衡的几何条件

由于平面汇交力系可用其合力来代替，显然，平面汇交力系平衡的必要和充分条件是其合力等于零，即

$$\sum_{i=1}^{n} F_i = 0 \tag{2-3}$$

在平衡状态下，力多边形中最后一个力的终点与第一个力的起点重合，称此时的力多边形为封闭的力多边形。于是，可得如下结论：平面汇交力系平衡的必要和充分条件是其力多边形自行封闭。这就是平面汇交力系平衡的几何条件。

求解平面汇交力系的平衡问题时可用图解法，即按比例先画出封闭的力多边形，然后用尺和量角器在图上量得所要求的未知量；也可根据图形的几何关系用三角公式计算出所要求的未知量。这种解题方法称为几何法。

例题2-1　重力为 G 的钢球，用细绳悬挂在光滑的铅直墙上，细绳与墙面的夹角为30°，如图2-2(a)所示。求钢球所受的约束力。

解　(1)画受力图，如图2-2(b)所示。选比例尺，如图2-2(c)所示。

(2)将 G、F_T、F_{NA} 首尾相接得到力多边形 abc，其封闭边矢量 $\overrightarrow{ab}$ 就是绳的约束力 F_T。量得 $\overrightarrow{ab}$ 的长度，即可得到约束力大小

$$F_T = \frac{2}{3}\sqrt{3}G$$

F_T 与 x 轴夹角 $\alpha = 120°$。

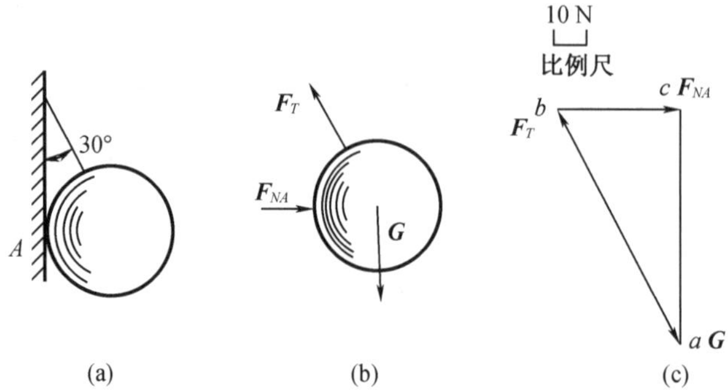

图 2-2 例题 2-1 图

例题 2-2 支架的横梁 AB 与杆 CD 以铰链 C 相连接，如图 2-3(a)所示。已知 $AC = CB$，杆 CD 与水平线成 45°角，载荷 $F = 10$ kN，作用于 B 处。梁 AB 和杆 CD 的自重忽略不计。求铰链 A 对横梁 AB 的约束力和杆 CD 所受的力。

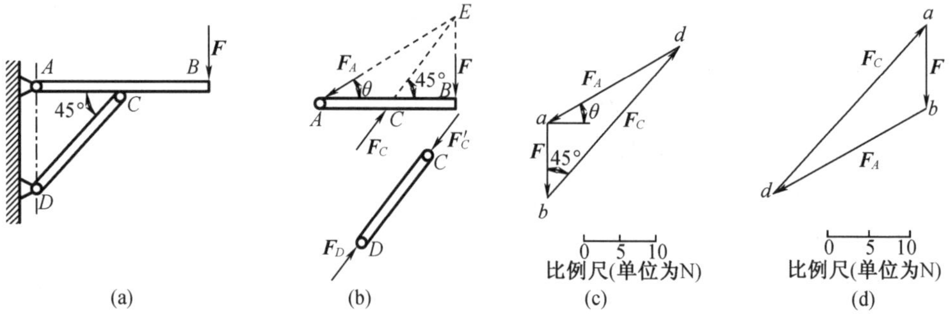

图 2-3 例题 2-2 图

解 (1)选取横梁 AB 为研究对象。横梁 AB 在 B 处受载荷 $\boldsymbol{F}$ 的作用。杆 DC 为二力杆，它在 C 处对横梁 AB 的约束力 $\boldsymbol{F}_C$ 的作用线必沿两铰链 D、C 中心的连线。铰链 A 对横梁 AB 的约束力 $\boldsymbol{F}_A$ 的作用线可根据三力平衡汇交定理确定，即通过另两力的交点 E，如图 2-3(b)所示。

(2)根据平面汇交力系平衡的几何条件，$\boldsymbol{F}$、$\boldsymbol{F}_A$、$\boldsymbol{F}_C$ 应组成一封闭的力三角形。按照比例尺，先画出已知力矢 $\overrightarrow{ab} = \boldsymbol{F}$，再由点 a 作直线平行于 AE，由点 b 作直线平行于 CE，这两条直线相交于点 d，如图 2-3(c)所示。由力三角形 abd 封闭可确定 $\boldsymbol{F}_C$ 和 $\boldsymbol{F}_A$ 的指向。

(3)在力三角形 abd 中，线段 bd 和 da 分别表示 $\boldsymbol{F}_C$ 和 $\boldsymbol{F}_A$ 的大小，量出它们的长度，按比例换算即可求得 $\boldsymbol{F}_C$ 和 $\boldsymbol{F}_A$ 的大小，如图 2-3(d)所示，但一般都是利用三角公式计算。根据图 2-3(b)、图2-3(c)，通过简单的三角计算可得

$$F_C = 28.29 \text{ kN}$$

$$F_A = 22.37 \text{ kN}$$

2.2　平面汇交力系合成与平衡的解析法

求解平面汇交力系合成问题的另一种常用方法是解析法。这种方法是以力在坐标轴上的投影为基础建立方程的。

1. 力在平面直角坐标轴上的投影

设力 $\boldsymbol{F}$ 用矢量$\overrightarrow{AB}$表示，如图 2－4 所示。取直角坐标系 Oxy，使 F 在 Oxy 平面内。过力矢$\overrightarrow{AB}$的两端点 A 和 B 分别向 x 轴和 y 轴作垂线，得垂足 a、b 及 a'、b'，线段 ab 与 $a'b'$分别称为力 $\boldsymbol{F}$ 在 x 轴和 y 轴上的投影，记作 F_x 和 F_y。

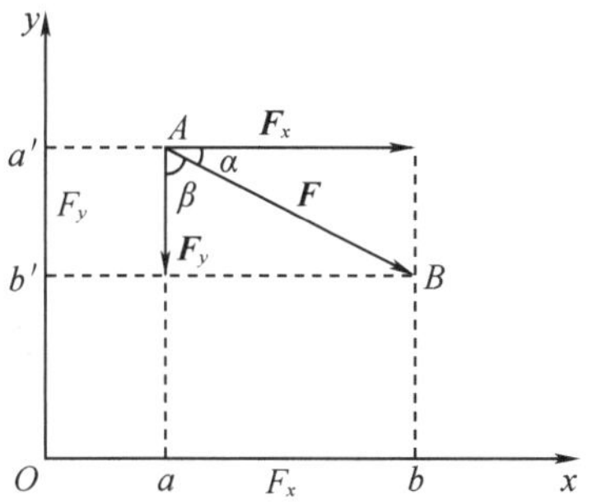

图 2－4　力在平面直角坐标轴上的投影

规定当力的始端的投影到终端的投影的方向与投影轴的正向一致时，力的投影取正值；当力的始端的投影到终端的投影的方向与投影轴的正向相反时，力的投影取负值。

力的投影的值与力的大小及方向有关，设力 $\boldsymbol{F}$ 与 x 轴的夹角为 α，则由图 2－4 可知

$$\begin{cases} F_x = F\cos\alpha \\ F_y = -F\sin\alpha \end{cases} \tag{2-4}$$

一般情况下，若已知力 $\boldsymbol{F}$ 与 x 轴和 y 轴所夹的锐角分别为 α 和 β，则该力在 x 轴和 y 轴上的投影分别为

$$\begin{cases} F_x = \pm F\cos\alpha \\ F_y = \pm F\cos\beta \end{cases} \tag{2-5}$$

即力在坐标轴上的投影，等于力的大小与力和该轴所夹锐角余弦的乘积。当力与轴垂直时，力在该轴上的投影大小为零；当力与轴平行时，力在该轴上的投影大小的绝对值等于该力的大小。

如已知力 $\boldsymbol{F}$ 在坐标轴上的投影 F_x、F_y，亦可求出该力的大小和方向角：

$$\begin{cases} F = \sqrt{F_x^2 + F_y^2} \\ \tan\alpha = \left|\dfrac{F_y}{F_x}\right| \end{cases} \tag{2-6}$$

式中，α 为力 $\boldsymbol{F}$ 与 x 轴所夹的锐角，其所在的象限由 F_x 和 F_y 的正负号来确定。

在图 2－4 中，若将力沿 x 轴和 y 轴进行分解，可得分力 $\boldsymbol{F}_x$ 和 $\boldsymbol{F}_y$。应当注意，力的投影和力的分力是两个不同的概念：力的投影是标量，只有大小和正负；而力的分力是矢量，有大

小和方向。它们与原力的关系各自遵循相应的规则。在直角坐标系中,力的分力的大小和力的投影的绝对值是相同的。同时,力的矢量也可以转化为力的标量进行计算,即

$$\boldsymbol{F}=\boldsymbol{F}_x+\boldsymbol{F}_y=F_x\boldsymbol{i}+F_y\boldsymbol{j} \tag{2-7}$$

式中,$\boldsymbol{i}$ 和 $\boldsymbol{j}$ 分别为沿直角坐标轴 x 轴和 y 轴正向的单位矢量。

必须注意,力在轴上的投影 F_x、F_y 为代数量,而力沿轴的分量 $\boldsymbol{F}_x=F_x\boldsymbol{i}$ 和 $\boldsymbol{F}_y=F_y\boldsymbol{j}$ 为矢量,两者不可混淆。

例题 2-3 如图 2-5 所示,已知 $F_1=100$ N,$F_2=200$ N,$F_3=300$ N,$F_4=400$ N,各力的方向如图。求各力在 x 轴和 y 轴上的投影。

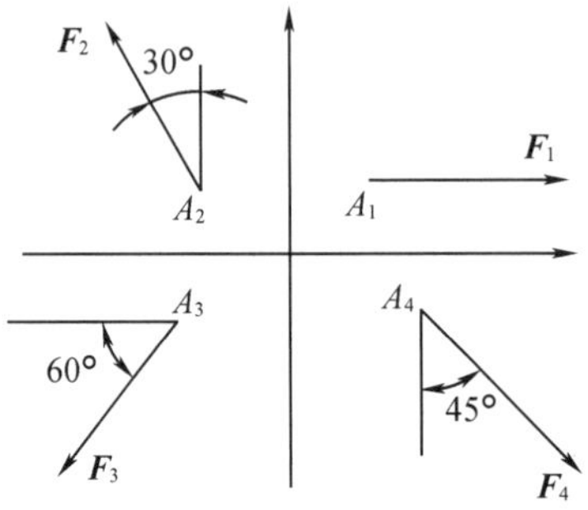

图 2-5 例题 2-3 图

解 根据式(2-5),列表 2-1 计算。

表 2-1 例题 2-3 表

力	力在 x 轴上的投影($\pm F\cos\alpha$)	力在 y 轴上的投影($\pm F\sin\alpha$)
F_1	$100\times\cos 0°=100$ N	$100\times\sin 0°=0$
F_2	$-200\times\cos 60°=-100$ N	$200\times\sin 60°=100\sqrt{3}$ N
F_3	$-300\times\cos 60°=-150$ N	$-300\times\sin 60°=-150\sqrt{3}$ N
F_4	$400\times\cos 45°=200\sqrt{2}$ N	$-400\times\sin 45°=-200\sqrt{2}$ N

2. 合力投影定理

用解析法求平面汇交力系的合力,必须先讨论合力及其分力在同一坐标轴上投影的关系。

如图 2-6(a)所示,设有一平面汇交力系 $\boldsymbol{F}_1$、$\boldsymbol{F}_2$、$\boldsymbol{F}_3$ 作用在物体上的 O 点。从任一点 A 作力多边形 $ABCD$,如图 2-6(b)所示,则矢量 $\overrightarrow{AD}$ 就表示该力系的合力 $\boldsymbol{F}_R$ 的大小和方向。取任一轴 x,把各力都投影在 x 轴上,并且令 F_{x1}、F_{x2}、F_{x3} 和 F_{Rx} 分别表示 $\boldsymbol{F}_1$、$\boldsymbol{F}_2$、$\boldsymbol{F}_3$ 和 $\boldsymbol{F}_R$ 在 x 轴上的投影,由图 2-6(b)可见

$$F_{x1}=ab$$
$$F_{x2}=bc$$
$$F_{x3}=-cd$$
$$F_{Rx}=ad$$

而

$$ad = ab + bc - cd$$

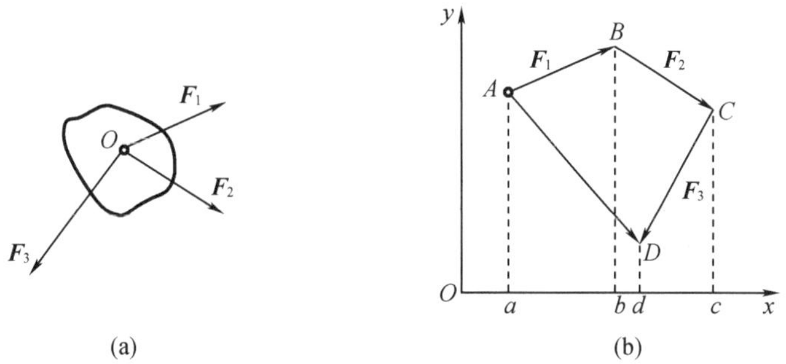

图 2-6　合力投影定理

因此可得

$$F_{Rx} = F_{x1} + F_{x2} + F_{x3}$$

这一关系可推广到存在任意个汇交力的情形，即

$$F_{Rx} = F_{x1} + F_{x2} + \cdots + F_{xn} = \sum_{i=1}^{n} F_{xi} \tag{2-8}$$

由此可见，合力在任一轴上的投影，等于各分力在同一轴上投影的代数和。这就是合力投影定理。

3. 用解析法求平面汇交力系的合力

当平面汇交力系为已知时，如图 2-6 所示，我们可选直角坐标系，先求出力系中各力在 x 轴和 y 轴上的投影，再根据合力投影定理求得合力 $\boldsymbol{F}_R$ 在 x 轴和 y 轴上的投影 F_{Rx} 和 F_{Ry}，根据图 2-7 中的几何关系，可知合力 $\boldsymbol{F}_R$ 的大小和方向由下式确定：

$$\begin{cases} F_R = \sqrt{F_{Rx}^2 + F_{Ry}^2} = \sqrt{(\sum F_x)^2 + (\sum F_y)^2} \\ \tan\alpha = \dfrac{|F_{Ry}|}{|F_{Rx}|} = \dfrac{\left|\sum \sqrt{F_y}\right|}{\left|\sum F_x\right|} \end{cases} \tag{2-7}$$

式中，α 为合力 $\boldsymbol{F}_R$ 与 x 轴所夹的锐角，$\boldsymbol{F}_R$ 在哪个象限由 $\sum F_x$ 和 $\sum F_y$ 的正负号来确定，如图 2-8 所示。合力的作用线通过力系的汇交点 O。

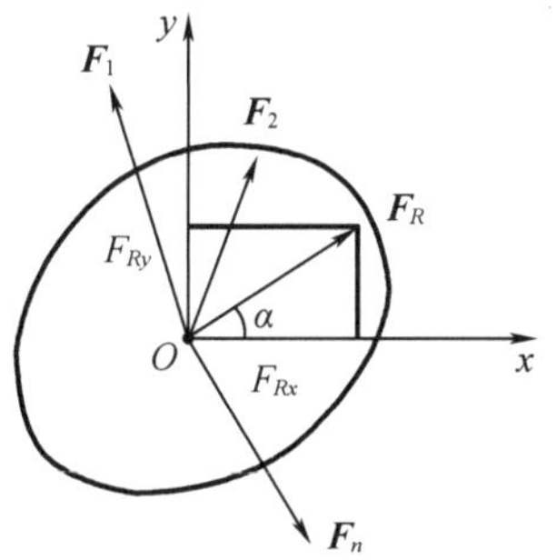

图 2-7　用解析法求平面汇交力系的合力

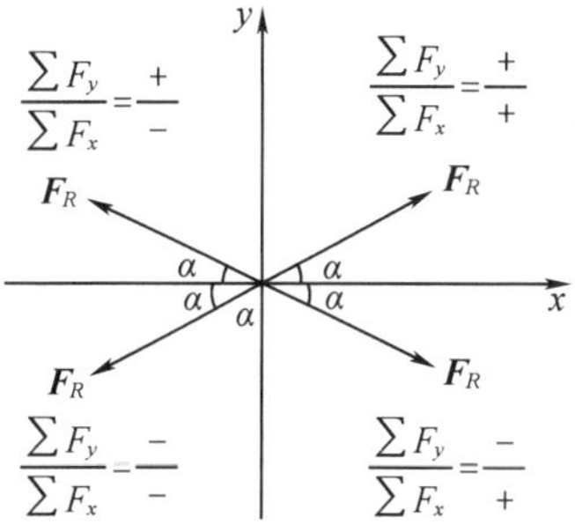

图 2-8　由分力正负号来确定合力象限

下面举例说明如何求平面汇交力系的合力。

例题 2-4 如图 2-9(a)所示,固定的吊环上作用着共面的三个力,已知 $F_1=25$ kN, $F_2=10$ kN, $F_3=20$ kN,三力均通过圆心 O。求此力系合力的大小和方向。

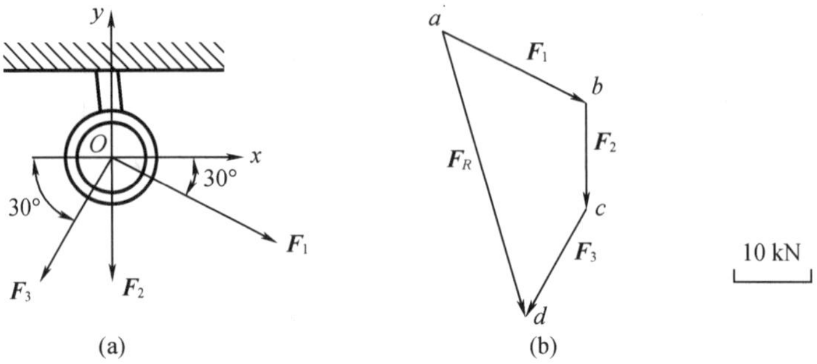

图 2-9 例题 2-4 图

解 运用两种方法求合力。

(1)几何法

取比例尺为 1 cm 代表 10 kN,画力多边形,如图 2-9(b)所示,其中 $ab=|\boldsymbol{F}_1|$, $bc=|\boldsymbol{F}_2|$, $cd=|\boldsymbol{F}_3|$。从起点 a 向终点 d 作矢量 $\overrightarrow{ad}$,即得合力 $\boldsymbol{F}_R$。量得 $ad=4.4$ cm,根据比例尺可得 $\boldsymbol{F}_R=44$ kN;合力 $\boldsymbol{F}_R$ 与水平线之间的夹角用量角器量得 $\alpha=22°$。

(2)解析法

取如图 2-9(a)所示的直角坐标系 Oxy,则合力的投影为

$$F_{Rx}=F_1\cos 30°-F_3\cos 60°=11.65\ \text{kN}$$

$$F_{Ry}=-F_1\sin 30°-F_2-F_3\sin 60°=-39.82\ \text{kN}$$

则合力 $\boldsymbol{F}_R$ 的大小:

$$F_R=\sqrt{F_{Rx}^2+F_{Ry}^2}=\sqrt{11.65^2+39.82^2}=41.5\ \text{kN}$$

合力 $\boldsymbol{F}_R$ 的方向:

$$\tan\alpha=\frac{|F_{Ry}|}{|F_{Rx}|}=\frac{-39.82}{11.65}$$

$$\alpha=\arctan\frac{|F_{Ry}|}{|F_{Rx}|}=\arctan\frac{-39.82}{11.65}=-73.4°$$

由于 $F_{Rx}>0$, $F_{Ry}>0$,故 α 在第一象限,而合力 $\boldsymbol{F}_R$ 的作用线通过平面汇交力系的汇交点 O。

习 题

2-1 圆柱的重力 $G=2.5$ kN,搁置在三角形槽上,如图 2-10 所示。若不计摩擦,试用几何法求圆柱对三角槽壁 A、B 处的压力。

2-2 用解析法求解习题 2-1。

2-3 三角支架如图 2-11 所示,已知挂在 B 点的物体重力为 G。求 AB、BC 杆所受

的力。

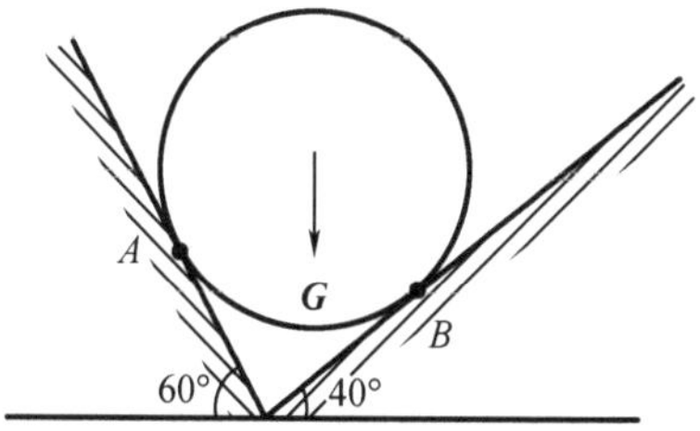

图 2-10　习题 2-1 图

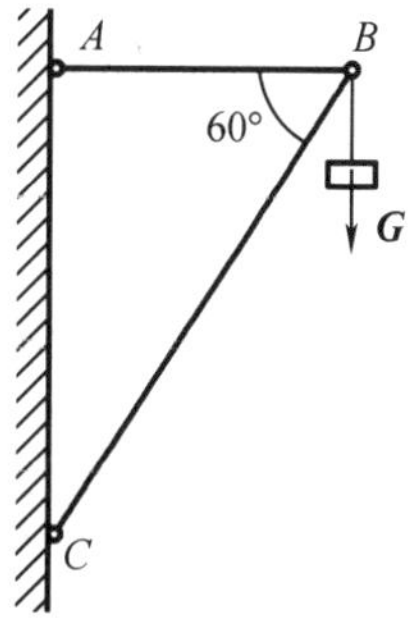

图 2-11　习题 2-3 图

2-4　如图 2-12 所示，重物质量 $m=10$ kg，悬挂在支架铰接点 B 处，A、C 为固定铰链支座，忽略支架杆自重。求重物处于平衡状态时，杆 AB、BC 所受的力。

2-5　小车受到三个水平力的作用，如图 2-13 所示。已知 $F_1=150$ N，$F_2=100$ N。F_3 等于多大时，才能使合力沿 x 方向？计算此合力的大小。

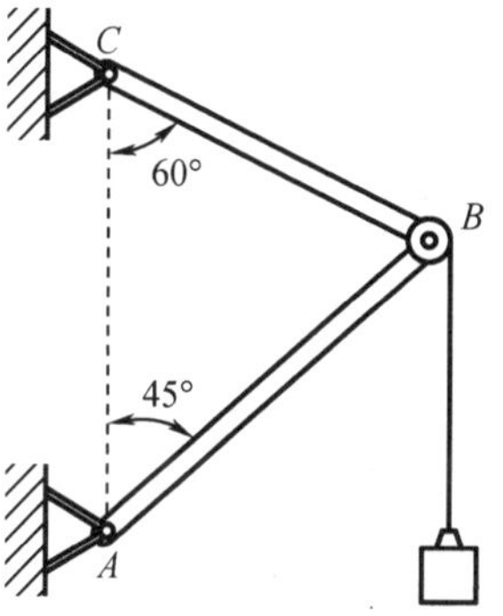

图 2-12　习题 2-4 图

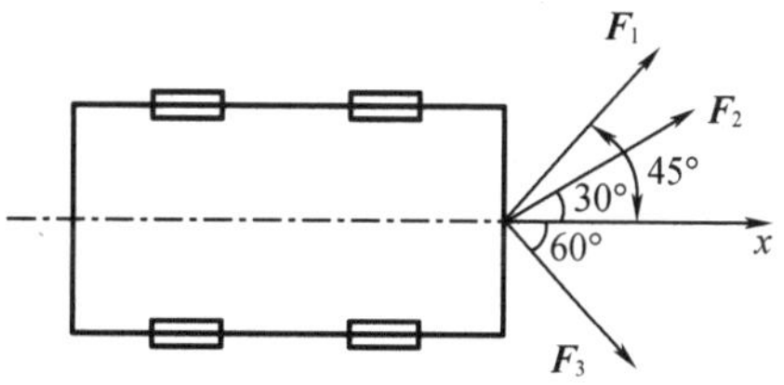

图 2-13　习题 2-5 图

第3章　平面力偶系

本章介绍平面力对点之矩和平面力偶，以及平面力偶系的合成与平衡条件。

3.1　平面力对点之矩

力对刚体的作用效应使刚体的运动状态发生改变(包括移动与转动)，其中力对刚体的移动效应可用力矢来度量，而力对刚体的转动效应可用力对点之矩(简称力矩)来度量，即力矩是度量力对刚体的转动效应的物理量。

1. 力对点之矩

如图3-1所示，平面上作用一力 $\boldsymbol{F}$，在同平面内任取一点 O，称点 O 为矩心，称点 O 到力的作用线的垂直距离 h 为力臂，则在平面问题中力对点之矩的定义如下：力对点之矩是一个代数量，它的绝对值等于力的大小与力臂的乘积，力使物体绕矩心逆时针转动时力对点之矩为正，反之为负。

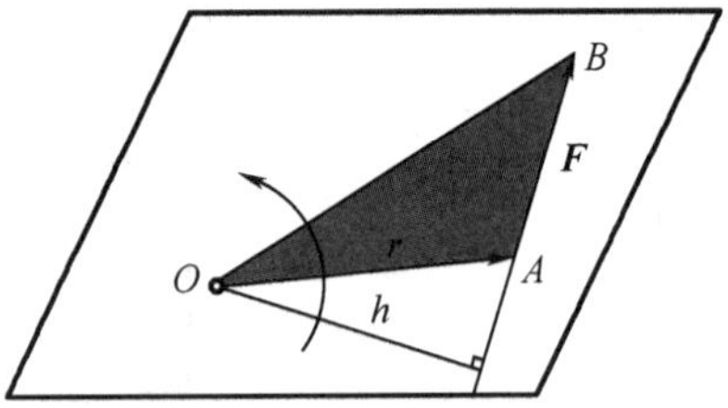

图3-1　力对点之矩

力 $\boldsymbol{F}$ 对于点 O 的矩用 $M_O(\boldsymbol{F})$ 表示，于是计算公式为

$$M_O(\boldsymbol{F}) = \pm Fh \tag{3-1}$$

由图3-1容易看出，力 $\boldsymbol{F}$ 对点 O 的矩的大小也可用 $\triangle OAB$ 面积的两倍表示，即

$$M_O(\boldsymbol{F}) = \pm 2S_{\triangle OAB} \tag{3-2}$$

显然，当力的作用线通过矩心，即力臂等于零时，它对矩心的力矩等于零。力矩的单位常用 N·m 或 kN·m 表示。

如以 $\boldsymbol{r}$ 表示由点 O 到 A 的矢径(图3-1)，由矢量积定义，$\boldsymbol{r}\times\boldsymbol{F}$ 的大小就是 $\triangle OAB$ 面积的两倍。由此可见，此矢量积 $\boldsymbol{r}\times\boldsymbol{F}$ 的模就等于力 $\boldsymbol{F}$ 对点 O 的矩的大小，其指向与力矩的转向符合右手法则。

2. 合力矩定理

在力矩的计算中，有时力臂的计算比较烦琐，所以可以考虑用合力的分力来计算。这就关系到下面要讨论的合力矩定理。

合力矩定理：平面汇交力系的合力对于平面内任一点之矩等于所有分力对于该点之矩的代数和。即

$$M_O(\boldsymbol{F}_R) = \sum_{i=1}^{n} M_O(\boldsymbol{F}_i) \tag{3-3}$$

证明　设有平面汇交力系 $\boldsymbol{F}_1,\boldsymbol{F}_2,\cdots,\boldsymbol{F}_n$，如图3-2所示，它们的合力为 F_R，可以由力的多边形法则得出。任选一点 O 作为矩心，作 Oy 轴垂直于 O 点与力系汇交点 A 的连线 OA，由式(3-1)和式(3-2)可知 $\boldsymbol{F}_1$ 对 O 点的矩为

$$M_O(\boldsymbol{F}_1) = 2S_{\triangle OAB} = F_{1y} \times OA$$

式中，F_{1y} 为 $\boldsymbol{F}_1$ 沿 y 轴方向分力的大小。

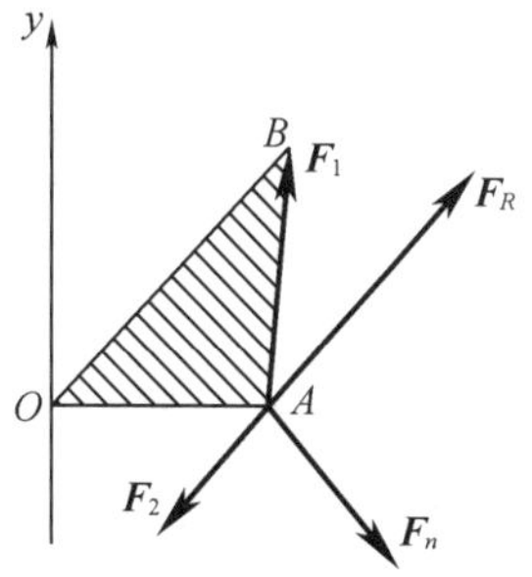

图3-2　合力矩定理

同理可得

$$M_O(\boldsymbol{F}_2) = F_{2y} \times OA$$

……

$$M_O(\boldsymbol{F}_n) = F_{ny} \times OA$$

$$M_O(\boldsymbol{F}_R) = F_{Ry} \times OA$$

因

$$F_{Ry} = F_{1y} + F_{2y} + \cdots + F_{ny}$$

故

$$M_O(\boldsymbol{F}_R) = F_{Ry} \times OA = F_{1y} \times OA + F_{2y} \times OA + \cdots + F_{ny} \times OA$$

即

$$M_O(\boldsymbol{F}_R) = M_O(\boldsymbol{F}_1) + M_O(\boldsymbol{F}_2) + \cdots + M_O(\boldsymbol{F}_n)$$

或

$$M_O(\boldsymbol{F}_R) = \sum_{i=1}^{n} M_O(\boldsymbol{F}_i)$$

于是定理得证。对于有合力的其他各种力系，合力矩定理也是成立的。

此外，当平面汇交力系平衡时，合力为零，由式(3-3)可知，此时各力对任一点 O 的矩的代数和皆为零。

3.2 平面力偶

1. 力偶与力偶矩

在实践中,我们常常见到汽车司机用双手转动驾驶盘(图 3－3(a)),电动机的定子磁场对转子作用电磁力使之旋转(图 3－3(b)),钳工用丝锥攻螺纹(图 3－3(c))等。在驾驶盘、电机转子、丝锥等物体上,都作用了成对的等值、反向且不共线的平行力。等值反向平行力的矢量和显然等于零,但是它们由于不共线而不能平衡,因此它们能使物体改变转动状态。这种由两个大小相等、方向相反且不共线的平行力组成的力系,称为力偶,如图 3－4 所示,记作$(\boldsymbol{F},\boldsymbol{F}')$。称力偶的两力之间的垂直距离 d 为力偶臂,称力偶所在的平面为力偶的作用面。作用在同一物体上的 n 个力偶组成一个力偶系。作用在同一个平面内的力偶系叫作平面力偶系。

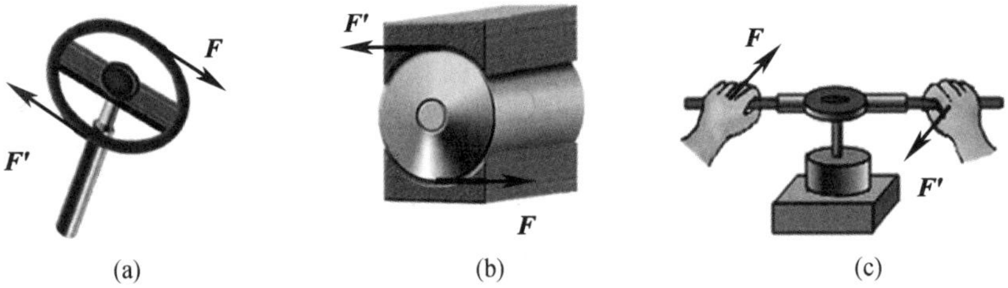

图 3－3 平面力偶举例

力偶不能合成一个力,或用一个力来等效替换;力偶也不能用一个力来平衡。因此,力和力偶是静力学的两个基本要素。力偶是由两个力组成的特殊力系,它的作用只改变物体的转动状态。力偶对物体的转动效应可用力偶矩来度量,即用力偶的两个力对其作用面内某点的矩的代数和来度量。

设有力偶$(\boldsymbol{F},\boldsymbol{F}')$,其力偶臂为 d,如图 3－5 所示。力偶对点 O 的矩为 $M_O(\boldsymbol{F},\boldsymbol{F}')$,则

$$M_O(\boldsymbol{F},\boldsymbol{F}') = M_O(\boldsymbol{F}) + M_O(\boldsymbol{F}') = F \cdot aO - F' \cdot bO = F\ (aO - bO) = Fd$$

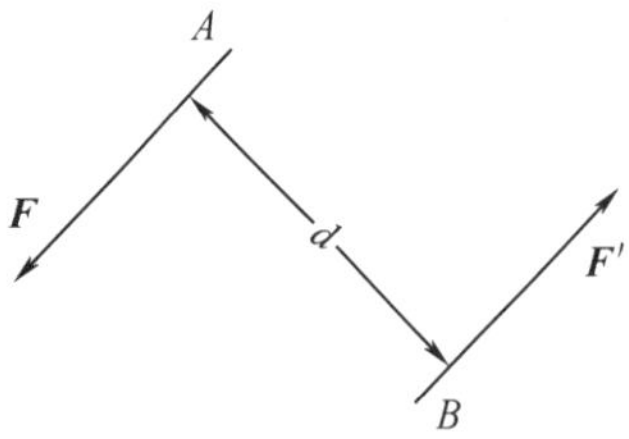

图 3－4 力偶

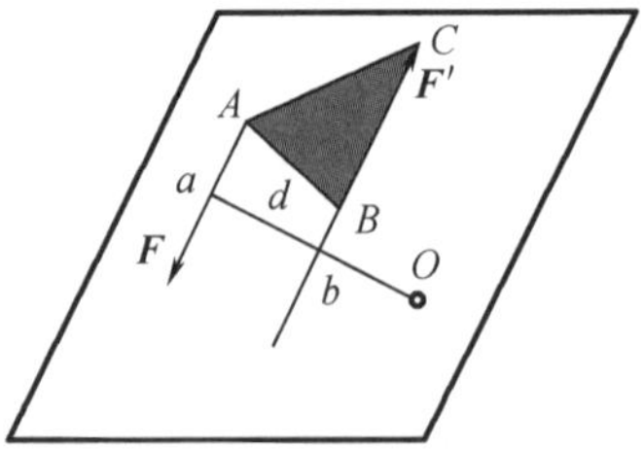

图 3－5 力偶对点 O 的矩

矩心 O 为任意选取的,由此可知,力偶的作用效应取决于力的大小和力偶臂的长短,与矩心的位置无关。力与力偶臂的乘积称为力偶矩,记作 $M(\boldsymbol{F},\boldsymbol{F}')$,简记为 M。

力偶在平面内的转向不同,其作用效应也不相同。因此,平面力偶对物体的作用效应由

以下两个因素决定：

(1)力偶矩的大小；

(2)力偶在作用平面内的转向。

因此力偶矩可视为代数量，即

$$M = \pm Fd \tag{3-3}$$

于是可得结论：力偶矩是一个代数量，其绝对值等于力的大小与力偶臂的乘积，正负号表示力偶的转向，一般以逆时针转向为正，反之为负。力偶矩的单位与力矩相同，也是 N·m。

由图3-5可见，力偶矩也可用三角形面积表示，即

$$M = \pm 2S_{\triangle ABC} \tag{3-4}$$

2. 同平面内力偶的等效定理

力偶是一个基本的力学量。与力不同，力偶只能和另一个力偶等效。

同平面内力偶的等效定理：在同平面内的两个力偶，如果力偶矩相等，则两力偶彼此等效。

上述结论可直接用实验证实。如图3-6(a)所示，双手握住手柄用丝锥攻螺纹时，作用在手柄上的力偶($\boldsymbol{F}_1, \boldsymbol{F}_1'$)和($\boldsymbol{F}_2, \boldsymbol{F}_2'$)，虽然它们的作用位置不同，但是如果它们的力偶矩大小相等、方向相同，如图3-6(b)所示，则它们对物体的作用效果相同，即

$$M_1 = M_2$$

得

$$F_1 d_1 = F_2 d_2$$

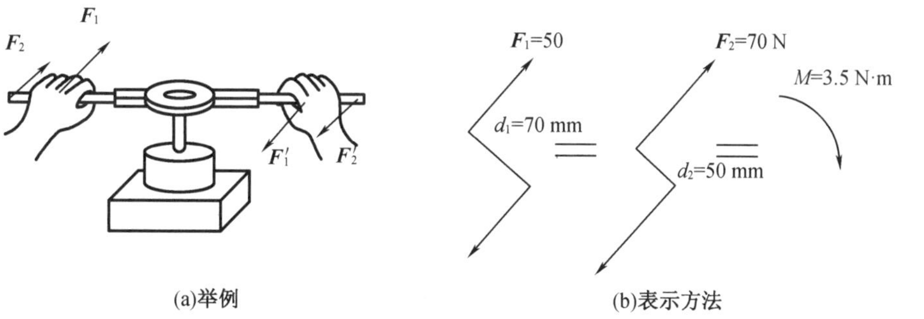

图3-6　同平面内力偶的等效定理

综上所述，可得下面两个重要推论。

(1)任一力偶可以在它的作用面内任意移转，而不改变它对刚体的作用。因此，力偶对刚体的作用与力偶在其作用面内的位置无关。

(2)只要保持力偶矩的大小和力偶的转向不变，就可以同时改变力偶中力的大小和力偶臂的长短，而不改变力偶对刚体的作用。

由此可见，力偶臂的大小和力的大小都不是力偶的特征量，只有力偶矩才是力偶作用效应的唯一量度。

3.3 平面力偶系的合成与平衡条件

1. 平面力偶系的合成

设在同一平面内有两个力偶($\boldsymbol{F}_1,\boldsymbol{F}'_1$)和($\boldsymbol{F}_2,\boldsymbol{F}'_2$),它们的力偶臂分别为 d_1 和 d_2,如图 3-7(a)所示。

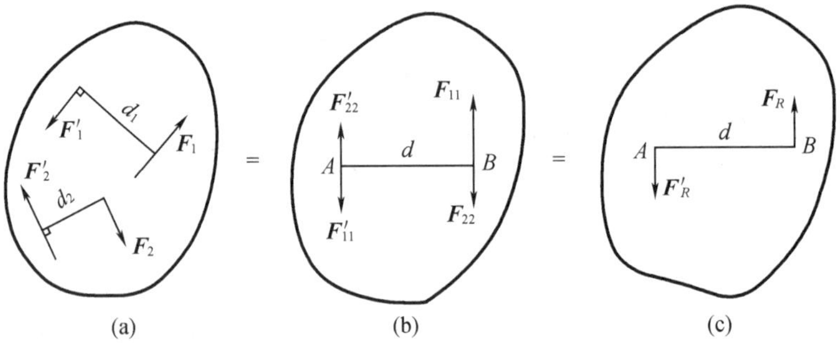

图 3-7 平面力偶系的合成

这两个力偶的力偶矩分别为 M_1 和 M_2,求它们的合成结果。为此,在保持力偶矩不变的情况下,使它们具有大小相同的力臂 d,需同时改变这两个力偶的力的大小和力偶臂的长短,并将它们在平面内移转,使力的作用线重合,如图 3-7(b)所示。于是得到与原力偶等效的两个新力偶($\boldsymbol{F}_{11},\boldsymbol{F}'_{11}$)和($\boldsymbol{F}_{22},\boldsymbol{F}'_{22}$)。

$\boldsymbol{F}_{11}$和 $\boldsymbol{F}_{22}$的大小:

$$F_{11}=M_1/d$$

$$F_{22}=M_2/d$$

分别对作用在点 A 和 B 处的力进行合成(设 $F_{11}>F_{22}$),得

$$\boldsymbol{F}_R=\boldsymbol{F}_{11}-\boldsymbol{F}_{22}$$

$$\boldsymbol{F}'_R=\boldsymbol{F}'_{11}-\boldsymbol{F}'_{22}$$

由于 $\boldsymbol{F}_R$ 与 $\boldsymbol{F}'_R$是大小相等的,所以构成了与原力偶系等效的合力偶($\boldsymbol{F}_R,\boldsymbol{F}'_R$),如图 3-7(c)所示,以 M 表示合力偶矩,得

$$M=F_R d=(F_{11}-F_{22})d=F_{11}d-F_{22}d=M_1-M_2$$

如果有两个以上的力偶,也可以按照上述方法合成。这就是说,在同平面内的任意个力偶可合成一个合力偶,合力偶矩等于各个分力偶矩的代数和,可写为

$$M=\sum_{i=1}^{n}M_i \tag{3-5}$$

2. 平面力偶系的平衡条件

由合成结果可知,力偶系平衡时,其合力偶矩等于零。因此,平面力偶系平衡的必要和充分条件是所有力偶矩的代数和等于零,即

$$\sum M_i=0 \tag{3-6}$$

例题3－1　如图3－8所示的工件上作用有三个力偶，其力偶矩分别为$M_1=-100\ \mathrm{N\cdot m}$，$M_2=-260\ \mathrm{N\cdot m}$，$M_3=-60\ \mathrm{N\cdot m}$；光滑螺柱$A$和$B$的距离$l=50\ \mathrm{cm}$。求两个光滑螺柱所受的水平力。

解　选工件为研究对象。工件在水平面内受三个力偶和两个螺柱的水平力的作用。三个力偶合成后仍为一力偶，如果工件平衡，必有一反力偶与它相平衡。因此，螺柱A和B的水平力$\boldsymbol{F}_{NA}$和$\boldsymbol{F}_{NB}$必组成一个力偶，它们的方向假设如图3－8所示，则$F_{NA}=F_{NB}$。

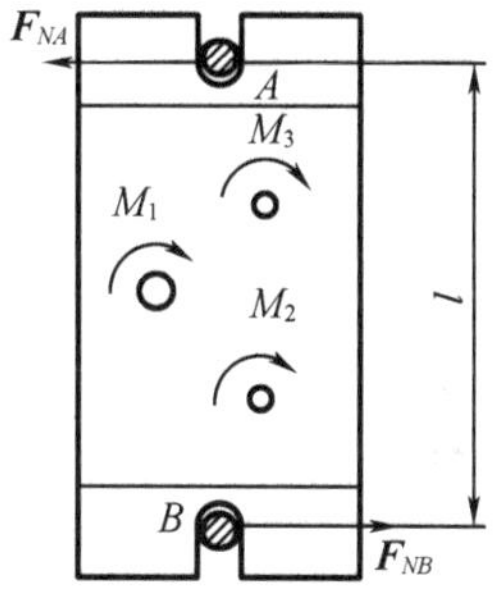

图3－8　例题3－1图

由平面力偶系的平衡条件知

$$\sum M_i = 0$$

即

$$F_{NA}l - M_1 - M_2 - M_3 = 0$$

得

$$F_{NA} = \frac{M_1 + M_2 + M_3}{l} = 200\ \mathrm{N}$$

例题3－2　在箱盖上要钻五个孔，如图3－9所示。先估计各个切削力偶矩，$M_1=M_2=M_3=-500\ \mathrm{N\cdot m}$，$M_4=-50\ \mathrm{N\cdot m}$，$M_5=-15\ \mathrm{N\cdot m}$。当用多轴钻床同时钻这五个孔时，工件受到的总切削力偶矩多大？

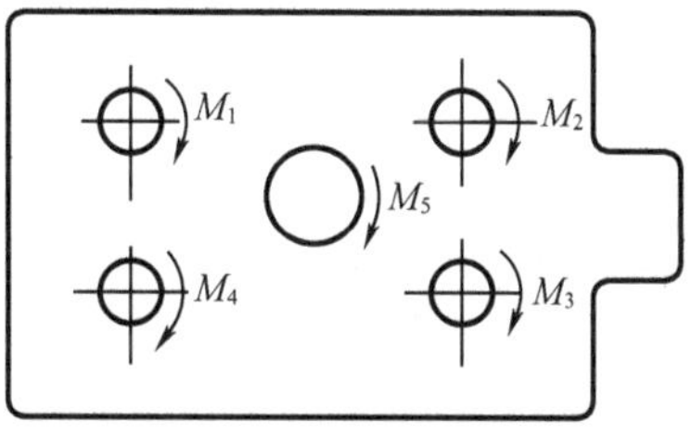

图3－9　例题3－2图

解　多轴钻床作用在箱盖上的力偶系由同一平面的五个力偶组成，切削力偶矩的值为负，所以它们的合力偶矩等于各力偶矩的代数和，即

$$\sum M_i = -500 - 500 - 500 - 50 - 15 = -1\ 565\ \mathrm{N\cdot m}$$

式中负号表示合力偶矩为顺时针转向。

习　　题

3－1　计算图3－10中力$\boldsymbol{P}$对O点之矩。

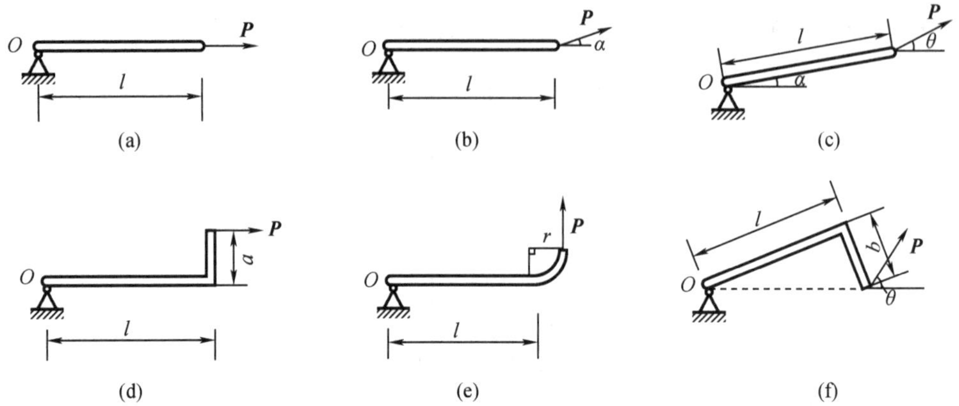

图3－10　习题3－1图

3－2　如图3－11所示，已知$F_1=F_1'=80\ \mathrm{N}$，$F_2=F_2'=130\ \mathrm{N}$，$F_3=F_3'=100\ \mathrm{N}$，$d_1=70\ \mathrm{cm}$，$d_2=60\ \mathrm{cm}$，$d_3=50\ \mathrm{cm}$。分别求三个力偶的合力偶矩。

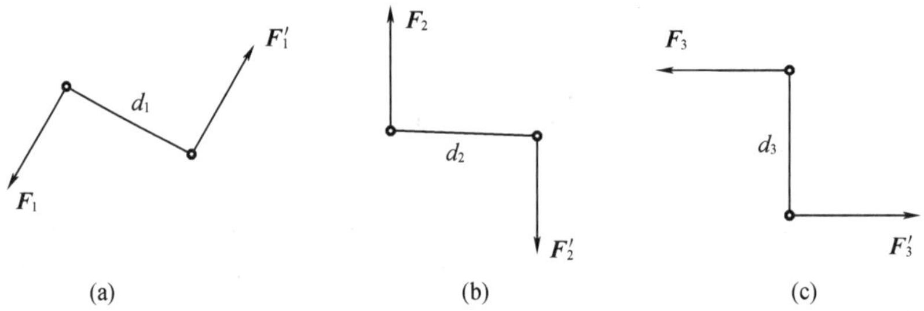

图3－11　习题3－2图

3－3　如图3－12所示，平面刚架在C点受水平力$\boldsymbol{F}$作用，$F=20\ \mathrm{N}$，不计刚架的自重。求A、B支点对平面刚架的约束力。

3－4　拖车的重力$G=250\ \mathrm{kN}$，牵引车对推车的作用力$F=50\ \mathrm{kN}$，如图3－13所示。求当拖车匀速直线行驶时，车轮A、B对地面的正压力。

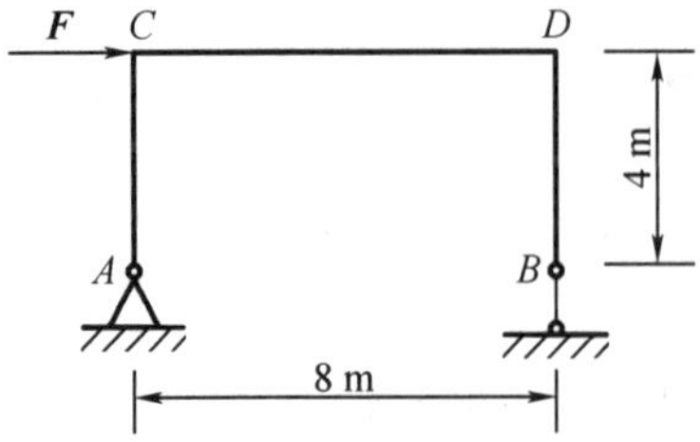

图3－12　习题3－3图

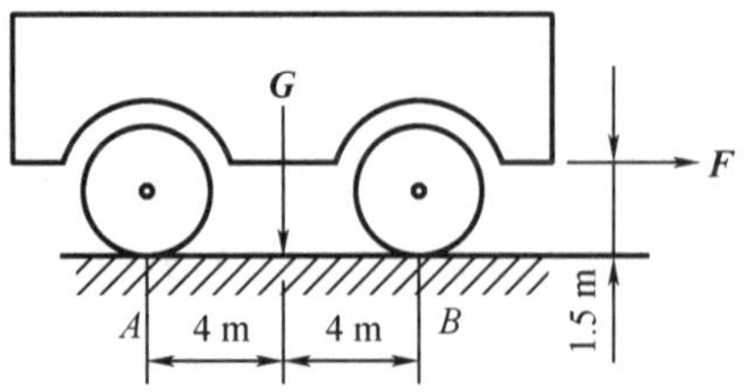

图3－13　习题3－4图

3 - 5　如图 3 - 14 所示，刚架上作用一力 $\boldsymbol{F}$。试分别计算力 $\boldsymbol{F}$ 对点 A 和 B 的力矩。

3 - 6　在如图 3 - 15 所示结构中，各构件自重不计，在构件 AB 上作用一力偶矩为 M 的力偶。求支座 A 和 C 对结构的约束力。

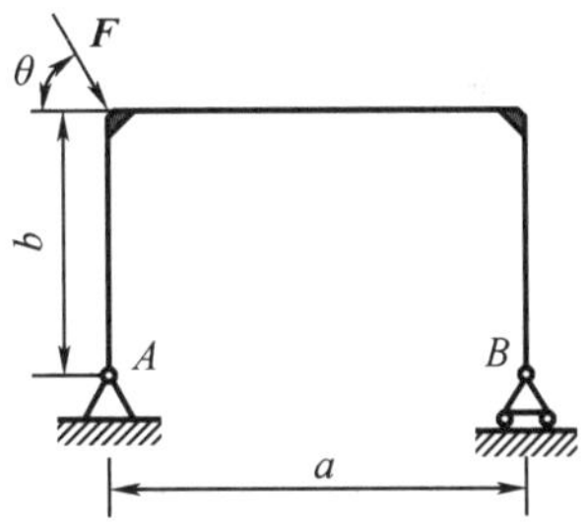

图 3 - 14　习题 3 - 5 图

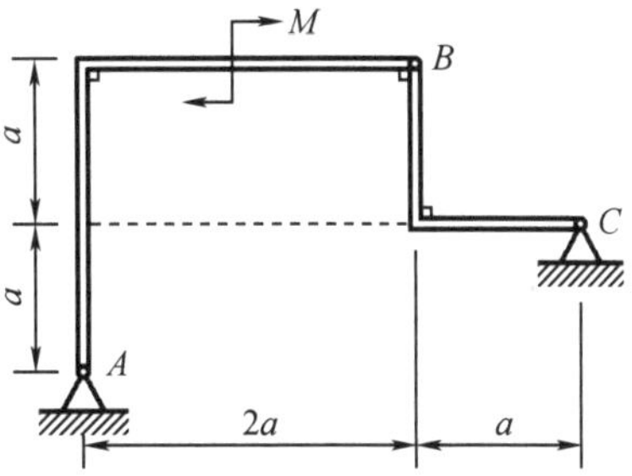

图 3 - 15　习题 3 - 6 图

3 - 7　已知梁 AB 上作用一力偶，力偶矩为 M，梁 AB 长为 l，梁重不计。求在如图 3 - 16 所示三种情况下支座 A 和 B 对梁 AB 的约束力。

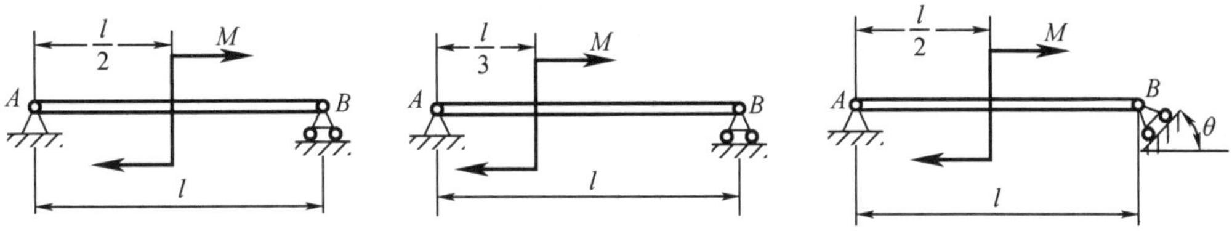

(a)　(b)　(c)

图 3 - 16　习题 3 - 7 图

3 - 8　在如图 3 - 17 所示结构中，各构件的自重略去不计，在构件 BC 上作用一力偶矩为 M 的力偶。求支座 A 对结构的约束力。

3 - 9　如图 3 - 18 所示，已知皮带轮上作用一力偶矩 $M = 80\ \text{N} \cdot \text{m}$ 的力偶，皮带轮的半径 $d = 0.2\ \text{m}$，皮带紧边拉力 $T_1 = 500\ \text{N}$。求平衡时皮带松边的拉力 $\boldsymbol{T}_2$。

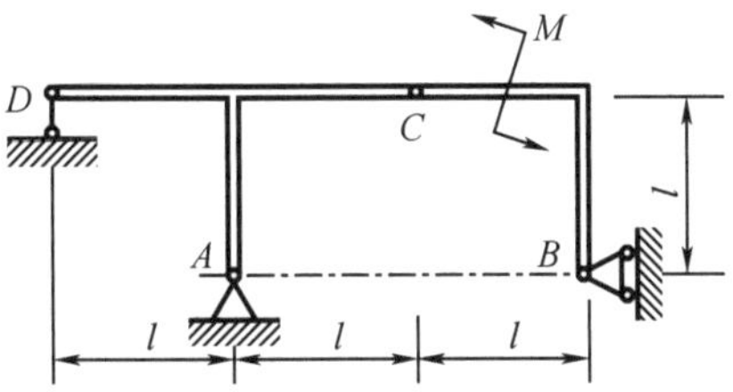

图 3 - 17　习题 3 - 8 图

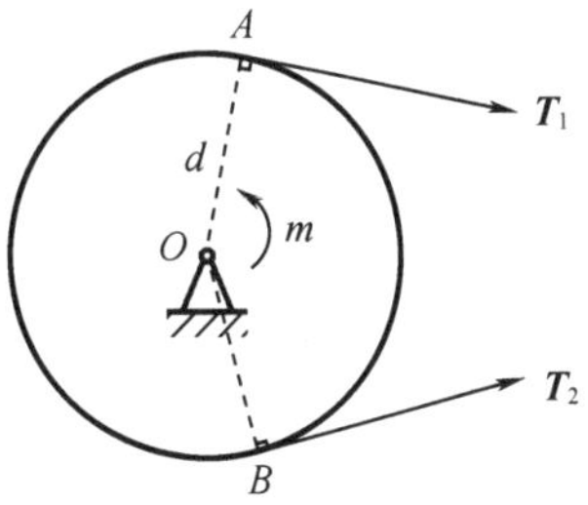

图 3 - 18　习题 3 - 9 图

3 - 10　如图 3 - 19 所示，T 形板受三个力偶的作用。已知 $F_1 = 50\ \text{N}$，$F_2 = 40\ \text{N}$，$F_3 = 30\ \text{N}$。试按图 3 - 19 中给定的尺寸求合力偶的力偶矩。

3 - 11　如图 3 - 20 所示，刚架 AB 受一力偶的作用，其力偶矩 M 已知。求支座 A 和 B 对刚架 AB 的约束力。

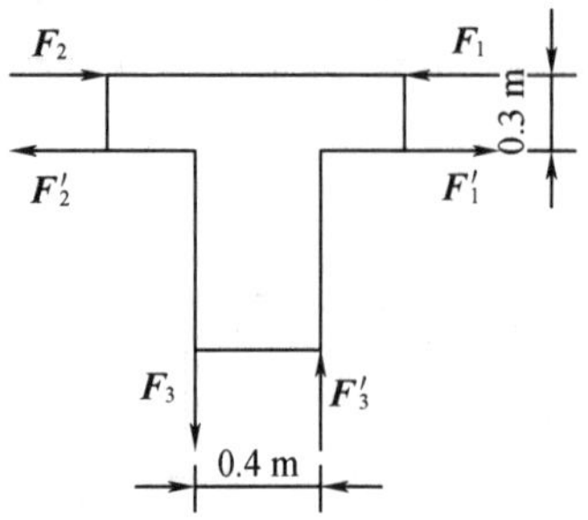

图 3-19 习题 3-10 图

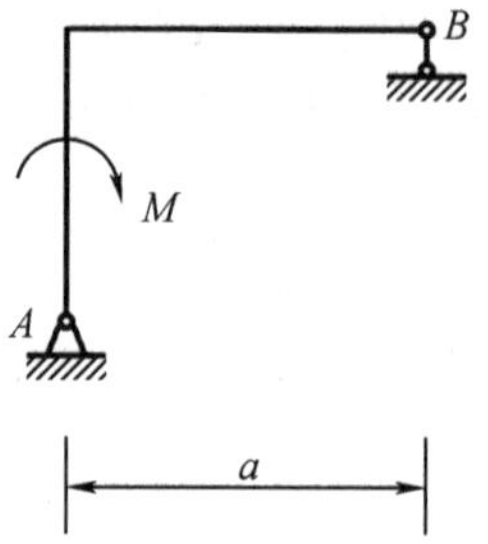

图 3-20 习题 3-11 图

3-12 如图 3-21 所示的飞机起落架,已知机场跑道作用于轮子的约束力 $\boldsymbol{N}_D$ 铅直向上,作用线通过轮心,大小为 40 kN。图 3-21 中尺寸长度单位为 mm,飞机起落架本身质量忽略不计。试求铰链 A 和 B 对飞机起落架的约束力。

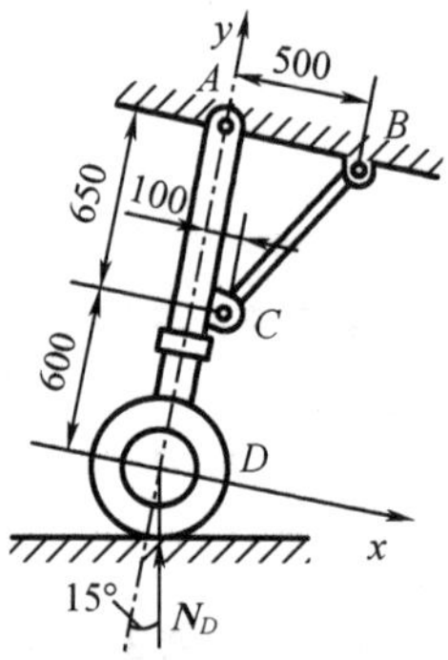

图 3-21 习题 3-12 图

第 4 章　平面任意力系

工程中经常遇到平面任意力系的问题,所谓平面任意力系是指作用在物体上的力的作用线在同一平面内任意分布的力系。

4.1　平面任意力系向作用面内一点简化

平面任意力系向作用面内一点简化,即用一个简单的力系等效代替一个平面任意力系,其理论基础是力的平移定理。

4.1.1　力的平移定理

力的平移定理的内容是将作用在刚体上点 A 的力 $\boldsymbol{F}$ 平移到任一点 B,需同时附加一个力偶,这个力偶的力偶矩等于原来的力 $\boldsymbol{F}$ 对新的作用点 B 的矩。

证明　如图 4－1(a)所示,力 $\boldsymbol{F}$ 作用于刚体上点 A。在刚体上任取一点 B,并在点 B 上附加一对与力 $\boldsymbol{F}$ 平行的力 $\boldsymbol{F}'$ 和 $\boldsymbol{F}''$,且这对力满足 $\boldsymbol{F}'=-\boldsymbol{F}''=\boldsymbol{F}$,如图 4－1(b)所示。根据加减平衡力系原理,这三个力 $\boldsymbol{F}'$、$\boldsymbol{F}''$、$\boldsymbol{F}$ 与原来的一个力 $\boldsymbol{F}$ 等效。这三个力也可以看作一个作用在点 B 上的力 $\boldsymbol{F}'$ 和一个力偶($\boldsymbol{F}$, $\boldsymbol{F}''$)。这样,就把作用于点 A 的力 $\boldsymbol{F}$ 平移到另一点 B,但同时附加了一个力偶,如图 4－1(c)所示。这个附加力偶的力偶矩为

$$M=Fd=M_B(\boldsymbol{F})$$

式中,d 为附加力偶的力臂,也就是点 B 到力 $\boldsymbol{F}$ 的作用线的垂直距离(图 4－1(a))。

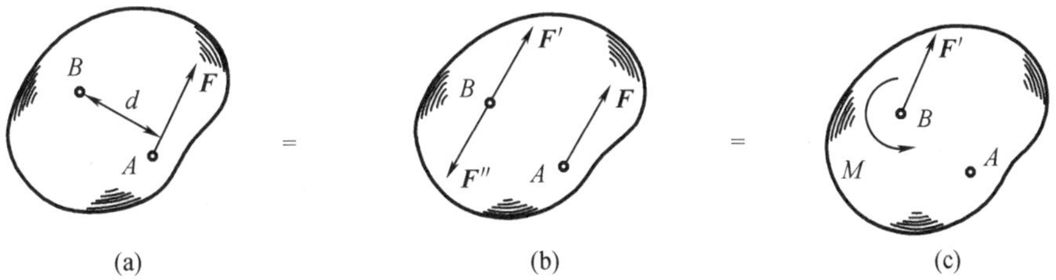

图 4－1　力的平移定理

力的平移定理的逆定理也成立,即作用在平面内一点的一个力和一个力偶可以用作用于平面内另一点的力来等效替换。

力的平移定理不仅是平面任意力系向作用面内一点简化的依据,还可以用来解释一些实际问题。例如,用丝锥攻螺纹时,必须用两只手握扳手,且两只手用力大小要相等。为什么不能用一只手呢?如图 4－2 所示,作用在扳手 AB 一端的力 $\boldsymbol{F}$,根据力的平移定理,等效于作用在点 C 的一个力 $\boldsymbol{F}'$ 和一个力偶矩为 M 的力偶,其中力偶使丝锥转动,而力 $\boldsymbol{F}'$ 使攻螺纹不正,甚至折断丝锥。

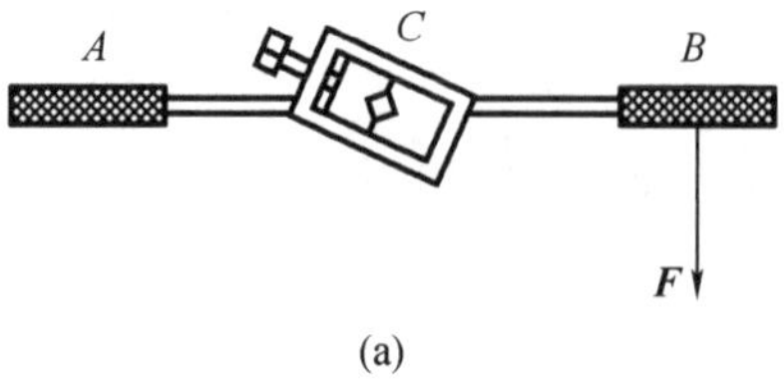

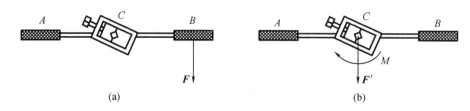

图 4-2 丝锥攻螺纹示意图

4.1.2 平面任意力系向作用面内一点简化的方法

设刚体上作用有由 n 个力 $\boldsymbol{F}_1,\boldsymbol{F}_2,\cdots,\boldsymbol{F}_n$ 组成的平面任意力系,如图 4-3(a)所示。在平面内任取一点 O,根据力的平移定理,把三个力都平移到点 O,点 O 称为简化中心。这样,得到作用于点 O 的力 $\boldsymbol{F}'_1,\boldsymbol{F}'_2,\cdots,\boldsymbol{F}'_n$,以及力偶矩分别为 $M_1,M_2,\cdots,M_n$ 的附加力偶,如图 4-3(b)所示。这些附加力偶的力偶矩为

$$M_1=M_O(\boldsymbol{F}_1)$$
$$M_2=M_O(\boldsymbol{F}_2)$$
$$\cdots\cdots$$
$$M_n=M_O(\boldsymbol{F}_n)$$

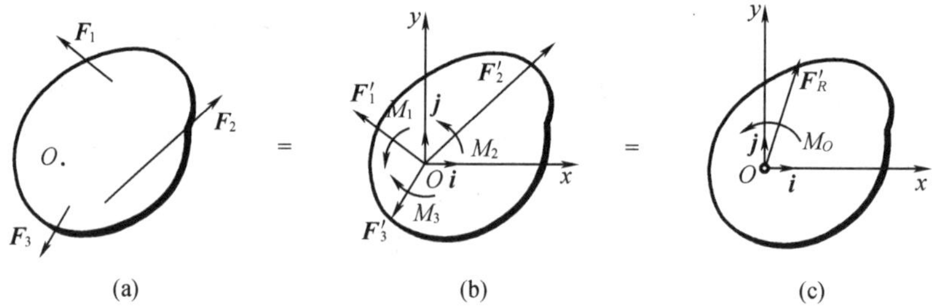

图 4-3 平面任意力系向作用面内一点简化

这样,平面任意力系被等效替换成了平面汇交力系和平面力偶系。然后,分别对这两个力系进行进一步简化。由 $\boldsymbol{F}'_1,\boldsymbol{F}'_2,\cdots,\boldsymbol{F}'_n$构成的平面汇交力系可以合成作用于点 O 的一个力 $\boldsymbol{F}'_R$,如图 4-3(c)所示,且 $\boldsymbol{F}'_R$等于原来各力的矢量和,即

$$\boldsymbol{F}'_R=\boldsymbol{F}'_1+\boldsymbol{F}'_2+\cdots+\boldsymbol{F}'_n=\boldsymbol{F}_1+\boldsymbol{F}_2+\cdots+\boldsymbol{F}_n=\sum\boldsymbol{F}_i$$

力偶矩为 $M_1,M_2,\cdots,M_n$ 的平面力偶系可以合成一个力偶,此力偶的力偶矩 M_O 等于各附加力偶矩的代数和,也等于原来各力对简化中心的矩,即

$$M_O=M_1+M_2+\cdots+M_n=M_O(\boldsymbol{F}_1)+M_O(\boldsymbol{F}_2)+\cdots+M_O(\boldsymbol{F}_n)=\sum M_O(\boldsymbol{F}_i)$$

对于一个平面内有 n 个力作用的平面任意力系,由以上推导可知

$$\boldsymbol{F}'_R=\sum_{i=1}^{n}\boldsymbol{F}_i \tag{4-1}$$

$$M_O=\sum_{i=1}^{n}M_O(\boldsymbol{F}_i) \tag{4-2}$$

其中,平面任意力系中所有力的矢量和 $\boldsymbol{F}'_R$ 为该力系的主矢,其大小和方向与简化中心的选择无关;而平面任意力系中所有力对简化中心的矩的代数和 M_O 为该力系的主矩,当取不同的点为简化中心时,各力的力臂不同,各力对简化中心的矩也不同,所以主矩一般与简化中心的选择有关。

一般情况下,平面任意力系向作用面内任一点简化的结果为一个力和一个力偶,其中的力等于该力系的主矢,作用线通过简化中心,而其中的力偶的力偶矩等于该力系的主矩。

求主矢的大小和方向一般采用解析法。力系的主矢的解析表达式为

$$\boldsymbol{F}'_R = \boldsymbol{F}'_{Rx}\boldsymbol{i} + \boldsymbol{F}'_{Ry}\boldsymbol{j} = \sum F_{ix}\boldsymbol{i} + \sum F_{iy}\boldsymbol{j} \tag{4-3}$$

则力系的主矢的大小和方向余弦为

$$F'_R = \sqrt{\left(\sum F_{ix}\right)^2 + \left(\sum F_{iy}\right)^2}$$

$$\cos(\boldsymbol{F}'_R, \boldsymbol{i}) = \frac{\sum F_{ix}}{F'_R}$$

$$\cos(\boldsymbol{F}'_R, \boldsymbol{j}) = \frac{\sum F_{iy}}{F'_R}$$

式中,$\boldsymbol{i}$ 和 $\boldsymbol{j}$ 分别为 x 轴和 y 轴正方向单位矢量。

现利用平面任意力系向作用面内一点简化的方法分析固定端的约束力。车刀夹在刀架上,工件夹在卡盘上,电线杆插入地基中等都属于固定端约束的实例。固定端的约束是在与物体的接触面上作用了一群力。在平面问题中,这群力构成了一个平面任意力系,如图 4-4(a)所示。这个平面任意力系可向作用面内一点 A 简化为一个力和一个力偶,如图 4-4(b)所示,一般情况下,其中的力可用两个正交分力来代替。因此,在平面问题中,固定端 A 处的约束力可简化为两个约束力 $\boldsymbol{F}_{Ax}$、$\boldsymbol{F}_{Ay}$ 和一个力偶矩为 M_A 的约束力偶,如图 4-4(c)所示。

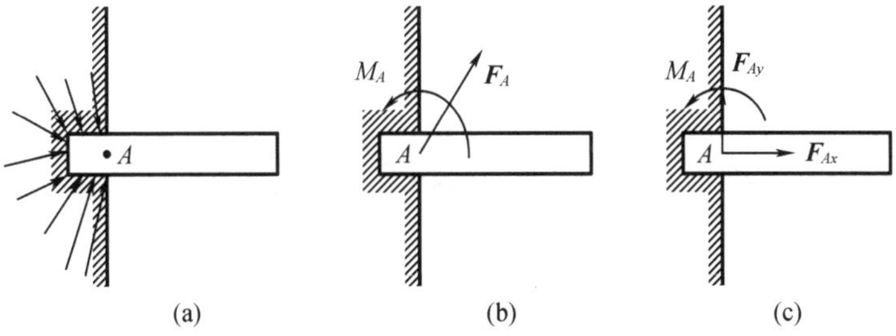

图 4-4　固定端约束

比较固定端约束与固定铰链约束两种情况下的约束力可知,固定端约束限制的是物体在水平和铅直方向的移动及在平面内的转动,而固定铰链约束没有约束力偶,因为它不能限制物体在平面内的转动。

4.1.3　平面任意力系的简化结果讨论

平面任意力系向作用面内一点简化的结果,可能有四种情况:

(1) $F'_R=0, M_O\neq0$;

(2) $F'_R\neq0, M_O=0$;

(3) $F'_R\neq0, M_O\neq0$;

(4) $F'_R=0, M_O=0$。

下面对这四种情况做进一步的讨论。

1. $F'_R=0, M_O\neq0$

若平面任意力系简化的结果是主矢等于零,主矩 M_O 不等于零,则作用于简化中心的力互相平衡,而附加力偶系不平衡,可合成一个合力偶。合力偶矩为

$$M = \sum_{i=1}^{n} M(\boldsymbol{F}_i)$$

由于力偶对平面内任意一点的力偶矩都相同,因此当力系简化为一个合力偶时,该力系的主矩与简化中心的选择无关。

2. $F'_R\neq0, M_O=0$

若平面任意力系简化的结果是主矢不等于零,主矩等于零,即附加力偶系平衡,而有一个与原力系等效的合力 $\boldsymbol{F}'_R$,其作用线通过简化中心。

3. $F'_R\neq0, M_O\neq0$

若平面任意力系简化的结果是主矢和主矩都不为零,根据力的平移定理的逆定理,将作用于点 O 的力 $\boldsymbol{F}'_R$与力偶矩为 M_O 的力偶合成一个作用在点 O'的力 $\boldsymbol{F}_R$,如图 4-5 所示。这个力 $\boldsymbol{F}_R$ 就是原力系的合力,合力矢等于主矢,合力的作用线在点 O 的哪一侧需根据主矢和主矩的方向确定。合力 $\boldsymbol{F}_R$ 的作用线到点 O 的距离 d 为

$$d=\frac{M_O}{F_R}$$

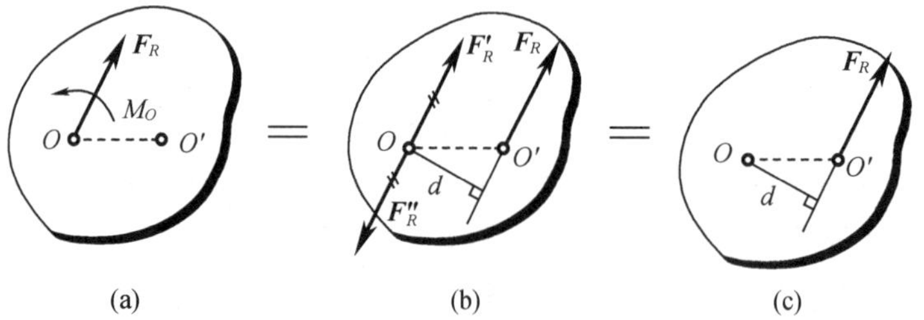

图 4-5 不为零的力和力偶简化为一个力

由此可以证明合力矩定理。由图 4-5(b)可知,合力 $\boldsymbol{F}_R$ 对点 O 的矩为

$$M_O(\boldsymbol{F}_R)=F_R d=M_O$$

而根据式(4-2)有

$$M_O = \sum_{i=1}^{n} M_O(\boldsymbol{F}_i)$$

所以可得

$$M_O(\boldsymbol{F}_R) = \sum M_O(\boldsymbol{F}_i) \tag{4-4}$$

此即合力矩定理，其内容为：合力对一点的矩等于各分力对同一点的矩的代数和。由于简化中心 O 是任意选取的，故式(4－4)有普遍意义。

4. $F'_R=0, M_O=0$

若平面任意力系简化的结果是主矢和主矩均等于零，则原力系平衡，对这种情形将在 4.2 节详细讨论。

4.2　平面任意力系的平衡条件和平衡方程

如果平面任意力系的主矢和主矩都等于零，即

$$\begin{cases} F'_R=0 \\ M_O=0 \end{cases} \tag{4-5}$$

主矢等于零说明作用于简化中心的平面汇交力系为平衡力系，主矩等于零说明附加力偶系也为平衡力系，所以原力系为平衡力系，而式(4－5)即为平面任意力系平衡的充分必要条件。将式(4－2)和(4－3)代入式(4－5)可得

$$\begin{cases} \sum_{i=1}^{n} F_{ix}=0 \\ \sum_{i=1}^{n} F_{iy}=0 \\ \sum_{i=1}^{n} M_O(\boldsymbol{F}_i)=0 \end{cases} \tag{4-6}$$

此式为平面任意力系的平衡方程。由此得平面任意力系的平衡条件：各力在两个任选的坐标轴上投影的代数和均等于零，且各力对任意一点的矩的代数和也等于零。

例题 4－1　如图 4－6 所示，起重机重力 $P_1=10$ kN，可绕铅直轴 AB 转动。起重机的挂钩上挂一重力 $P_2=40$ kN 的重物，起重机的重心为点 C，相关尺寸如图 4－6 所示。求 A 和 B 处对起重机的约束力。

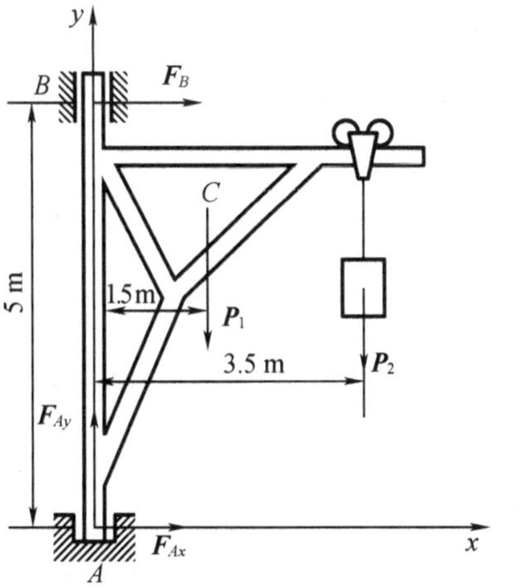

图 4－6　例题 4－1 图

解 以起重机为研究对象，其所受主动力有 $\boldsymbol{P}_1$、$\boldsymbol{P}_2$，A 处有约束力 $\boldsymbol{F}_{Ax}$、$\boldsymbol{F}_{Ay}$，B 处有与转轴垂直的约束力 $\boldsymbol{F}_B$。

建立如图 4－6 所示的直角坐标系，列平面任意力系的平衡方程：

$$\sum F_{ix} = 0, F_{Ax} + F_B = 0$$

$$\sum F_{iy} = 0, F_{Ay} - P_1 - P_2 = 0$$

$$\sum M_A(F) = 0, -F_B \times 5 - P_1 \times 1.5 - P_2 \times 3.5 = 0$$

解得 $F_{Ay} = 50\ \text{kN}, F_B = -31\ \text{kN}, F_{Ax} = 31\ \text{kN}$。

F_B 为负值，说明其实际方向与假设方向相反。

例题 4－2 如图 4－7 所示，一重力 $P = 100$ kN 的 T 形钢架 $ABCD$，$M = 20$ kN · m，$F = 400$ kN，$q = 20$ kN/m，$l = 1$ m。求固定端 A 处对钢架的约束力。

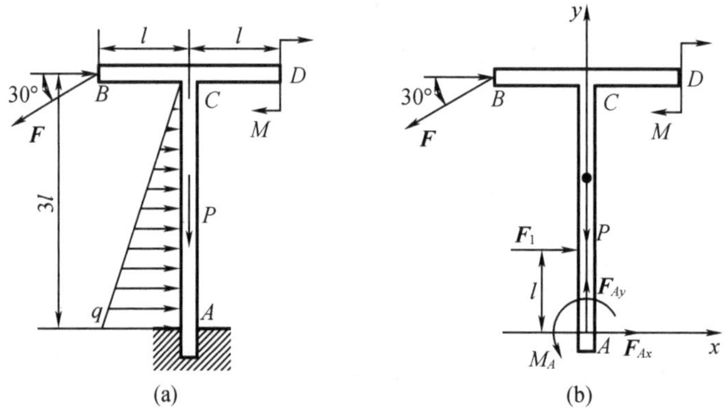

图 4－7 例题 4－2 图

解 取 T 形钢架为研究对象，其受力图如图 4－7(b)所示。

建立坐标系，列平衡方程：

$$\sum F_{ix} = 0, F_{Ax} + F_1 - F\sin 60^\circ = 0$$

$$\sum F_{iy} = 0, F_{Ay} - P + F\cos 60^\circ = 0$$

$$\sum M_A(F) = 0, M_A - M - F_1 l - F\cos 60^\circ \cdot l + F\sin 60^\circ \cdot 3l = 0$$

其中，$F_1 = \dfrac{1}{2}q \cdot 3l$。

解得 $F_{Ax} = 316.4\ \text{kN}, F_{Ay} = -100\ \text{kN}, M_A = -1\ 188\ \text{kN} \cdot \text{m}$。

F_{Ay} 和 M_A 为负值说明假设方向与实际方向相反。

由上述例题可见，建立适当的坐标系及选取适当的矩心可以减少平衡方程中未知量的个数。矩心应选取多个未知力的交点，而坐标轴应尽可能多地与未知力相垂直。在计算某些问题时，采用力矩方程可能比投影方程更简便。下面介绍平面任意力系平衡方程的两种其他形式：

$$\begin{cases} \sum_{i=1}^{n} F_{ix} = 0 \\ \sum_{i=1}^{n} M_A(\boldsymbol{F}_i) = 0 \\ \sum_{i=1}^{n} M_B(\boldsymbol{F}_i) = 0 \end{cases} \tag{4-7}$$

其中,x 轴不得垂直于 A、B 两点的连线。

$$\begin{cases} \sum_{i=1}^{n} M_A(\boldsymbol{F}_i) = 0 \\ \sum_{i=1}^{n} M_B(\boldsymbol{F}_i) = 0 \\ \sum_{i=1}^{n} M_C(\boldsymbol{F}_i) = 0 \end{cases} \tag{4-8}$$

其中 A、B、C 三点不共线。为什么这两种形式的平衡方程必须有相应的附加条件？读者可自行证明。

上述三组方程式(4－6)、式(4－7)、式(4－8)都可用来解决平面任意力系的平衡问题,选用哪组方程要根据具体情况而定。

平面平行力系是平面任意力系的特殊情况,如图 4－8 所示,设物体受平面平行力系 $\boldsymbol{F}_1$,$\boldsymbol{F}_2$,…,$\boldsymbol{F}_n$ 的作用而平衡。现选取 x 轴与各力垂直,则各力在 x 轴上的投影恒等于零,于是平面平行力系的平衡方程为

$$\begin{cases} \sum_{i=1}^{n} F_{iy} = 0 \\ \sum_{i=1}^{n} M_O(\boldsymbol{F}_i) = 0 \end{cases} \tag{4-9}$$

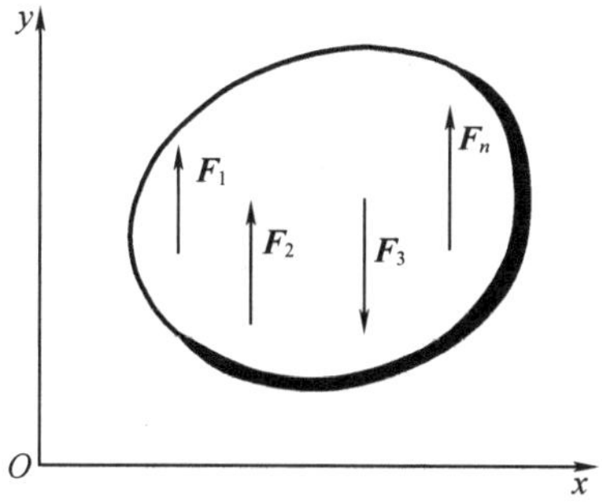

图 4－8　平面平行力系

平面平行力系的平衡方程也可采用两个力矩方程的形式：

$$\begin{cases} \sum_{i=1}^{n} M_A(\boldsymbol{F}_i) = 0 \\ \sum_{i=1}^{n} M_B(\boldsymbol{F}_i) = 0 \end{cases} \tag{4-10}$$

其中 A、B 两点的连线不能与各力平行。

4.3 物体系统的平衡 静定和静不定问题

在工程实际中，有很多由几个物体组成的物体系统平衡的问题。如果物体系统平衡，则组成该系统的每一个物体都平衡；如果每一个物体都受平面任意力系作用，则均可写出三个平衡方程。如物体系统由 n 个物体组成，则共有 $3n$ 个平衡方程。当系统中的未知量数目等于平衡方程的数目时，所有未知量都可由平衡方程求出，这类问题称为静定问题。而在工程实际中，有时为了提高结构坚固性，常常增加一些多余约束，而增加的这部分未知量就不能全部由平衡方程求出，这类问题称为静不定问题或超静定问题。对于这一类问题，需要考虑物体因受力而产生的变形，加列补充方程后，使方程的数目等于未知量的数目。下面举一些静定和静不定问题的例子。

如图 4－9(a)和图 4－9(b)所示的平面汇交力系，均有两个平衡方程。图 4－9(a)中有两个未知力，是静定问题；图 4－9(b)中有三个未知力，是静不定问题。

如图 4－9(c)和图 4－9(d)所示的平面平行力系，均有两个平衡方程。图 4－9(c)中有两个未知力，是静定问题；图 4－15(d)中有三个未知力，是静不定问题。

如图 4－9(e)和图 4－9(f)所示的平面任意力系，均有三个平衡方程。图 4－9(e)中有三个未知力，是静定问题；图 4－9(f)中有四个未知力，是静不定问题。

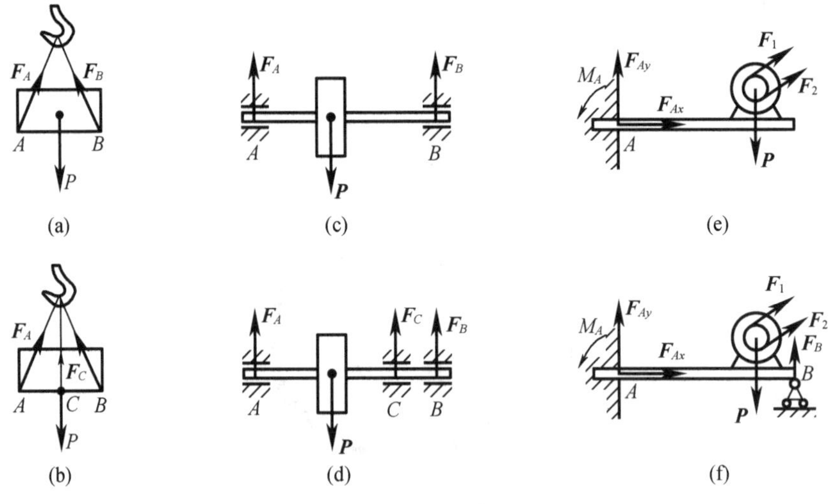

图 4－9 静定和静不定问题举例

如图 4－10 所示的梁由两部分铰接而成，每部分有三个平衡方程，共有六个平衡方程，而未知量的个数有六个，是静定问题。若将 B 处的滚动支座改为固定铰支座，则系统共有七个未知力，是静不定问题。

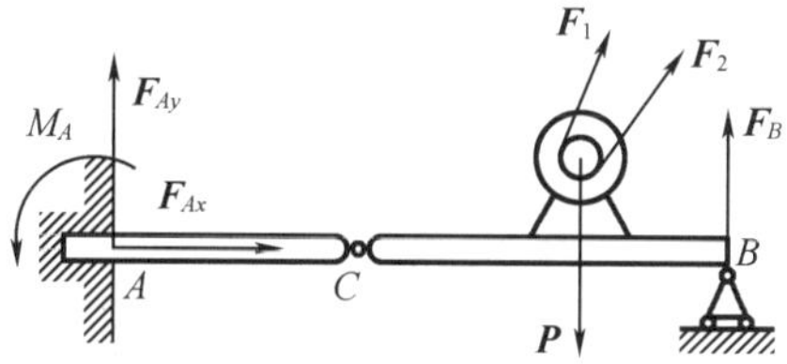

图 4 - 10　静定问题举例

例题 4 - 3　如图 4 - 11(a)所示的曲轴冲床由轮 Ⅰ、连杆 AB 和冲头 B 组成。忽略摩擦力和物体的自重,当 OA 在水平位置、冲压力为 $\boldsymbol{F}$ 时系统处于平衡状态。$OA=R$,$AB=l$。求:(1)作用在轮 Ⅰ 上的力偶 M 的大小;(2)轴承 O 处的约束力;(3)连杆 AB 所受的力;(4)冲头 B 给导轨的侧压力。

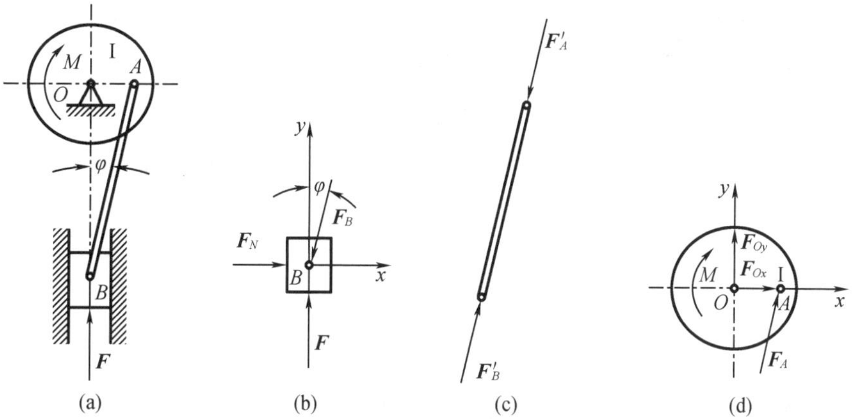

图 4 - 11　例题 4 - 3 图

解　(1)取冲头 B 为研究对象,其受力情况如图 4 - 11(b)所示,为一平面汇交力系。设连杆 AB 与铅垂线间的夹角为 φ,列平衡方程:

$$\sum F_{ix}=0,\ F_N-F_B\sin\varphi=0$$

$$\sum F_{iy}=0,\ F-F_B\cos\varphi=0$$

解得

$$F_B=\frac{F}{\cos\varphi}$$

$$F_N=F\frac{R}{\sqrt{l^2-R^2}}$$

(2)取轮 Ⅰ 为研究对象。轮 Ⅰ 受力情况如图 4 - 11(d)所示,为平面任意力系。列平衡方程:

$$\sum F_{ix}=0,\ F_{Ox}+F_A\sin\varphi=0$$

$$\sum F_{iy}=0,\ F_{Oy}+F_A\cos\varphi=0$$

$$\sum M_O(\boldsymbol{F}) = 0, F_A\cos\alpha \cdot R - M = 0$$

解得

$$M = FR$$

$$F_{Ox} = -F\frac{R}{\sqrt{l^2 - R^2}}$$

$$F_{Oy} = -F$$

负号说明 $\boldsymbol{F}_{Ox}$ 和 $\boldsymbol{F}_{Oy}$ 的实际方向与假设方向相反。

例题 4-4 如图 4-12(a)所示,组合梁由 AC 和 CD 在 C 处铰接而成。梁的 A 端插入墙内,B 处为滚动支座。已知 $F=20$ kN,均布载荷 $q=10$ kN/m,$M=20$ kN·m,$l=1$ m。求 A、B 处的约束力。

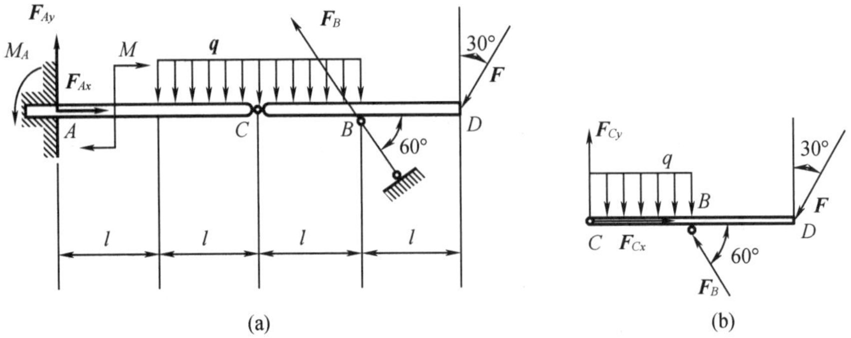

图 4-12 例题 4-4 图

解 先以整体为研究对象,组合梁受力情况如图 4-12(a)所示。列平衡方程:

$$\sum F_{ix} = 0,\ F_{Ax} - F_B\cos 60° - F\sin 30° = 0$$

$$\sum F_{iy} = 0,\ F_{Ay} + F_B\sin 60° - 2ql - F\cos 30° = 0$$

$$\sum M_A(\boldsymbol{F}) = 0, M_A - M - 2ql \cdot 2l + F_B\sin 60° \cdot 3l - F\cos 30° \cdot 4l = 0$$

以上三个方程中有四个未知量,需要一个补充方程才能求解。再取 CD 为研究对象,其受力情况如图 4-12(b)所示,列平衡方程:

$$\sum M_C(\boldsymbol{F}) = 0, F_B\sin 60° \cdot l - ql \cdot \frac{l}{2} - F\cos 30° \cdot 2l = 0$$

由以上四个方程解得

$$F_B = 45.77\ \text{kN}$$

$$F_{Ax} = 32.89\ \text{kN}$$

$$F_{Ay} = -2.32\ \text{kN}$$

$$M_A = 10.37\ \text{kN} \cdot \text{m}$$

对此题也可以先取 CD 为研究对象,求得 $\boldsymbol{F}_B$ 后,再以整体为研究对象,求出 $\boldsymbol{F}_{Ax}$、$\boldsymbol{F}_{Ay}$ 及 M_A。

习　　题

4－1　如图 4－13 所示，已知 $F_1=150$ N，$F_2=200$ N，$F_3=300$ N，$F=F'=200$ N。求力系向点 O 的简化结果，以及力系合力的大小及其与原点 O 的距离 d。

4－2　在如图 4－14 所示平面任意力系中，$F_1=40\sqrt{2}$ N，$F_2=80$ N，$F_3=40$ N，$F_4=110$ N，$M=2\ 000$ N·mm。各力作用位置如图 4－14 所示。求：(1) 力系向点 O 简化的结果；(2) 力系的合力的大小、方向及作用线。

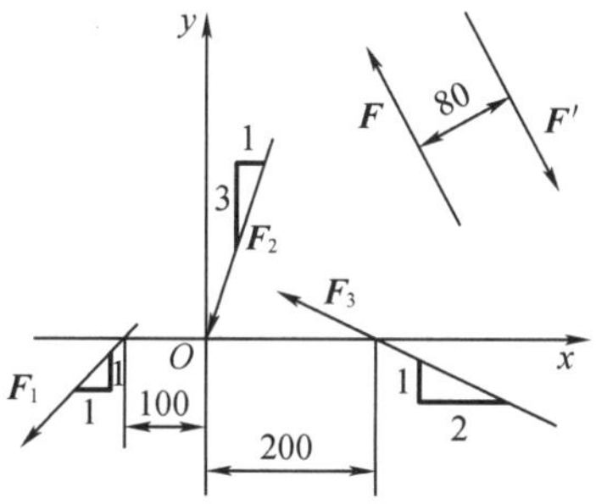

图 4－13　习题 4－1 图

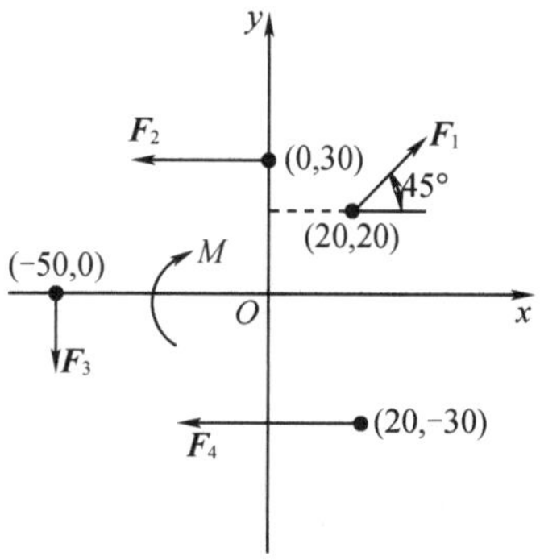

图 4－14　习题 4－2 图

4－3　如图 4－15 所示，当飞机稳定航行时，所有作用在它上面的力必须相互平衡。已知飞机的重力 $P=30$ kN，螺旋桨的牵引力 $F=4$ kN。飞机的尺寸：$a=0.2$ m，$b=0.1$ m，$c=0.05$ m，$l=5$ m。求阻力 $\boldsymbol{F}_x$、机翼升力 $\boldsymbol{F}_{y1}$ 和尾部的升力 $\boldsymbol{F}_{y2}$。

4－4　在如图 4－16 所示刚架中，已知 $q=3$ kN/m，$F=6\sqrt{2}$ N，$M=10$ kN·mm，不计刚架自重。求固定端 A 处对钢架的约束力。

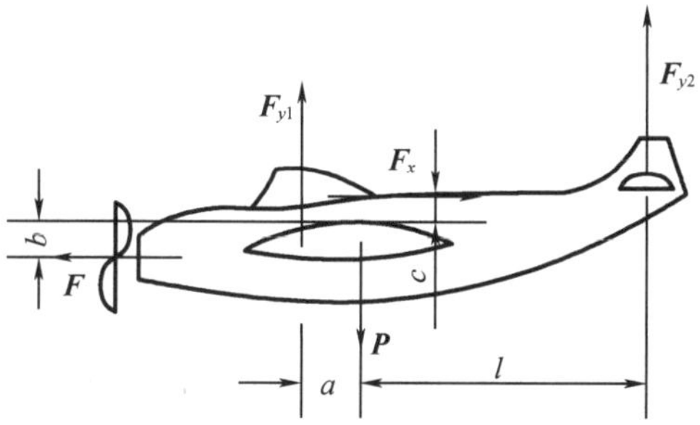

图 4－15　习题 4－3 图

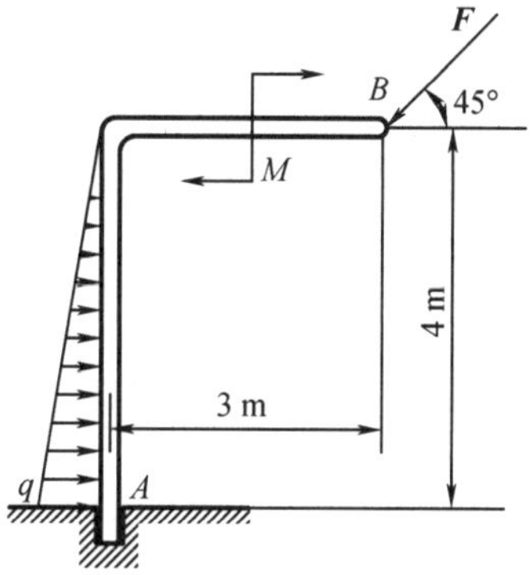

图 4－16　习题 4－4 图

4－5　飞机起落架尺寸如图 4－17 所示。A、B、C 均为铰链，杆 OA 垂直于 A、B 连线。当飞机等速直线滑行时，地面作用于轮上的铅直正压力 $F_N=30$ kN，水平摩擦力和各杆自重都比较小，可略去不计。求 A、B 两处对飞机起落架的约束力。

4－6　如图4－18所示，水平梁AB由铰链A和杆BC所支持。在水平梁AB上D处用销子安装半径$r=0.1$ m的滑轮。有一跨过滑轮的绳子，其一端水平地系于墙上，另一端悬挂有重力$P=1\ 800$ kN的重物。如$AD=0.2$ m，$BD=0.4$ m，$\varphi=45°$，且不计梁AB、杆BC、滑轮和绳的自重。求铰链A和杆BC对梁AB的约束力。

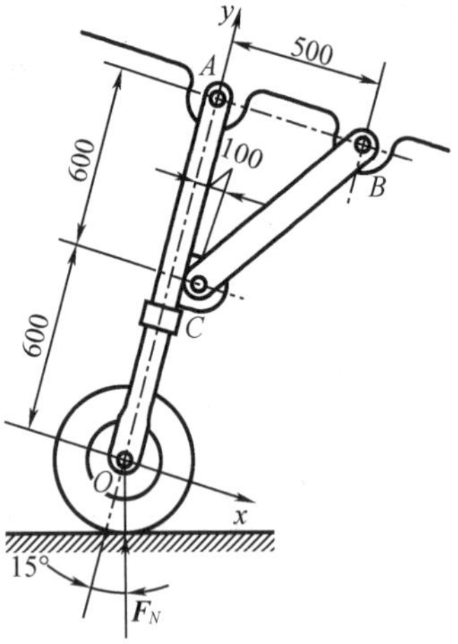

图4－17　习题4－5图

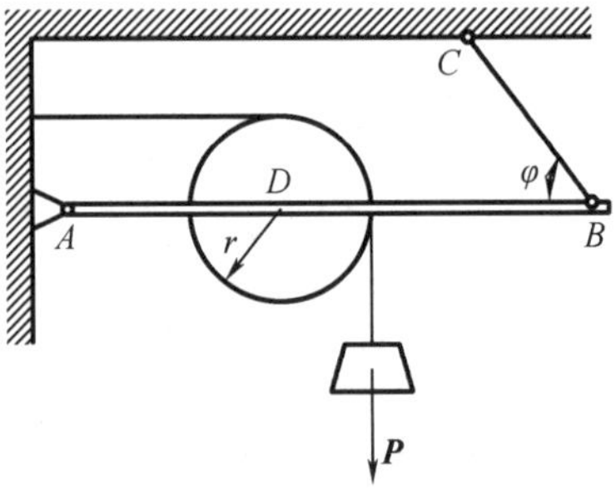

图4－18　习题4－6图

4－7　由AC和CD构成的组合梁通过铰链C连接。它的支承和受力如图4－19所示。已知均布载荷强度$q=10$ kN/m，力偶矩$M=40$ kN·m，不计梁重。求支座A、B、D对组合梁的约束力和铰链C处所受的力。

4－8　如图4－20所示的滑道连杆机构，在滑道连杆上作用着水平力$\boldsymbol{F}$。已知$OA=r$，滑道倾角为β，机构自重和各处摩擦力均不计。试求当机构平衡时，作用在曲柄OA上的力偶矩M与角θ之间的关系。

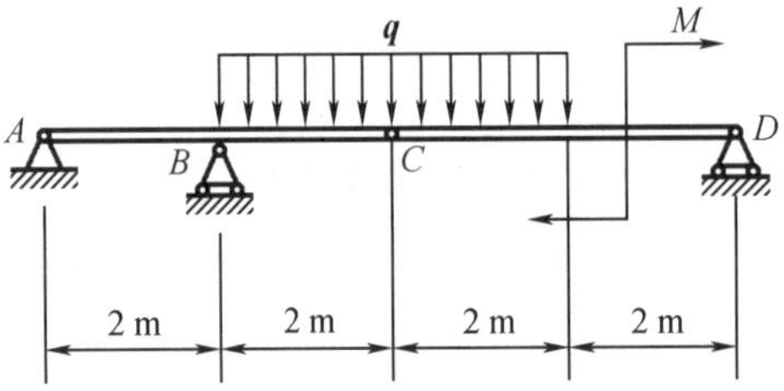

图4－19　习题4－7图

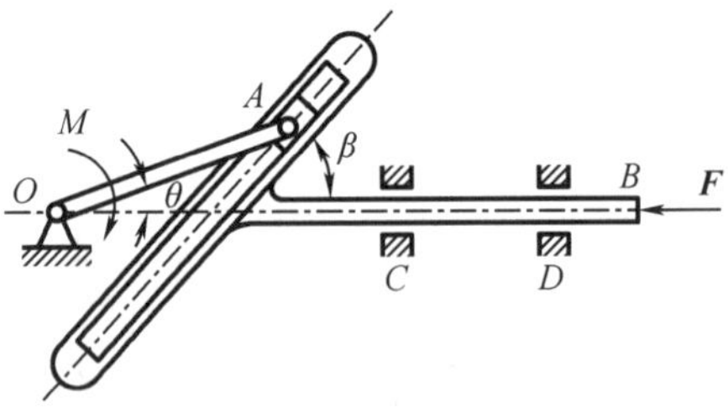

图4－20　习题4－8图

4－9　图4－21所示为一种闸门启闭设备的传动系统。已知各齿轮的半径分别为r_1、r_2、r_3、r_4，鼓轮的半径为r，闸门重力$\boldsymbol{P}$，齿轮的压力角为θ，不计各齿轮的自重。求最小的启门力偶矩M及轴O_3的约束力。

4－10　如图4－22所示，三铰拱由两半拱和三个铰链A、B、C构成，已知每半拱重力$P=300$ kN，$l=32$ m，$h=10$ m。求支座A、B对三铰拱的约束力。

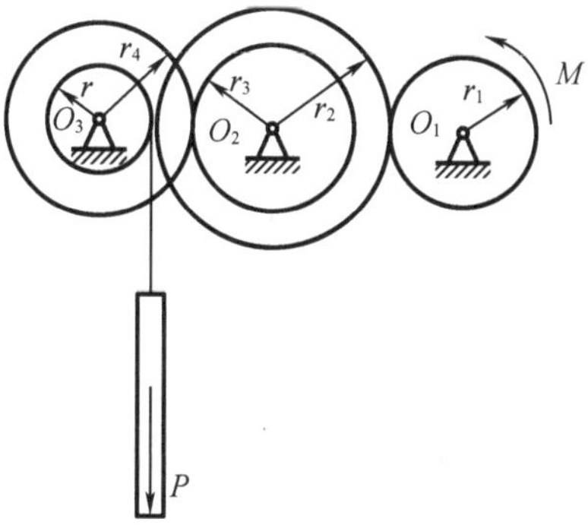

图 4－21　习题 4－9 图

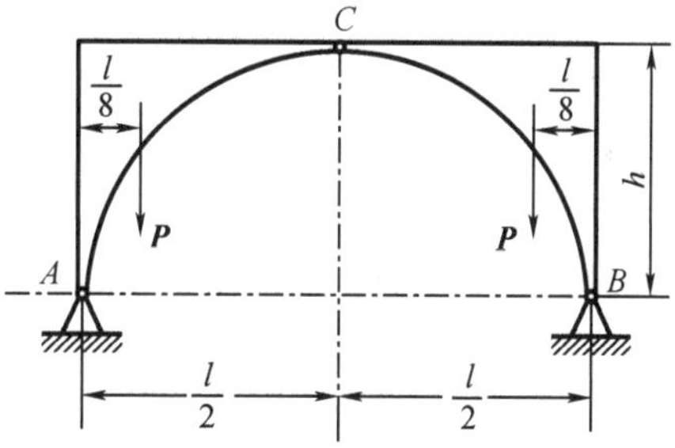

图 4－22　习题 4－10 图

4－11　如图 4－23 所示，构架由杆 AB、AC 和 DF 铰接而成，在杆 DEF 上作用一力偶矩为 M 的力偶，杆重不计。求杆 AB 上铰链 A、D 和 B 所受的力。

4－12　如图 4－24 所示，构架由杆 AB、AC 和 DF 组成，杆 DF 上的销子 E 可在杆 AC 的光滑槽内滑动，杆重不计，在水平杆 DF 的一端作用铅直力 $\boldsymbol{F}$。求铅直杆 AB 上铰链 A、D 和 B 所受的力。

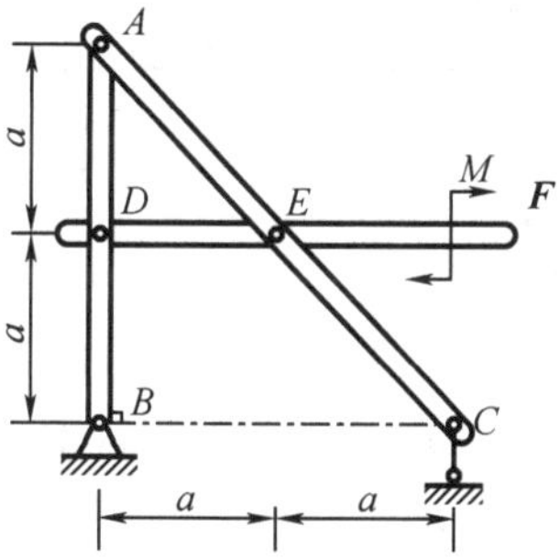

图 4－23　习题 4－11 图

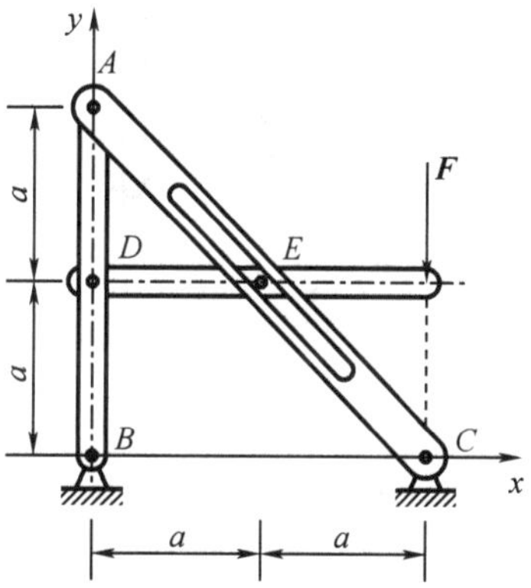

图 4－24　习题 4－12 图

4－13　如图 4－25 所示构架中，物体重力 1 200 N，由细绳跨过滑轮 E 而水平系于墙上，不计杆和滑轮的自重。求支承 A 和 B 处对构架的约束力，以及杆 BC 的内力 $\boldsymbol{F}_{BC}$。

4－14　如图 4－26 所示，两等长杆 AB 与 BC 在点 B 用铰链连接，又在杆的 D、E 两点间连一弹簧。弹簧的刚度系数为 k，当距离 AC 等于 a 时，弹簧内拉力为零。点 C 处作用一水平力 F，设 $AB=l$，$BD=b$，杆重不计。求系统平衡时距离 AC 之值。

4－15　在如图 4－27 所示构架中，各杆件自重不计，$F=40$ kN。求铰链 A、B、C 处所受的力。

4－16　在如图 4－28 所示构架中，A、C、D、E 处为铰链连接，BD 杆上的销钉 B 置于 AC 杆的光滑槽内，$F=200$ N，$M=100$ N·m，不计各构件自重不计。求 A、B、C 处所受的力。

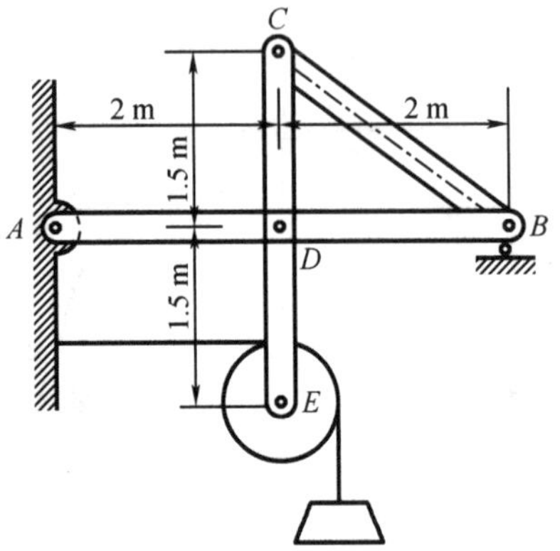

图 4－25 习题 4－13 图

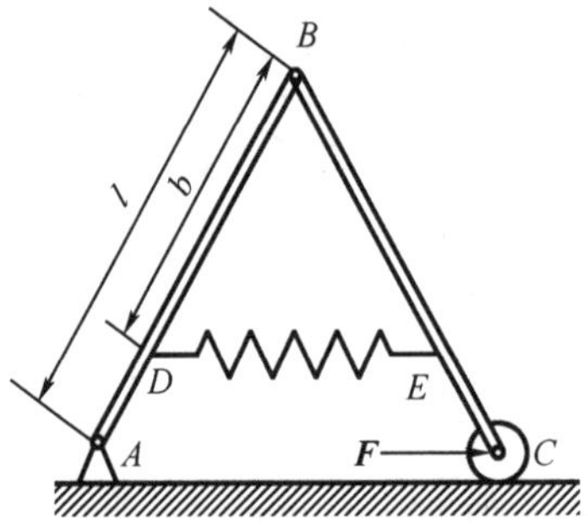

图 4－26 习题 4－14 图

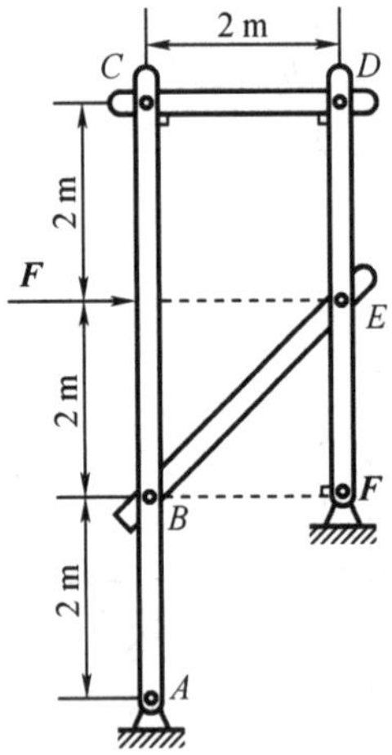

图 4－27 习题 4－15 图

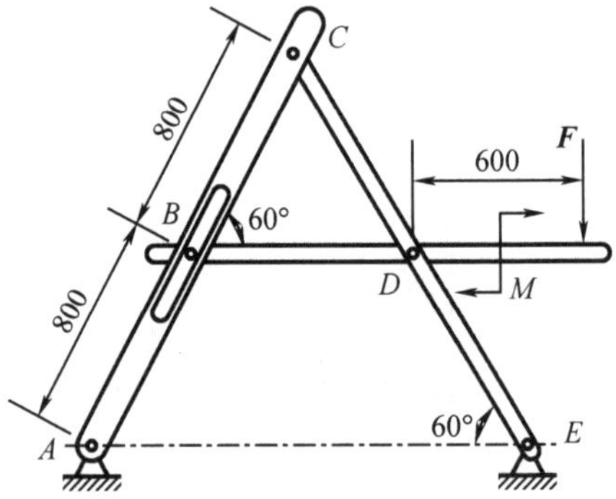

图 4－28 习题 4－16 图

4－17 如图 4－29 所示，用三根杆连接成一构架，各连接点均为铰链，B 处接触表面光滑，杆重不计。图中尺寸单位为 m。求铰链 D 所受的力。

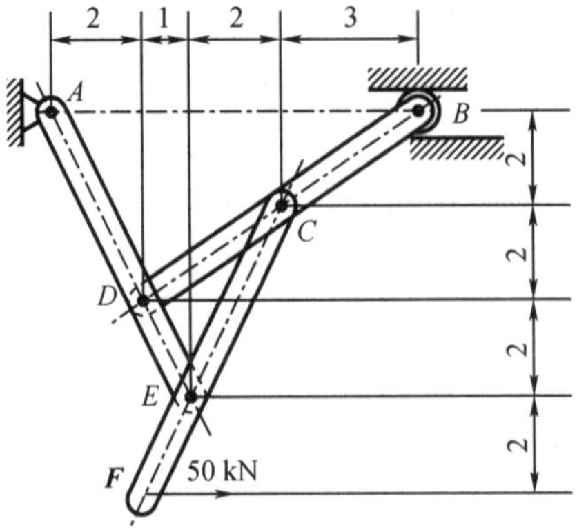

图 4－29 习题 4－17 图

第二篇　运　动　学

第5章　点的运动学

本章以点作为研究对象，用矢量法、直角坐标法和自然轴系法来研究点相对于某参考系运动时的轨迹、速度和加速度之间的关系。

5.1　点运动的矢量法

5.1.1　点的运动方程

在参考体上选一固定点 O 作为参考点，由点 O 向动点 M 作矢径 $\boldsymbol{r}$，如图 5－1 所示。当动点 M 运动时，矢径 $\boldsymbol{r}$ 的大小和方向随时间的变化而变化，矢径 $\boldsymbol{r}$ 是时间的单值连续函数，即

$$\boldsymbol{r}=\boldsymbol{r}(t) \tag{5-1}$$

式(5－1)称为动点矢量形式的运动方程。

当动点 M 运动时，矢径 $\boldsymbol{r}$ 端点所描出的曲线称动点的运动轨迹或矢径端迹。

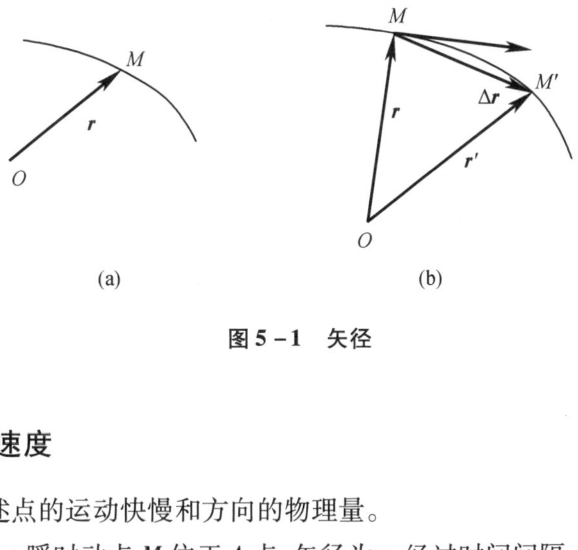

图 5－1　矢径

5.1.2　点的速度

点的速度是描述点的运动快慢和方向的物理量。

如图 5－2 所示，t 瞬时动点 M 位于 A 点，矢径为 $\boldsymbol{r}$，经过时间间隔 Δt 后的瞬时 t'，动点 M 位于 B 点，矢径为 $\boldsymbol{r}'$，矢径的变化 $\Delta\boldsymbol{r}=\boldsymbol{r}'-\boldsymbol{r}$ 称为动点 M 经过时间间隔 Δt 的位移，动点 M 经过时间间隔 Δt 的平均速度用 $\boldsymbol{v}^*$ 表示，即

$$\boldsymbol{v}^*=\frac{\Delta\boldsymbol{r}}{\Delta t}$$

平均速度 $\boldsymbol{v}^*$ 与 $\Delta\boldsymbol{r}$ 同向。

平均速度的极限为动点在 t 瞬时的速度，即

$$\boldsymbol{v}=\lim_{\Delta t\to 0}\boldsymbol{v}^{*}=\frac{\mathrm{d}\boldsymbol{r}}{\mathrm{d}t} \tag{5-2}$$

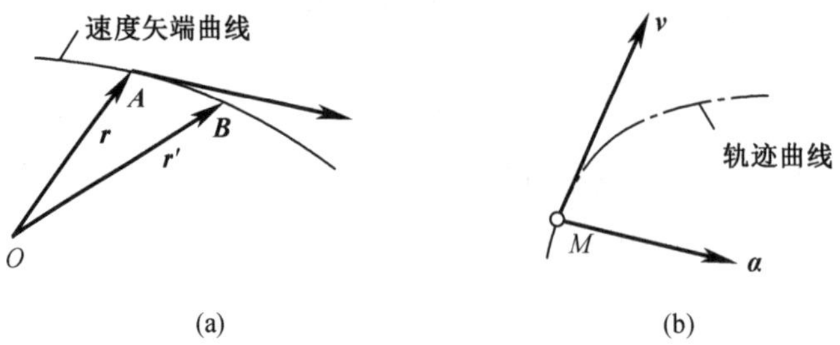

图 5-2 速度

点的速度等于动点的矢径 $\boldsymbol{r}$ 对时间的一阶导数。它是矢量,其大小表示动点运动的快慢;方向沿轨迹曲线的切线,并指向前进一侧。

速度的单位是 m/s。

5.1.3 点的加速度

点的加速度是描述点的速度大小和方向变化的物理量。即

$$\boldsymbol{a}=\lim_{\Delta t\to 0}\boldsymbol{a}^{*}=\frac{\mathrm{d}\boldsymbol{v}}{\mathrm{d}t}=\frac{\mathrm{d}^2\boldsymbol{r}}{\mathrm{d}t^2} \tag{5-3}$$

式(5-3)中 $\boldsymbol{a}^*$ 为动点的平均加速度,$\boldsymbol{a}$ 为动点在 t 瞬时的加速度。

点的加速度等于动点的速度对时间的一阶导数,也等于动点的矢径对时间的二阶导数。它是矢量,其大小表示速度的变化快慢,其方向沿速度矢端曲线的切线,如图 5-2(a)所示,恒指向轨迹曲线凹的一侧,如图 5-2(b)所示。

加速度的单位是 $\mathrm{m/s^2}$。

为了方便书写采用简写方法,即一阶导数用字母上方加"·"表示,二阶导数用字母上方加"··"表示,则有

$$\begin{cases} v=\dot{r} \\ a=\dot{v}=\ddot{r} \end{cases} \tag{5-4}$$

5.2 点运动的直角坐标法

5.2.1 点的运动方程

在固定点 O 建立直角坐标系 $Oxyz$,则动点 M 的位置可用其直角坐标 x、y、z 表示,如图 5-3 所示。当动点 M 运动时,x、y、z 是时间 t 的单值连续函数,即有

$$\begin{cases} x=f_1(t) \\ y=f_2(t) \\ z=f_3(t) \end{cases} \tag{5-5}$$

式(5－5)称为动点直角坐标形式的运动方程。

轨迹方程由式(5－5)消去时间得两个柱面方程 $f_1(x,y)=0$、$f_2(y,z)=0$，其交线为动点的轨迹曲线，如图5－4所示。若动点在平面内运动，轨迹方程为 $f(x,y)=0$；若动点做直线运动，轨迹方程为运动方程 $x=f(t)$。

动点运动方程的矢量形式与直角坐标形式之间的关系是

$$\boldsymbol{r}(t)=x(t)\boldsymbol{i}+y(t)\boldsymbol{j}+z(t)\boldsymbol{k} \tag{5-6}$$

式中，$\boldsymbol{i}$,$\boldsymbol{j}$,$\boldsymbol{k}$ 是直角坐标轴的正方向单位矢量。

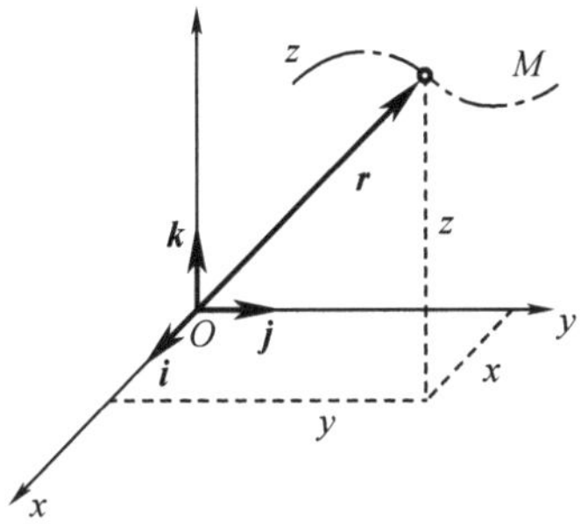

图5－3　点 M 的坐标

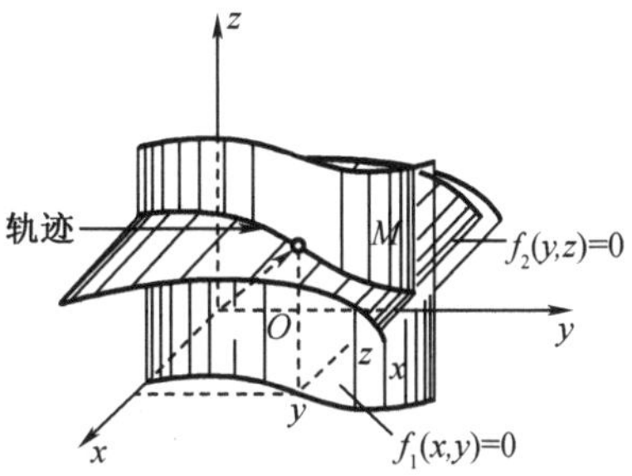

图5－4　点 M 的轨迹

5.2.2　点的速度

由式(5－2)得动点的速度，则有

$$\boldsymbol{v}=\dot{x}(t)\boldsymbol{i}+\dot{y}(t)\boldsymbol{j}+\dot{z}(t)\boldsymbol{k} \tag{5-7}$$

速度的解析形式为

$$\boldsymbol{v}=v_x\boldsymbol{i}+v_y\boldsymbol{j}+v_z\boldsymbol{k} \tag{5-8}$$

比较式(5－7)和式(5－8)，得速度在直角坐标轴上的投影为

$$\begin{cases} v_x=\dfrac{\mathrm{d}x}{\mathrm{d}t}=\dot{x}(t) \\ v_y=\dfrac{\mathrm{d}y}{\mathrm{d}t}=\dot{y}(t) \\ v_z=\dfrac{\mathrm{d}z}{\mathrm{d}t}=\dot{z}(t) \end{cases} \tag{5-9}$$

因此，速度在直角坐标轴上的投影等于动点所对应的坐标对时间的一阶导数。

若已知速度在直角坐标轴上的投影，则速度的大小和方向为

$$v=\sqrt{v_x^2+v_y^2+v_z^2}$$

$$\begin{cases} \cos(v,\boldsymbol{i})=\dfrac{v_x}{v} \\ \cos(v,\boldsymbol{j})=\dfrac{v_y}{v} \\ \cos(v,\boldsymbol{k})=\dfrac{v_z}{v} \end{cases} \tag{5-10}$$

5.2.3 点的加速度

同理,由式(5-3)得动点的加速度为

$$\boldsymbol{a}=\frac{\mathrm{d}\boldsymbol{v}}{\mathrm{d}t}=\dot{v}_x\boldsymbol{i}+\dot{v}_y\boldsymbol{j}+\dot{v}_z\boldsymbol{k} \tag{5-11}$$

加速度的解析形式为

$$\boldsymbol{a}=a_x\boldsymbol{i}+a_y\boldsymbol{j}+a_z\boldsymbol{k} \tag{5-12}$$

则加速度在直角坐标轴上的投影为

$$\begin{cases} a_x=\dfrac{\mathrm{d}v_x}{\mathrm{d}t}=\dot{v}_x=\ddot{x}(t)\\ a_y=\dfrac{\mathrm{d}v_y}{\mathrm{d}t}=\dot{v}_y=\ddot{y}(t)\\ a_z=\dfrac{\mathrm{d}v_z}{\mathrm{d}t}=\dot{v}_z=\ddot{z}(t) \end{cases} \tag{5-13}$$

加速度在直角坐标轴上的投影等于速度在同一直角坐标轴上的投影对时间的一阶导数,也等于动点所对应的坐标对时间的二阶导数。

若已知加速度在直角坐标轴上的投影,则加速度的大小和方向为

$$a=\sqrt{a_x^2+a_y^2+a_z^2}$$

$$\begin{cases} \cos(a,\boldsymbol{i})=\dfrac{a_x}{a}\\ \cos(a,\boldsymbol{j})=\dfrac{a_y}{a}\\ \cos(a,\boldsymbol{k})=\dfrac{a_z}{a} \end{cases} \tag{5-14}$$

以上是以动点做空间曲线运动为前提来研究的。若点做平面曲线运动,则令 $z=0$;若点做直线运动,则令 $y=0,z=0$。

点的运动学问题大体可分为两类:第一类是已知动点的运动,求动点的速度和加速度,它是求导的过程;第二类是已知动点的速度或加速度,求动点的运动,它是求解微分方程的过程。

例题5-1 曲柄连杆机构如图5-5所示,设曲柄 OA 长为 r,绕 O 轴匀速转动,曲柄与 x 轴的夹角 $\varphi=\omega t$,t 为时间(单位为 s),连杆 AB 长为 l,滑块 B 在水平的滑道上运动。试求滑块 B 的运动方程、速度和加速度。

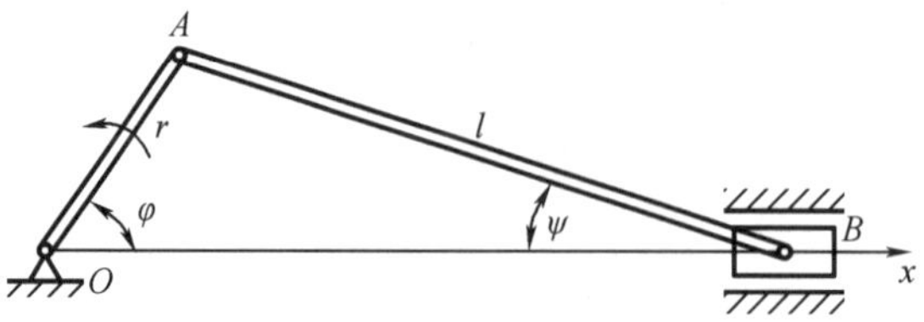

图5-5 例题5-1图

解　建立直角坐标系 Oxy，滑块 B 的运动方程为

$$x = r\cos\varphi + l\cos\psi \tag{1}$$

由几何关系得

$$r\sin\varphi = l\sin\psi$$

$$\cos\psi = \sqrt{1-\sin^2\psi} = \sqrt{1-\left(\frac{r}{l}\sin\varphi\right)^2} \tag{2}$$

将式(2)代入式(1)得滑块 B 的运动方程：

$$x = r\cos\varphi + l\sqrt{1-\left(\frac{r}{l}\sin\varphi\right)^2} \tag{3}$$

对式(2)求导得滑块 B 的速度和加速度：

$$v = \dot{x} = -r\omega\sin\omega t - \frac{r^2\omega\sin 2\omega t}{2l\sqrt{1-\left(\frac{r}{l}\sin\omega t\right)^2}}$$

$$a = \dot{v} = -r\omega^2\cos\omega t - \frac{r^2\omega^2\left\{4\cos 2\omega t\left[1-\left(\frac{r}{l}\sin\omega t\right)^2\right]+\frac{r^2}{l^2}\sin^2 2\omega t\right\}}{4l\left[1-\left(\frac{r}{l}\sin\omega t\right)^2\right]^{\frac{3}{2}}}$$

例题 5-2　图 5-6 所示为液压减震器简图。当液压减震器工作时，其活塞 M 在套筒内做直线往复运动，设活塞 M 的加速度为 $a = -kv$，其中 v 为活塞 M 的速度，k 为常数，初速度为v_0。试求活塞 M 的速度和运动方程。

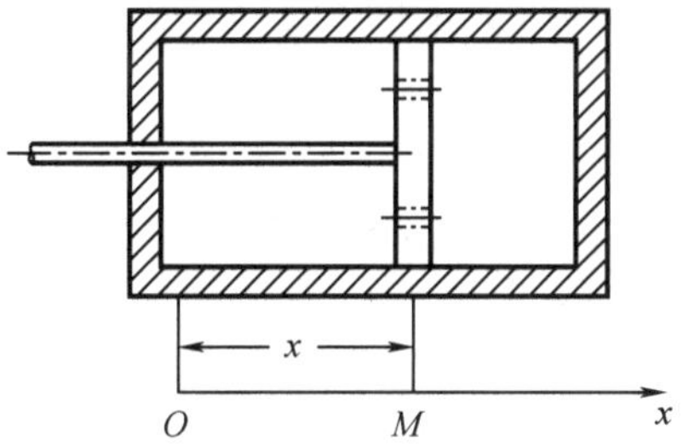

图 5-6　例题 5-2 图

解　活塞 M 做直线往复运动，因此建立 x 轴描述活塞 M 的运动规律，如图 5-6 所示。活塞 M 的速度、加速度与 x 轴坐标的关系为

$$a = \dot{v} = \ddot{x}(t)$$

代入已知条件，则有

$$-kv = \frac{\mathrm{d}v}{\mathrm{d}t} \tag{1}$$

将式(1)进行变量分离并积分

$$-k\int_0^t \mathrm{d}t = \int_{v_0}^{v}\frac{\mathrm{d}v}{v}$$

$$-kt = \ln \frac{v}{v_0}$$

活塞 M 的速度为

$$v = v_0 e^{-kt} \tag{2}$$

再对式(2)进行变量分离,有

$$dx = v_0 e^{-kt} dt$$

对上式积分,有

$$\int_{x_0}^{x} dx = v_0 \int_0^t e^{-kt} dt$$

得活塞 M 的运动方程为

$$x = x_0 + \frac{v_0}{k}(1 - e^{-kt}) \tag{3}$$

5.3 点运动的自然轴系法

5.3.1 点的运动方程

运行的列车是在已知的轨道上行驶的,而列车的运行状况也是沿其运行的轨迹路线来确定的。这种沿已知轨迹路线来确定动点的位置及运动状态的方法通常称为自然轴系法。如图 5-7 所示,确定动点 M 的位置应在已知的轨迹曲线上,选择轨迹曲线上一个点 O 作为参考点,设定运动的正负方向,量取 OM 的弧长 s,弧长 s 称为弧坐标。当动点 M 运动时,弧坐标 s 随时间而发生变化,即弧坐标 s 是时间 t 的单值连续函数。

$$s = f(t) \tag{5-15}$$

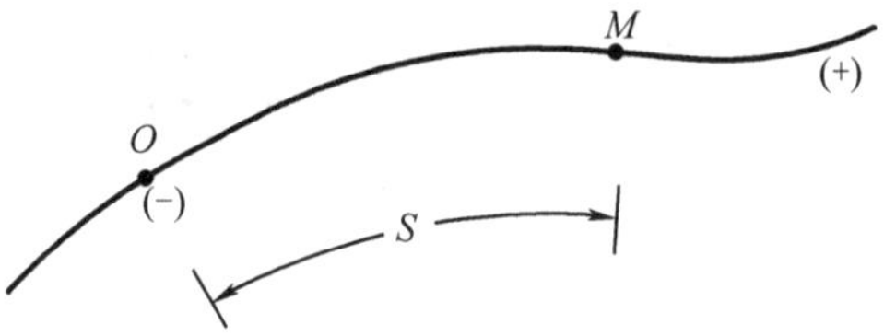

图 5-7 自然法表示动点 M

式(5-15)称为动点弧坐标形式的运动方程。

5.3.2 自然轴系

动点运动的动坐标系——自然轴系如图 5-8 所示。设在 t 瞬时动点在轨迹曲线上的 M 点处,并在 M 点作轨迹曲线的切线,沿其前进的方向给出单位矢量 $\boldsymbol{\tau}$,下一个瞬时 t' 动点在 M' 点处,并沿其前进的方向给出单位矢量 $\boldsymbol{\tau}'$,为描述曲线在 M 点的弯曲程度,引入曲率的概念,即单位矢量 $\boldsymbol{\tau}$ 与 $\boldsymbol{\tau}'$ 夹角 θ 对弧长 s 的变化率,用 κ 表示:

$$\kappa = \left| \frac{d\theta}{ds} \right|$$

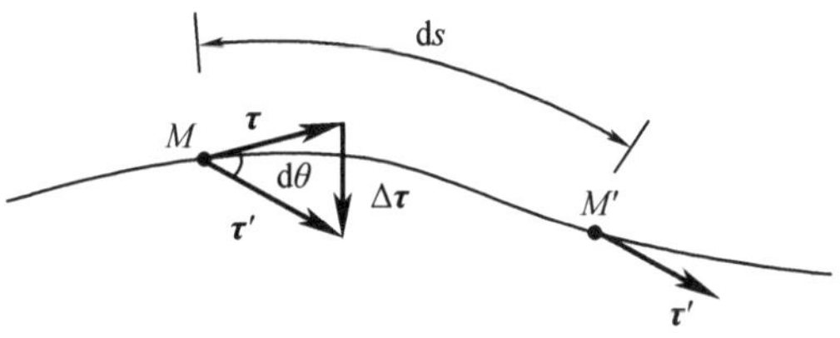

图 5－8 自然轴系

M 点处的曲率半径为

$$\rho = \frac{1}{\kappa} \tag{5-16}$$

如图 5－9 所示，在 M 点处作单位矢量 $\boldsymbol{\tau}'$ 的平行线 MA，单位矢量 $\boldsymbol{\tau}$ 与 MA 构成一个平面 P，当时间间隔 Δt 趋于零时，MA 靠近单位矢量 $\boldsymbol{\tau}$，平面 P 的极限平面称为密切平面，过 M 点作密切平面的垂直平面 N，N 称为 M 点的法平面。在密切平面与法平面的交线上，取其单位矢量 $\boldsymbol{n}$，并恒指向轨迹曲线的曲率中心一侧，$\boldsymbol{n}$ 称为 M 点的主法线。按右手系生成 M 点处的次法线 $\boldsymbol{b}$，使得 $\boldsymbol{b} = \boldsymbol{\tau} \times \boldsymbol{n}$，从而得到由 $\boldsymbol{b}$、$\boldsymbol{\tau}$、$\boldsymbol{n}$ 构成的自然轴系。由于动点在运动，$\boldsymbol{b}$、$\boldsymbol{\tau}$、$\boldsymbol{n}$ 的方向随动点的运动而变化，故 $\boldsymbol{b}$、$\boldsymbol{\tau}$、$\boldsymbol{n}$ 为动坐标系。

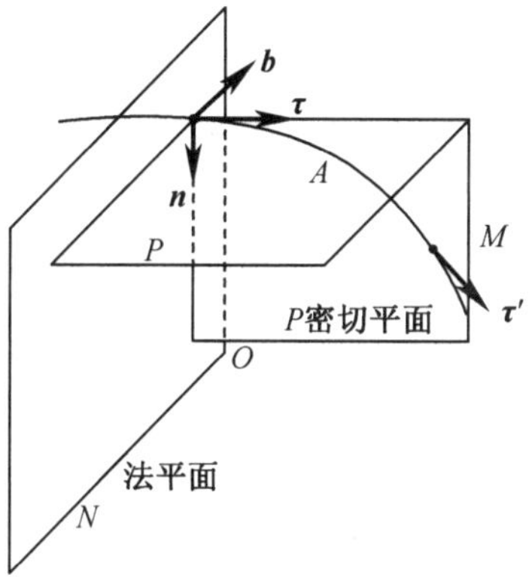

图 5－9 主法线、次法线、切线

5.3.3 点的速度

由矢量法知动点的速度大小为

$$|\boldsymbol{v}| = \left|\frac{\mathrm{d}\boldsymbol{r}}{\mathrm{d}t}\right| = \lim_{\Delta t \to 0}\left|\frac{\Delta \boldsymbol{r}}{\Delta t}\right| = \lim_{\Delta t \to 0}\left|\frac{\Delta \boldsymbol{r}\Delta s}{\Delta s \Delta t}\right| = \lim_{\Delta s \to 0}\left|\frac{\Delta \boldsymbol{r}}{\Delta s}\right|\left|\lim_{\Delta t \to 0}\right|\frac{\Delta s}{\Delta t}\right| = |v| \tag{5-17}$$

如图 5－10 所示，其中 $\lim\limits_{\Delta s \to 0}\left|\frac{\Delta \boldsymbol{r}}{\Delta s}\right| = 1$，$\lim\limits_{\Delta t \to 0}\frac{\Delta s}{\Delta t} = v$，$v$ 定义为速度代数量，当动点沿轨迹曲线的正向运动时，$\Delta s > 0$，$v > 0$；反之 $\Delta s < 0$，$v < 0$。

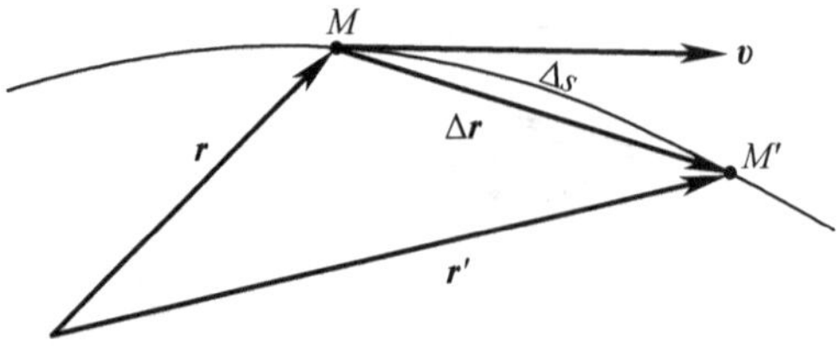

图 5－10 速度

动点沿轨迹曲线的切线方向运动，并指向前进一侧，即点的速度的矢量表示为

$$\boldsymbol{v} = v\boldsymbol{\tau} \tag{5-18}$$

式中，$\boldsymbol{\tau}$ 为沿轨迹曲线切线的单位矢量，恒指向 $\Delta s > 0$ 的方向。

5.3.4 点的加速度

由矢量法知动点的加速度为

$$\boldsymbol{a} = \frac{\mathrm{d}\boldsymbol{v}}{\mathrm{d}t} = \frac{\mathrm{d}}{\mathrm{d}t}(v\boldsymbol{\tau}) = \frac{\mathrm{d}v}{\mathrm{d}t}\boldsymbol{\tau} + v\frac{\mathrm{d}\boldsymbol{\tau}}{\mathrm{d}t} \tag{5-19}$$

由式(5－19)加速度应分两项：一项表示速度大小对时间的变化率，用 a_τ 表示，称为切向加速度，其方向沿轨迹曲线切线，当 a_τ 与 v 同号时动点做加速运动，反之做减速运动；另一项表示速度方向对时间的变化率，用 a_n 表示，称为法向加速度。

(1)$\dfrac{\mathrm{d}\boldsymbol{\tau}}{\mathrm{d}t}$的大小

$$\left|\frac{\mathrm{d}\boldsymbol{\tau}}{\mathrm{d}t}\right| = \lim_{\Delta t\to 0}\left|\frac{\Delta\boldsymbol{\tau}}{\Delta t}\right| = \lim_{\Delta t\to 0}\frac{2\times 1\times\sin\dfrac{\Delta\theta}{2}}{\Delta t} = \lim_{\Delta\theta\to 0}\frac{\sin\dfrac{\Delta\theta}{2}}{\dfrac{\Delta\theta}{2}}\lim_{\Delta s\to 0}\frac{\Delta\theta}{\Delta s}\lim_{\Delta t\to 0}\frac{\Delta s}{\Delta t} = \frac{v}{\rho}$$

(2)$\dfrac{\mathrm{d}\boldsymbol{\tau}}{\mathrm{d}t}$的方向

如图 5－8 所示，$\dfrac{\mathrm{d}\boldsymbol{\tau}}{\mathrm{d}t}$的方向沿轨迹曲线的主法线，恒指向曲率中心一侧，则由式(5－19)有

$$\boldsymbol{a} = a_\tau\boldsymbol{\tau} + a_n\boldsymbol{n} \tag{5-20}$$

式中，$a_\tau = \dfrac{\mathrm{d}v}{\mathrm{d}t} = \dfrac{\mathrm{d}^2 s}{\mathrm{d}t^2}$(或 $a_\tau = \dot{v} = \ddot{s}$)，$a_n = \dfrac{v^2}{\rho}$。

若将动点的全加速度 $\boldsymbol{a}$ 向自然坐标系 $\boldsymbol{b}$、$\boldsymbol{\tau}$、$\boldsymbol{n}$ 上投影，则有

$$\begin{cases} a_\tau = \dfrac{\mathrm{d}v}{\mathrm{d}t} = \dfrac{\mathrm{d}^2 s}{\mathrm{d}t^2} \\ a_n = \dfrac{v^2}{\rho} \\ a_b = 0 \end{cases} \tag{5-21}$$

式中，a_b 为次法向加速度。

若已知动点的切向加速度 a_τ 和法向加速度 a_n，则动点的全加速度大小为

$$a = \sqrt{a_\tau^2 + a_n^2}$$

对全加速度与法线间的夹角有

$$\tan\alpha = \frac{|a_\tau|}{a_n}$$

法向加速度、切向加速度和全加速度关系如图 5 - 11 所示。

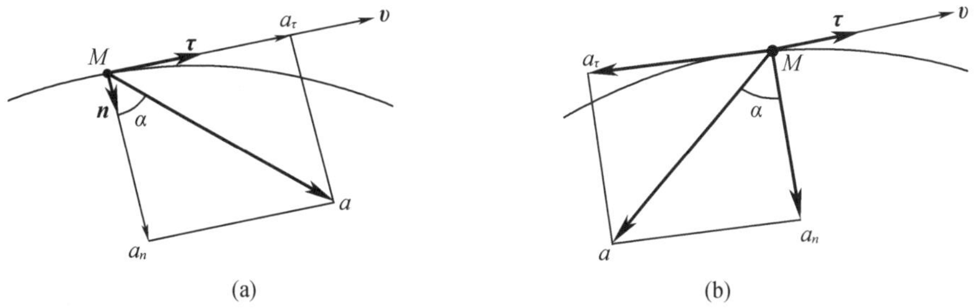

图 5 - 11　法向加速度、切向加速度和全加速度关系

5.3.5　几种常见的运动

几种常见的运动的相关参数见表 5 - 1。

表 5 - 1　几种常见的运动的相关参数

匀变速曲线运动	匀速曲线运动	直线运动
切向加速度： $a_\tau = \frac{dv}{dt} = \frac{d^2s}{dt^2} =$ 恒量　(1) 积分： $v = v_0 + a_\tau t$　(2) 再积分： $s = s_0 + v_0 t + \frac{1}{2}a_\tau t^2$　(3) 式(2)、式(3)消去时间 t 得 $v^2 = v_0^2 + 2a_\tau(s\ s_0)$　(4) 法向加速度： $a_n = \frac{v^2}{\rho}$	速度： $v =$ 恒量　(5) 切向加速度： $a_\tau = 0$ 对式(1)积分： $s = s_0 + v_0 t$　(6) 全加速度： $a = a_n = \frac{v^2}{\rho}$	曲率半径： $\rho \to \infty$ 法向加速度： $a_n = 0$ 全加速度： $a = a_\tau$

例题 5 - 3　飞轮边缘上的点按 $s = 4\sin\frac{\pi}{4}t$ 的规律运动，飞轮的半径 $r = 20$ cm。求 $t =$ 10 s 时该点的速度和加速度。

解　当 $t = 10$ s 时，飞轮边缘上点的速度为

$$v=\frac{ds}{dt}=\pi\cos\frac{\pi}{4}t=3.11\ \text{cm/s}$$

其方向沿轨迹曲线的切线。

切向加速度为

$$a_\tau=\frac{dv}{dt}=-\frac{\pi^2}{4}\sin\frac{\pi}{4}t=-0.38\ \text{cm/s}^2$$

法向加速度为

$$a_n=\frac{v^2}{\rho}=\frac{3.11^2}{0.2}=48.36\ \text{cm/s}^2$$

全加速度大小和方向为

$$a=\sqrt{a_\tau^2+a_n^2}=48.4\ \text{cm/s}^2$$

$$\tan\alpha=\frac{|a_\tau|}{a_n}=0.007\ 8$$

全加速度与法线间的夹角 $\alpha=0.45°$。

例题 5-4 已知动点的运动方程为

$$x=20t$$

$$y=5t^2-10$$

式中,x、y 以 m 为单位,t 以 s 为单位。试求 $t=0$ 时动点的曲率半径 ρ。

解 动点的速度和加速度在直角坐标轴上的投影为

$$v_x=\dot{x}=20$$

$$v_y=\dot{y}=10t$$

$$a_x=\dot{v}_x=0$$

$$a_y=\dot{v}_y=10$$

动点的速度和全加速度的大小为

$$v=\sqrt{v_x^2+v_y^2}=\sqrt{400+100t^2}=10\sqrt{4+t^2}$$

$$a=\sqrt{a_x^2+a_y^2}=10$$

当 $t=0$ 时,动点的切向加速度为

$$a_\tau=\dot{v}=\frac{10t}{\sqrt{4+t^2}}=0$$

法向加速度为

$$a_n=\frac{v^2}{\rho}=\frac{400}{\rho}$$

全加速度的大小为

$$a=\sqrt{a_x^2+a_y^2}=\sqrt{a_\tau^2+a_n^2}=a_n$$

曲率半径为

$$\rho=\frac{400}{a}=\frac{400}{10}=40\ \text{m}$$

例题 5-5 如图 5-12 所示,半径为 r 的轮子沿直线轨道无滑动地滚动,已知轮心 C 的

速度为 v_C,求轮缘上的点 M 的速度、加速度、沿轨迹曲线的运动方程和轨迹的曲率半径 ρ。

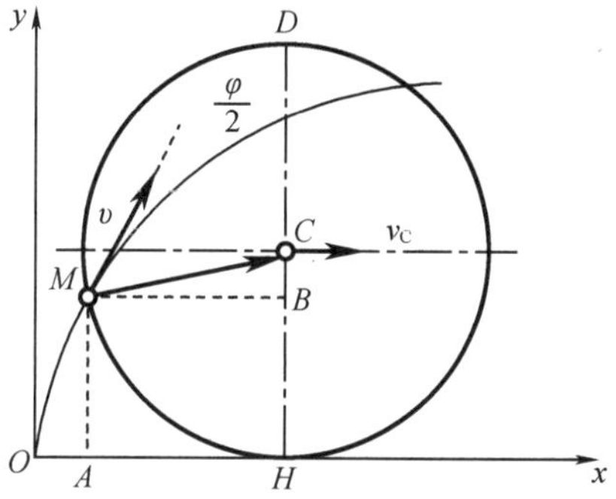

图 5-12　例题 5-5 图

解　沿轮子滚动的方向建立直角坐标系 Oxy,初始时设轮缘上的点 M 位于 y 轴上。在如图 5-12 所示瞬时,对点 M 和轮心 C 的连线与 CH 的夹角有

$$\sin\varphi=\frac{MB}{r}$$

点 M 的运动方程为

$$\begin{cases}x=HO-AO=v_Ct-r\sin\varphi=v_Ct-r\sin\dfrac{v_Ct}{r}\\[2ex] y=CH-CB=r-r\cos\varphi=r-r\cos\dfrac{v_Ct}{r}\end{cases}\tag{1}$$

点 M 的速度在坐标轴上的投影为

$$\begin{cases}v_x=\dot{x}=v_C-v_C\cos\dfrac{v_Ct}{r}=v_C\left(1-\cos\dfrac{v_Ct}{r}\right)=2v_C\sin^2\dfrac{v_Ct}{2r}\\[2ex] v_y=\dot{y}=v_C\sin\dfrac{v_Ct}{r}=2v_C\sin\dfrac{v_Ct}{2r}\cos\dfrac{v_Ct}{2r}\end{cases}\tag{2}$$

点 M 的速度大小为

$$v=\sqrt{v_x^2+v_y^2}=2v_C\sin\frac{v_Ct}{2r}\tag{3}$$

点 M 的速度方向余弦为

$$\cos(\boldsymbol{v},\boldsymbol{i})=\frac{v_x}{v}=\sin\frac{v_Ct}{2r}=\cos\left(\frac{\pi}{2}-\frac{\varphi}{2}\right)$$

$$\cos(\boldsymbol{v},\boldsymbol{j})=\frac{v_y}{v}=\cos\frac{v_Ct}{2r}=\cos\frac{\varphi}{2}$$

则速度的方向角为

$$\alpha=\frac{\pi}{2}-\frac{\varphi}{2}$$

$$\beta=\frac{\varphi}{2}$$

即点 M 速度沿 $\angle MCH$ 角分线。

轮缘上的点 M 沿轨迹曲线的运动方程，由式(3)积分得

$$s = \int_0^t v\mathrm{d}t = \int_0^t 2v_C\sin\frac{v_Ct}{2r}\mathrm{d}t = 4r\left(1 - \cos\frac{v_Ct}{2r}\right) \tag{4}$$

点 M 的加速度在坐标轴上的投影，由式(2)得

$$\begin{cases} a_x = \dot{v}_x = \dfrac{v_C^2}{r}\sin\dfrac{v_Ct}{r} \\ a_y = \dot{v}_y = \dfrac{v_C^2}{r}\cos\dfrac{v_Ct}{r} \end{cases}$$

点 M 的加速度大小和方向余弦为

$$a = \sqrt{a_x^2 + a_y^2} = \frac{v_C^2t}{r} \tag{5}$$

$$\cos(\boldsymbol{a},\boldsymbol{i}) = \frac{a_x}{a} = \sin\frac{v_Ct}{r} = \cos\left(\frac{\pi}{2} - \varphi\right)$$

$$\cos(\boldsymbol{a},\boldsymbol{j}) = \frac{a_y}{a} = \cos\frac{v_Ct}{r} = \cos\varphi$$

则加速度的方向角为

$$\alpha = \frac{\pi}{2} - \varphi$$

$$\beta = \varphi$$

即点 M 的加速度沿 MC，且恒指向轮心 C。

点 M 的切向加速度和法向加速度为

$$a_\tau = \dot{v} = \frac{v_C^2}{r}\cos\frac{v_Ct}{2r}$$

$$a_n = \sqrt{a^2 - a_\tau^2} = \frac{v_C^2}{r}\sin\frac{v_Ct}{2r}$$

轨迹的曲率半径为

$$\rho = \frac{v^2}{a_n} = 4r\sin\frac{v_Ct}{2r} \tag{6}$$

讨论：

(1)点 M 与地面接触时，$\varphi = 0$，点 M 的速度 $v = 0$，即轮子沿直线轨道无滑动地滚动时与地面接触点的速度为零。

(2)点 M 与地面接触时，点 M 的加速度 $a = \dfrac{v_C^2}{r}$，方向为铅直向上。

例题 5－6 列车沿半径为 $R = 400$ m 的圆弧轨道做匀加速运动，设初速度 $v_0 = 10$ m/s，经过 60 s 后，其速度达到 $v = 20$ m/s。求列车在 $t = 0$、$t = 60$ s 时的加速度。

解 由于列车做匀加速运动，切向加速度 a_τ = 常数，有

$$v = v_0 + a_\tau t$$

切向加速度为

$$a_\tau = \frac{v - v_0}{t} = \frac{20 - 5}{60} = 0.25\ \mathrm{m/s^2}$$

(1)$t=0$ 时法向加速度为

$$a_n=\frac{v_0^2}{\rho}=\frac{100}{400}=0.25\ \mathrm{m/s^2}$$

全加速度为

$$a=\sqrt{a_\tau^2+a_n^2}=\sqrt{0.25^2+0.25^2}\approx 0.353\ \mathrm{m/s^2}$$

全加速度与法线间的夹角为

$$\tan\alpha=\frac{|a_\tau|}{a_n}=1$$

即 $\alpha=45°$。

(2)$t=60$ s 时法向加速度为

$$a_n=\frac{v^2}{\rho}=\frac{400}{400}=1\ \mathrm{m/s^2}$$

全加速度为

$$a=\sqrt{a_\tau^2+a_n^2}=\sqrt{0.25^2+1^2}\approx 1.031\ \mathrm{m/s^2}$$

全加速度与法线间的夹角为

$$\tan\alpha=\frac{|a_\tau|}{a_n}=\frac{0.25}{1.031}\approx 0.242\ 4$$

即 $\alpha=13.6°$。

描述点的运动的方法有很多,除了本章介绍的方法以外,还有极坐标法、柱坐标法和球坐标法等,应根据所研究的问题选择适当的方法研究点的运动。例如研究行星的运动,一般选择柱坐标法或者球坐标法等。

习　　题

5－1　如图 5－13 所示曲线规尺,各杆长为 $OA=AB=200$ mm,$CD=DE=AC=AE=50$ mm。如杆 OA 以等角速度 $\omega=\frac{\pi}{5}$ rad/s 绕 O 轴转动,并且当运动开始时杆 OA 水平向右。求点 D 的运动方程和轨迹。

5－2　如图 5－14 所示,半圆形凸轮以匀速 $v=10$ mm/s 沿水平方向向左运动,活塞杆 AB 长 l,沿铅直方向运动。当运动开始时,活塞杆 AB 的 A 端在凸轮的最高点上。如凸轮的半径 $R=80$ mm,求活塞 B 的运动方程和速度方程。

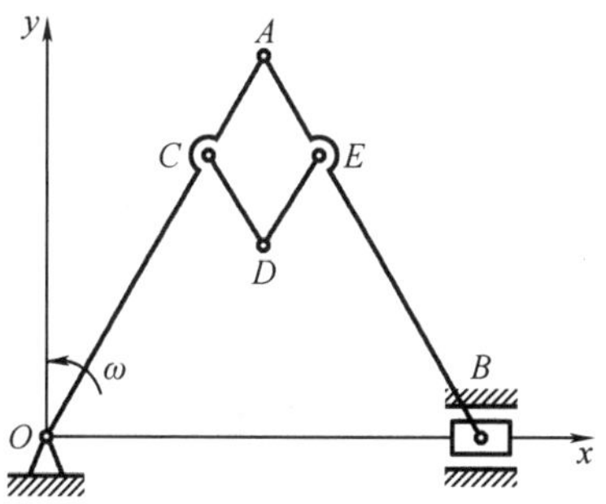

图 5－13　习题 5－1 图

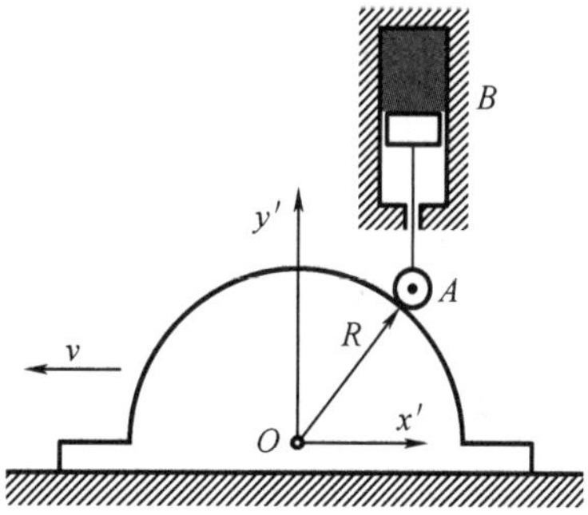

图 5－14　习题 5－2 图

5－3　如图5－15所示，雷达在距离火箭发射台 l 的 O 处观察铅直上升的火箭发射，测得角 θ 的变化规律为 $\theta=kt$（k 为常数）。试写出火箭的运动方程并计算当 $\theta=\frac{\pi}{6}$ 和 $\theta=\frac{\pi}{3}$ 时，火箭的速度和加速度。

5－4　如图5－16所示，套管 A 由绕过定滑轮 B 的绳索牵引而沿导轨上升，定滑轮 B 中心到导轨的距离为 l。设绳索以等速 v_0 拉下，忽略滑轮尺寸。求套管 A 的速度和加速度与距离 x 的关系式。

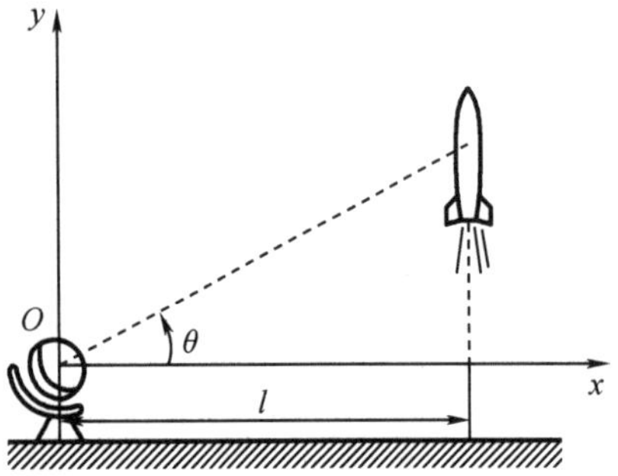

图5－15　习题5－3图

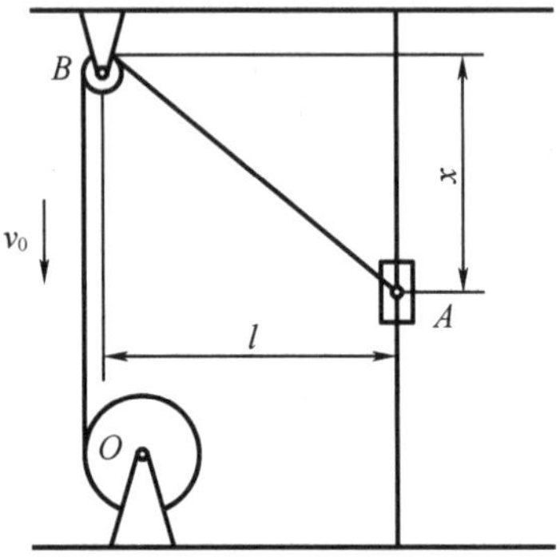

图5－16　习题5－4图

5－5　如图5－17所示，偏心凸轮半径为 R，绕 O 轴转动，转角 $\varphi=\omega t$（ω 为常量），偏心距 $OC=e$，偏心凸轮带动顶杆 AB 沿铅垂直线做往复运动。试求顶杆的运动方程和速度。

5－6　如图5－18所示，摇杆滑道机构中的滑块 M 同时在固定的圆弧槽 BC 和摇杆 OA 的滑道中滑动。如弧 BC 的半径为 R，摇杆 OA 的轴 O 在弧 BC 的圆周上。摇杆 OA 绕 O 轴以等角速度 ω 转动，当运动开始时，摇杆 OA 在水平位置。试分别用直角坐标法和自然轴系法给出点 M 的运动方程，并求其速度和加速度。

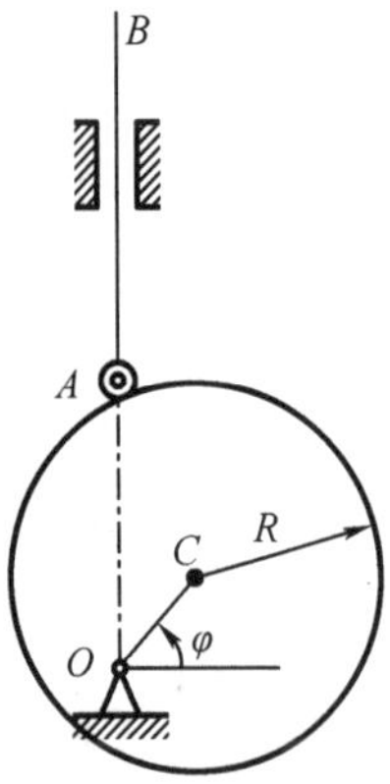

图5－17　习题5－5图

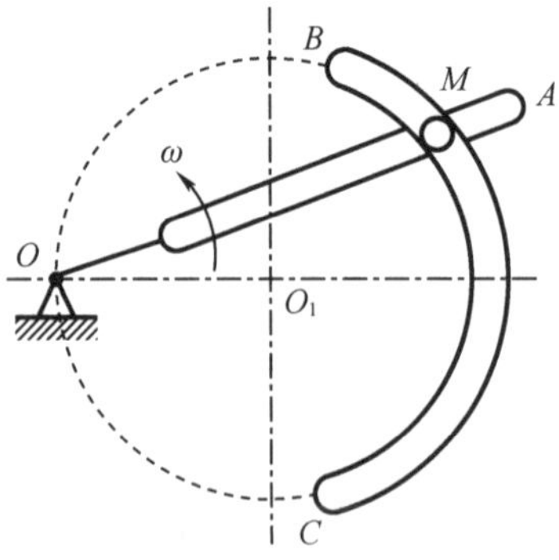

图5－18　习题5－6图

5－7　如图5－19所示，OA 和 O_1B 两杆分别绕 O 和 O_1 轴转动，用十字形滑块 D 将两杆连接。在运动过程中，两杆保持相交成直角。已知 $OO_1=a$，$\varphi=kt$，其中 k 为常数。求滑块

D 的速度和相对于杆 OA 的速度。

5－8　小环 M 由平动的 T 形杆 ABC 带动，沿着如图 5－20 所示曲线轨道运动。设 T 形杆 ABC 的速度 v 为常数，曲线方程为 $y^2=2x$。试求小环 M 的速度和加速度的大小（写成 T 形杆 ABC 的位移 x 的函数）。

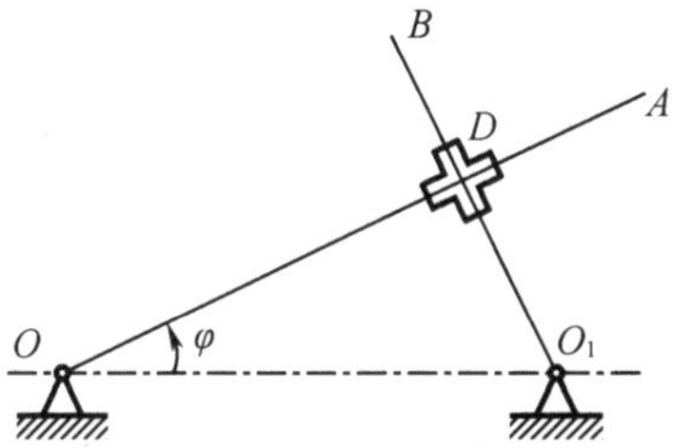

图 5－19　习题 5－7 图

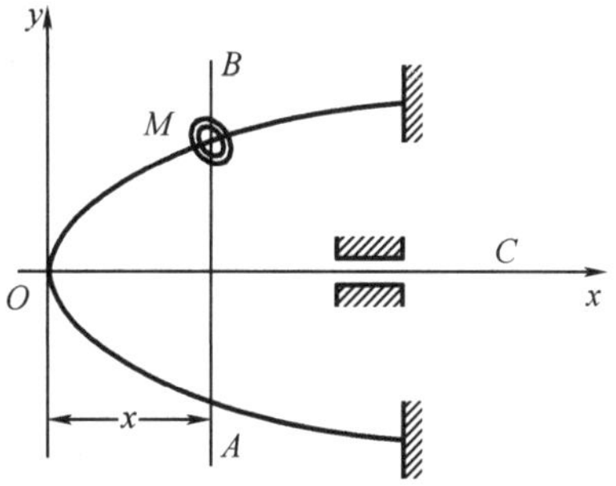

图 5－20　习题 5－8 图

第6章　刚体的基本运动

在工程实际中,最常见的刚体运动有两种基本运动:平动和转动。一些较为复杂的刚体运动,如车轮在直线轨道上的滚动等,都可以归结为这两种基本运动的组合。因此,平动和转动是分析一般刚体运动的基础。

6.1　刚体的平行移动

平动是最简单的一种刚体运动。车刀的刀架,摆式输送机的料槽,以及沿直线轨道行驶的列车的车厢等,它们的运动都是平动的实例。这些刚体的运动具有一个共同的特点:运动时,刚体上任一直线始终与原来位置保持平行。刚体的这种运动称为平行移动,简称平动。如图6-1所示,车轮的平行推杆 AB 在运动过程中始终与它的初始位置相平行,因此平行推杆 AB 做平移运动。

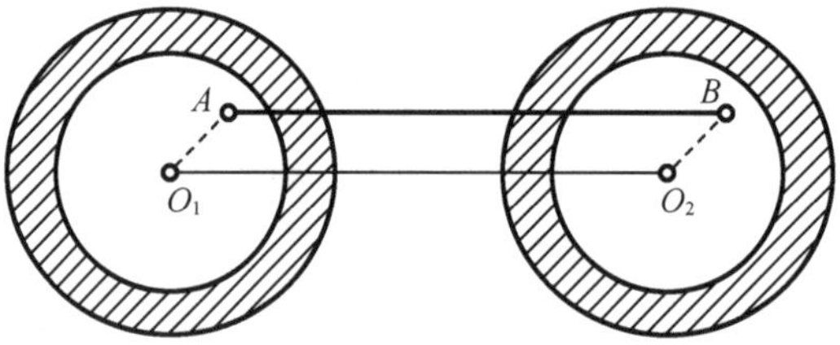

图6-1　车轮的平行推杆

刚体做平动时,刚体上的点的运动可以是直线运动(刀架),也可以是曲线运动(送料槽)。现在就一般情形研究刚体内各点的运动轨迹、速度和加速度。

如图6-2所示,只需研究刚体上任意直线段 AB 的运动,A、B 两点的矢径分别为 $\boldsymbol{r}_A$ 和 $\boldsymbol{r}_B$,它们与 A、B 两点间的有向线段 $\boldsymbol{r}_{AB}$ 之间的关系为

$$\boldsymbol{r}_A = \boldsymbol{r}_B + \boldsymbol{r}_{AB} \tag{6-1}$$

由平动定义知 $\boldsymbol{r}_{AB}$ 为恒矢量,A、B 两点的轨迹只相差恒矢量 $\boldsymbol{r}_{AB}$,即 A、B 两点的轨迹形状相同。

将式(6-1)对时间求导,得

$$\boldsymbol{v}_A = \boldsymbol{v}_B \tag{6-2}$$

$$\boldsymbol{a}_A = \boldsymbol{a}_B \tag{6-3}$$

结论:

(1)做平移的刚体上各点的轨迹形状相同;

(2)在同一瞬时做平移的刚体上各点的速度相等,加速度也相等。

因此,在研究刚体平动时,只要知道刚体上某一点的运动,就能知道所有点的运动,所以

刚体的运动可归结为点的运动。

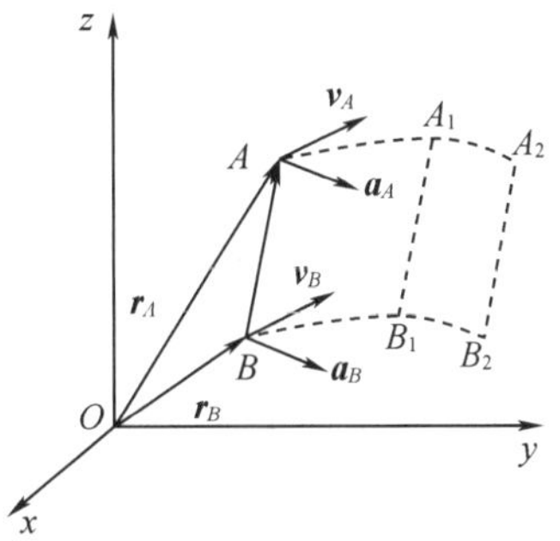

图 6-2　刚体上任意直线段 *AB* 的平行移动

6.2　刚体的定轴转动

定轴转动是工程中常见的一种运动，如电动机的转子的运动，机床中的胶带轮、齿轮以及飞轮等的运动，都是定轴转动的实例。这些刚体的运动具有一个共同的特点：当刚体运动时，刚体内有一直线始终固定不动，而这条直线以外的各点则绕此直线做圆周运动，刚体的这种运动叫作定轴转动，简称转动。保持不动的那条直线叫作转轴。

6.2.1　定轴转动刚体的运动描述

如图 6-3 所示，选定参考坐标系 $Oxyz$，设 z 轴与刚体的转轴重合，过 z 轴作一个不动的平面 P_0（称为静平面），再作一个与刚体一起转动的平面 P（称为动平面），令静平面 P_0 位于 Oxz 面上，初始瞬时这两个平面重合，到 t 瞬时两个平面间的夹角为 φ，φ 称为刚体的转角，是用来描述刚体转动的代数量。按照右手螺旋法则规定转角 φ 的符号，其单位为弧度（rad）。

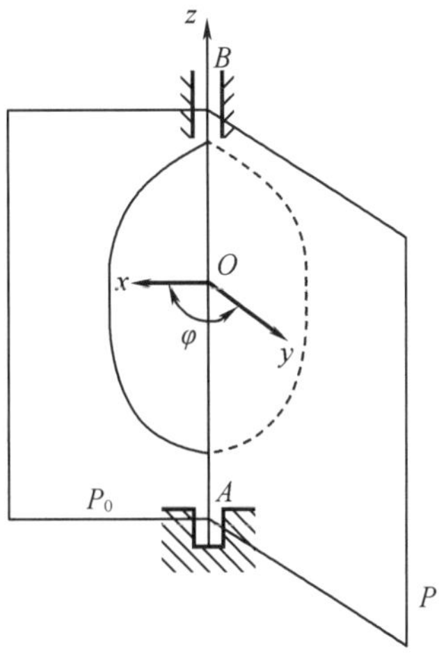

图 6-3　刚体的定轴转动

刚体定轴转动的运动方程：

$$\varphi = f(t) \tag{6-4}$$

$f(t)$是时间 t 的单值连续函数。

角速度是描述刚体转动快慢的物理量，用 ω 表示，即转角 φ 对时间 t 的导数：

$$\omega = \frac{\mathrm{d}\varphi}{\mathrm{d}t}$$

或

$$\omega = \dot{\varphi} \tag{6-5}$$

它的单位为弧度/秒(rad/s)，是代数量。当 $\Delta\varphi > 0$ 时，$\omega > 0$；当 $\Delta\varphi < 0$ 时，$\omega < 0$。

角加速度是角速度 ω 对时间 t 的导数，用 α 表示：

$$\alpha = \frac{\mathrm{d}\omega}{\mathrm{d}t} = \frac{\mathrm{d}^2\varphi}{\mathrm{d}t^2}$$

或

$$\alpha = \dot{\omega} = \ddot{\varphi} \tag{6-6}$$

单位为弧度/秒^2(rad/s^2)，是代数量。当 α 与 ω 同号时，刚体做加速转动；当 α 与 ω 异号时，刚体做减速转动。

工程中常用转速表示转动刚体的转动快慢，即每分钟转过的圈数，用 n 表示，单位为转/分(r/min)，角速度与转速的关系：

$$\omega = \frac{2\pi n}{60} = \frac{\pi n}{30} \tag{6-7}$$

注意：转动刚体的运动微分关系与点的运动微分关系有着相似之处，望初学者加以比较。

6.2.2 转动刚体上各点的速度和加速度

当刚体做定轴转动时，刚体上各点均做圆周运动，故在刚体上任选一点 M，设它到转轴的距离为 R，如图 6-4 所示，当刚体转过 φ 角时，点 M 的弧坐标为

$$s = R\varphi \tag{6-8}$$

将式(6-8)对时间 t 求导，得点 M 的速度为

$$v = R\omega \tag{6-9}$$

其速度分布如图 6-5 所示。

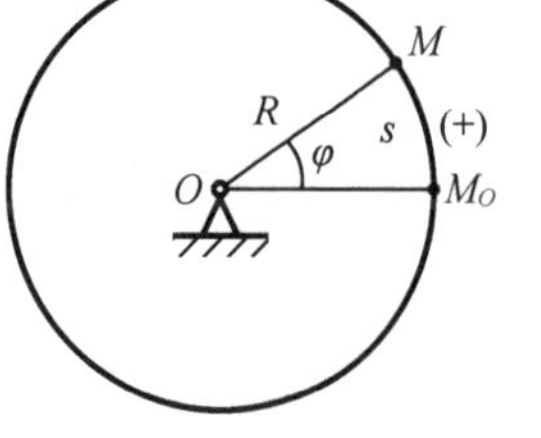

图 6-4 刚体上点的弧坐标

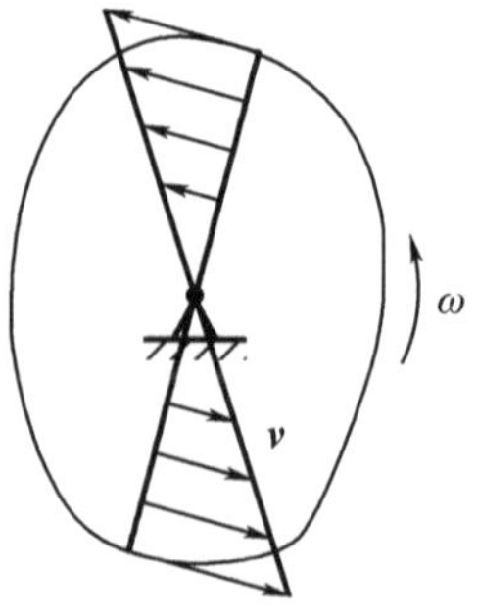

图 6-5 转动刚体上点的速度分布

将式(6 - 9)对时间 t 求导,得点 M 的切向加速度为

$$a_\tau = R\alpha \tag{6-10}$$

点 M 的法向加速度为

$$a_n = \frac{v^2}{R} = \frac{(R\omega)^2}{R} = R\omega^2 \tag{6-11}$$

点 M 的全向加速度为

$$a = \sqrt{a_\tau^2 + a_n^2} = \sqrt{(R\alpha)^2 + (R\omega^2)^2} = R\sqrt{\alpha^2 + \omega^4} \tag{6-12}$$

其方向为

$$\tan\theta = \frac{|a_\tau|}{a_n} = \frac{|\alpha|}{\omega^2} \tag{6-13}$$

其加速度分布如图 6 - 6 所示。

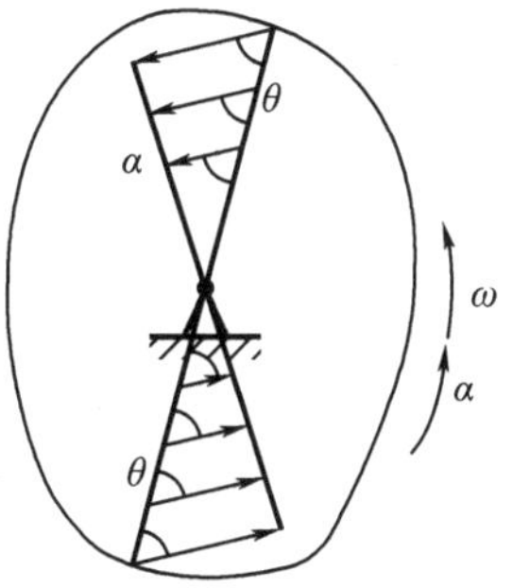

图 6 - 6　转动刚体上点的加速度分布

结论:

(1)在同一瞬时,转动刚体上各点的速度 $\boldsymbol{v}$ 和加速度 $\boldsymbol{a}$ 的大小均与到转轴的垂直距离 R 成正比;

(2)在同一瞬时,各点速度 $\boldsymbol{v}$ 的方向垂直于到转轴的距离 R,各点加速度 $\boldsymbol{a}$ 的方向与到转轴的垂直距离 R 的夹角 θ 都相等。

6.3　点的速度和加速度的矢量表示

首先建立角速度的矢量概念,按照右手螺旋法则定义角速度的矢量表示为

$$\boldsymbol{\omega} = \omega\boldsymbol{k} \tag{6-14}$$

式中,$\boldsymbol{k}$ 为转轴 z 的单位矢量,如图 6 - 7(a)所示。

刚体上任意一点 M 的矢径 $\boldsymbol{r}$、角速度 $\boldsymbol{\omega}$ 和速度 $\boldsymbol{v}$ 的矢量表示为

$$\boldsymbol{v} = \boldsymbol{\omega} \times \boldsymbol{r} \tag{6-15}$$

同理,对于定轴转动刚体,定义角加速度的矢量为

$$\boldsymbol{\alpha} = \dot{\boldsymbol{\omega}} = \alpha\boldsymbol{k} \tag{6-16}$$

将式(6 - 15)对时间 t 求导,得点 M 的加速度的矢量表示为

$$\boldsymbol{a} = \boldsymbol{\alpha} \times \boldsymbol{r} + \boldsymbol{\omega} \times \boldsymbol{v} \tag{6-17}$$

如图 6-7(b)所示,式(6-17)右边第一项为切向加速度,第二项为法向加速度,即

$$\begin{cases} \boldsymbol{a}_\tau = \boldsymbol{\alpha} \times \boldsymbol{r} \\ \boldsymbol{a}_n = \boldsymbol{\omega} \times \boldsymbol{v} \end{cases} \tag{6-18}$$

结论:

(1)做定轴转动的刚体上任意一点的速度等于角速度与矢径的矢量积;

(2)做定轴转动的刚体上任意一点的切向加速度等于角加速度与矢径的矢量积,法向加速度等于角速度与速度的矢量积。

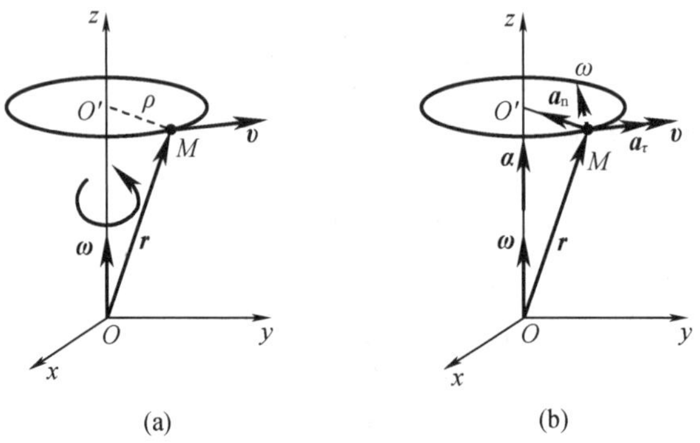

图 6-7 角速度、切向加速度、法向加速度

例题 6-1 如图 6-8 所示,曲柄 OA 绕 O 轴转动,其转动方程为 $\varphi=4t^2$,杆 BC 绕 C 轴转动,且杆 OA 与杆 BC 平行等长,$OA=BC=0.5$ m。求当 $t=1$ s 时,直角杆 ABD 上 D 点的速度和加速度。

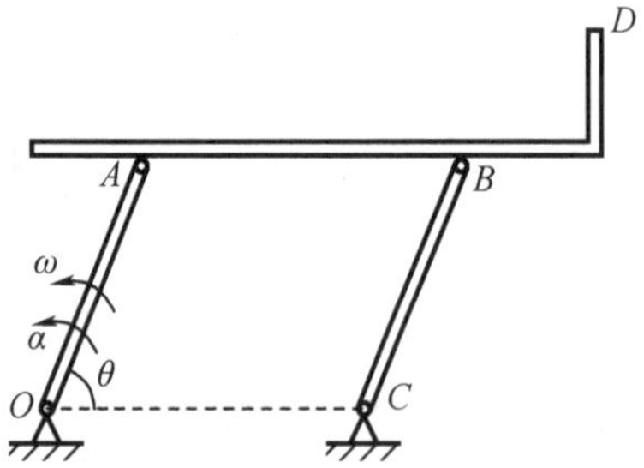

图 6-8 例题 6-1 图

解 由于杆 OA 与杆 BC 平行等长,因此直角杆 ABD 做平移,由平移的定义知:计算 D 点的速度和加速度,只需计算 A 点的速度和加速度即可。

曲柄 OA 的角速度由式(6-5)得

$$\omega = \frac{\mathrm{d}\varphi}{\mathrm{d}t} = 8t$$

曲柄 OA 的角加速度由式(6-6)得

$$\alpha = \frac{\mathrm{d}\omega}{\mathrm{d}t} = 8$$

当 $t=1$ s 时：

(1)直角杆 ABD 上 D 点的速度

由式(6－9)得

$$v=R\omega=OA\omega=0.5\times 8=4(\mathrm{m/s})$$

其方向垂直杆 OA 指向角速度方向。

(2)直角杆 ABD 上 D 点的加速度

由式(6－10)得切向加速度：

$$a_\tau=R\alpha=OA\alpha=0.5\times 8=4(\mathrm{m/s^2})$$

由式(6－11)得法向加速度：

$$a_n=R\omega^2=OA\omega^2=0.5\times 8^2=32(\mathrm{m/s^2})$$

由式(6－12)得全向加速度：

$$a=\sqrt{a_\tau^2+a_n^2}=\sqrt{4^2+32^2}=32.25(\mathrm{m/s^2})$$

由式(6－13)得全向加速度与法线间的夹角：

$$\tan\theta=\frac{|a_\tau|}{a_n}=\frac{|\alpha|}{\omega^2}=\frac{8}{8^2}=0.125$$

其中 $\theta=7.13°$。

例题 6－2　鼓轮 O 轴转动，其半径 $R=0.2$ m，转动方程为 $\varphi=-t^2+4t$，如图 6－9 所示。绳索缠绕在鼓轮上，绳索的另一端悬挂重物 A。求当 $t=1$ s 时，轮缘上的点 M 和重物 A 的速度和加速度。

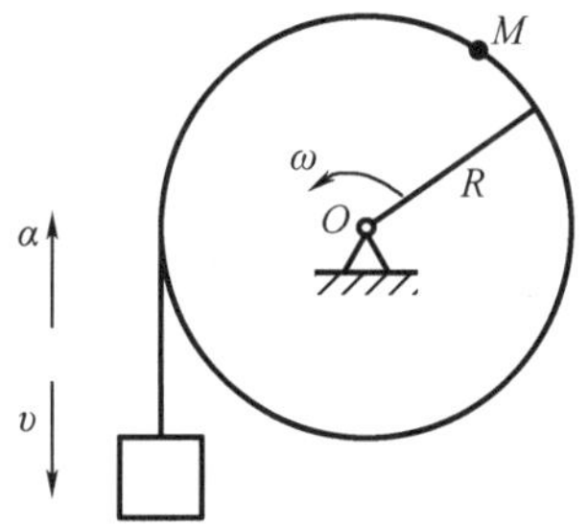

图 6－9　例题 6－2 图

解　由式(6－5)得鼓轮 O 轴转动的角速度：

$$\omega=\frac{\mathrm{d}\varphi}{\mathrm{d}t}=-2t+4$$

由式(6－6)得鼓轮 O 轴转动的角加速度：

$$\alpha=\frac{\mathrm{d}\omega}{\mathrm{d}t}=-2$$

当 $t=1$ s 时：

(1)点 M 的速度和加速度

由式(6－9)得

$$v_M=R\omega=0.2\times 2=0.4$$

其方向垂直 R 指向角速度方向。

由式(6-10)得切向加速度:

$$a_{\tau M}=R\alpha=0.2\times(-2)=-0.4$$

由式(6-11)得法向加速度:

$$a_{nM}=R\omega^2=0.2\times2^2=0.8$$

由式(6-12)得全向加速度:

$$a_M=\sqrt{a_{\tau M}^2+a_{nM}^2}=\sqrt{0.4^2+0.8^2}=0.8944$$

由式(6-13)得全向加速度与法线间的夹角:

$$\tan\theta=\frac{|a_\tau|}{a_n}=\frac{|\alpha|}{\omega^2}=\frac{|-2|}{2^2}=0.5$$

其中 $\theta=26.57°$。

(2)重物 A 的速度和加速度

重物 A 的速度为

$$v_A=v_M=0.4$$

其方向铅直向下。

重物 A 的加速度为

$$a_A=a_{\tau M}=-0.4$$

其方向与速度方向相反,做减速运动。

6.4 定轴轮系的传动比

6.4.1 齿轮传动

定义齿轮的传动比 i_{12} 等于主动轮的角速度与从动轮角速度的比。

由式 $\omega_1r_1=\omega_2r_2$ 有

$$i_{12}=\frac{\omega_1}{\omega_2}=\frac{r_2}{r_1}\tag{6-19}$$

由于齿轮啮合时齿距必须相等,而齿距等于齿轮节圆周长与齿轮齿数的比。若设齿轮齿数分别为 z_1、z_2,则有

$$\frac{2\pi r_1}{z_1}=\frac{2\pi r_2}{z_2}\tag{6-20}$$

从而得

$$i_{12}=\frac{\omega_1}{\omega_2}=\frac{r_2}{r_1}=\frac{z_2}{z_1}\tag{6-21}$$

即齿轮传递时,两个齿轮角速度的比等于两个齿轮半径的反比,或等于两个齿轮齿数的反比。

6.4.2 皮带轮传动

在机械中还有皮带轮传动,如图 6-10 所示。如不考虑皮带的厚度,并假设皮带与轮无

相对滑动，设轮Ⅰ和轮Ⅱ的角速度分别为 ω_1、ω_2，半径分别为 r_1 和 r_2，即

$$\omega_1 r_1 = \omega_2 r_2 \tag{6-22}$$

皮带轮的传动比 i_{12} 为

$$i_{12} = \frac{\omega_1}{\omega_2} = \frac{r_2}{r_1} \tag{6-23}$$

即皮带轮的传递时，两个皮带轮角速度的比等于两个皮带轮半径的反比。

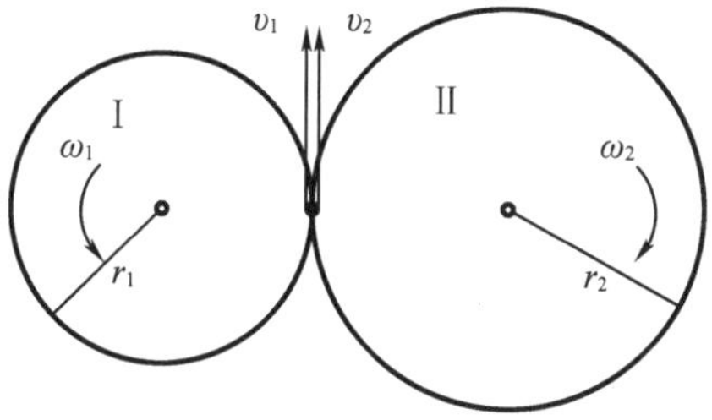

图 6-10　皮带轮传动

习　　题

6-1　在如图 6-11 所示的曲柄滑杆机构中，滑杆有一圆弧形滑道，其半径 R = 100 mm，圆心 O_1 在导杆 BC 上。曲柄长 OA = 100 mm，以等角速度 ω = 4 rad/s 绕轴 O 转动。求导杆 BC 的运动规律以及当轴柄与水平线间的交角 φ 为 30°时，导杆 BC 的速度和加速度。

6-2　图 6-12 所示为把工件送入干燥炉内的机构，叉杆 OA = 1.5 m 在铅垂面内转动，杆 AB = 0.8 m，A 端为铰链，B 端有放置工件的框架。在机构运动时，工件的速度恒为 0.05 m/s，杆 AB 始终铅垂。设运动开始时，角 φ = 0。求运动过程中角 φ 与时间的关系，以及点 B 的轨迹方程。

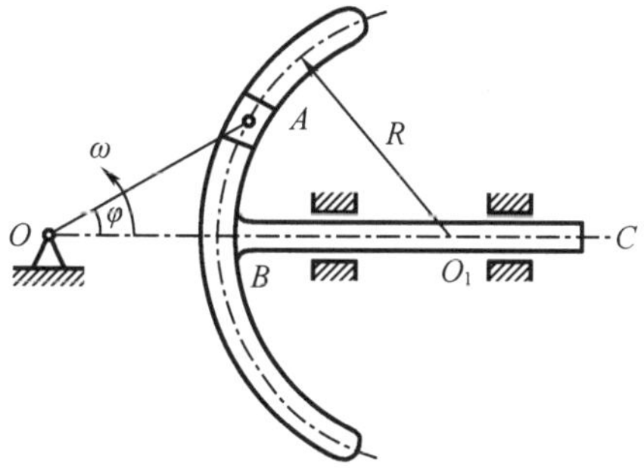

图 6-11　习题 6-1 图

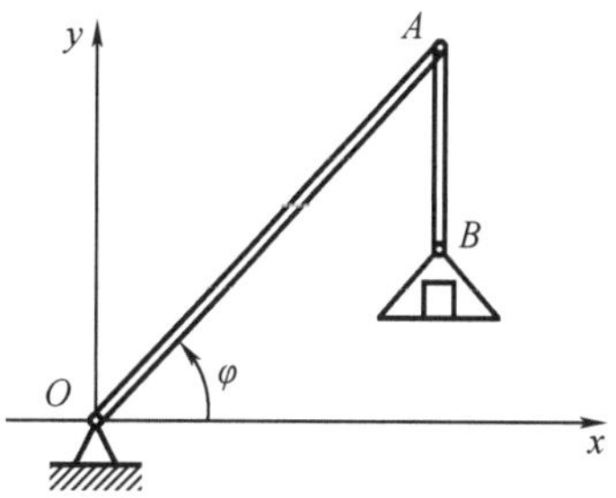

图 6-12　习题 6-2 图

6-3　已知搅拌机的主动齿轮 O_1 以 n = 950 r/min 的转速转动，搅杆 ABC 用销钉 A、B 与齿轮 O_2、O_3 相连，如图 6-13 所示。且 $AB = O_2O_3$，$O_3A = O_2B$ = 0.25 m，各齿轮齿数为 z_1 = 20，z_2 = 50。求搅杆端点 C 的速度和轨迹。

6－4　如图6－14所示的机构，假定杆 AB 以匀速 v 运动，开始 $\varphi=0$。求当 $\varphi=\frac{\pi}{4}$ 时，摇杆 OC 的角速度和角加速度。

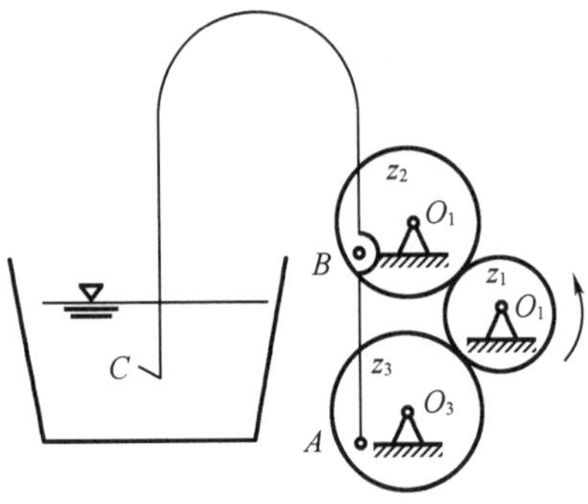

图6－13　习题6－3图

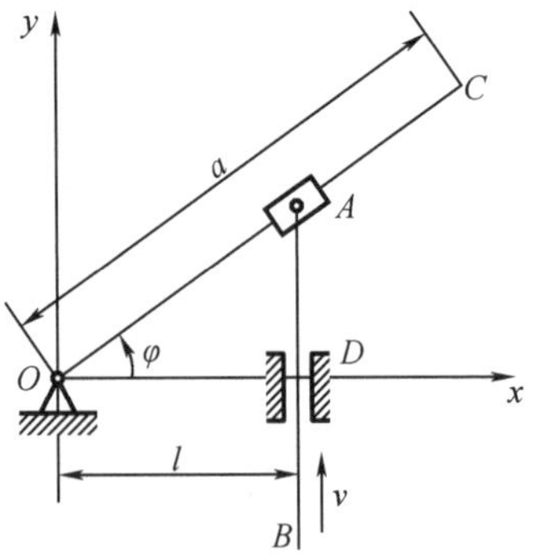

图6－14　习题6－4图

6－5　如图6－15所示，曲柄 CB 以等角速度 ω_0 绕轴 C 转动，其转动方程为 $\varphi=\omega_0 t$。滑块 B 带动摇杆 OA 绕轴 O 转动。设 $OC=h$，$CB=r$。求摇杆的转动方程。

6－6　如图6－16所示，摩擦传动机构的主动轴Ⅰ的转速为 $n=600$ r/min。轴Ⅰ的轮盘与轴Ⅱ的轮 盘接触，接触点按箭头 A 所示的方向移动。距离 d 的变化规律为 $d=100-5t$，其中 d 以 mm 计，t 以 s 计。已知 $r=50$ mm，$R=150$ mm。求：(1)以距离 d 表示轴Ⅱ的角加速度；(2)当 $d=r$ 时，轮 B 边缘上一点的全加速度。

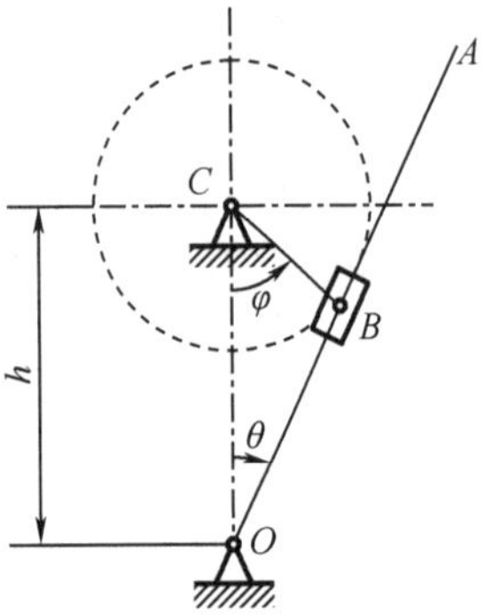

图6－15　习题6－5图

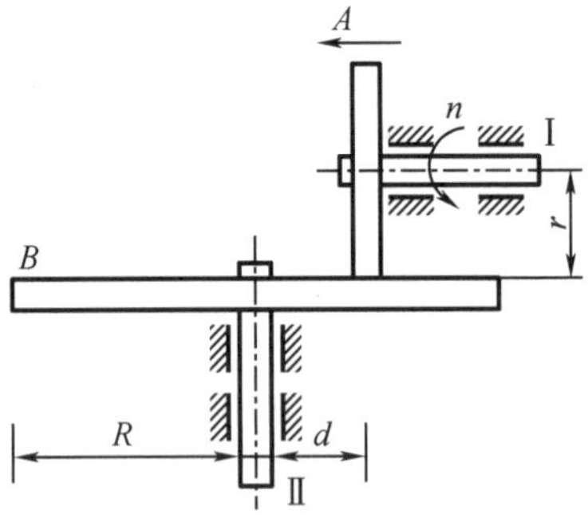

图6－16　习题6－6图

6－7　如图6－17所示，纸盘由厚度为 a 的纸条卷成，令纸盘的中心不动，而以等速 v 拉纸条。求纸盘的角加速度（以半径 r 的函数表示）。

6－8　图6－18所示机构中齿轮1紧固在杆 AC 上，$AB=O_1O_2$，齿轮1和半径为 $2r$ 的齿轮2啮合，齿轮2可绕 O_2 轴转动且和曲 O_2B 没有联系。设 $OA=OB=l$，$\varphi=b\sin\omega t$，试确定 $t=\frac{\pi}{2\omega}$ 时，轮2的角速度和角加速度。

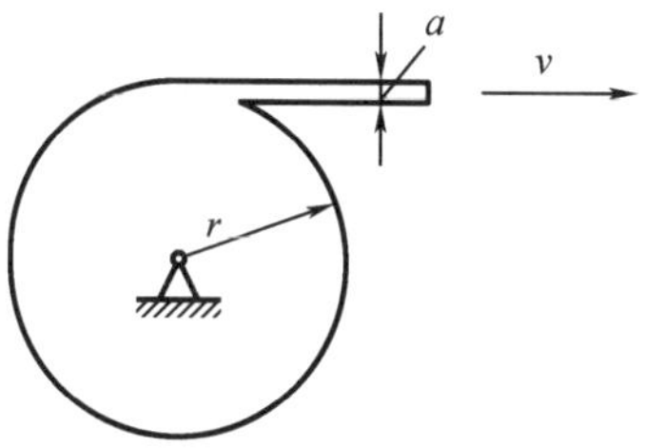

图 6－17　习题 6－7 图

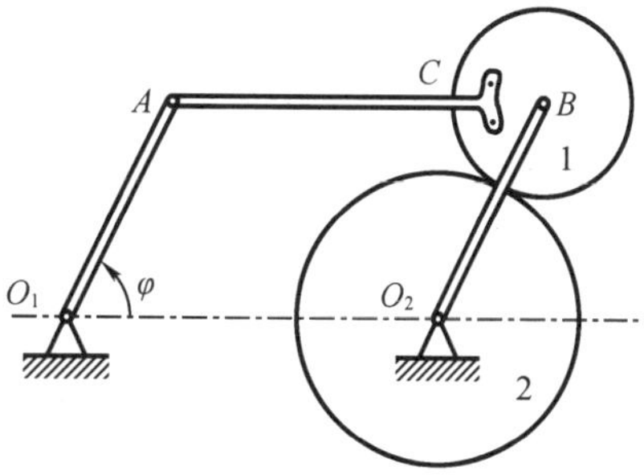

图 6－18　习题 6－8 图

第7章　点的合成运动

前面我们研究物体的运动是相对于同一参考坐标系而言的，当所研究的物体相对于不同参考坐标系运动时（即它们之间存在相对运动），就形成了运动的合成。本章主要学习动点相对于不同参考坐标系运动时的运动方程、速度、加速度之间的几何关系。

7.1　绝对运动　相对运动　牵连运动

在工程和实际生活中物体相对于不同参考系运动的例子很多，例如沿直线滚动的车轮，在地面上观察轮边缘上点 M 的运动轨迹是旋轮线，但在车厢上观察是一个圆，如图7－1所示；又如在雨天观察雨滴的运动，如果在地面上观察（不计自然风的干扰）雨滴铅直下落，而在行驶的汽车上观察雨滴在车窗上留下倾斜的痕迹，如图7－2所示。

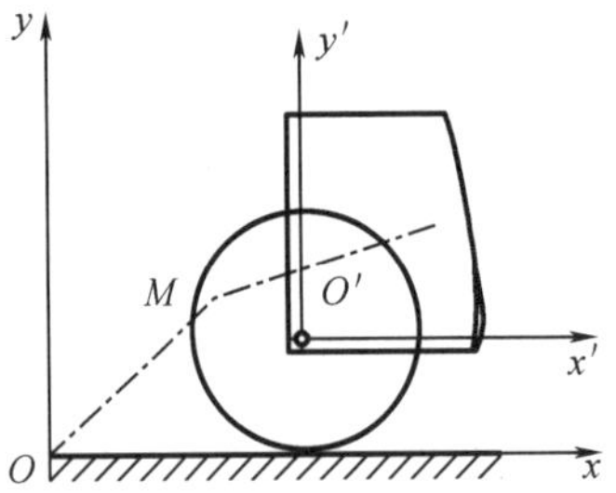

图7－1　轮缘 M 点轨迹

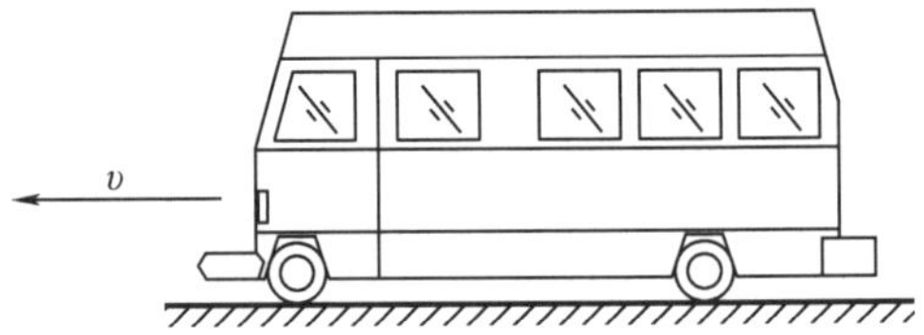

图7－2　雨滴的轨迹

从上面的两个例子可以看出物体相对于不同参考系的运动是不同的，它们之间存在运动的合成和分解的关系。一般情况下，将研究的物体看成动点，动点相对于两个坐标系运动，其中建立在不动物体上的坐标系称为定参考坐标系（简称定系），如建立在地面上的坐标系，另一个坐标系是相对定参考坐标系的运动，称为动参考坐标系（简称动系）。动点相对于定系运动可以看成动点相对于动系的运动和动系相对于定系的运动的合成。上面的第一个例子中，定系建立在地面上，动点 M 的运动轨迹是旋轮线，动系建立在车厢上，点 M 相对于动系的运动轨迹是一个圆，而车厢是做平移的运动。即动点 M 的旋轮线可以看成圆周运动和车厢平移运动的合成。

研究点的合成运动必须要选定两个参考坐标系，清楚以下三种运动。

（1）动点相对于定系的运动，称为动点的绝对运动。所对应的轨迹、速度和加速度分别称为绝对运动轨迹、绝对速度 v_a、绝对加速度 a_a。

（2）动点相对于动系的运动，称为动点的相对运动。所对应的轨迹、速度和加速度分别称为相对运动轨迹、相对速度 v_r、相对加速度 a_r。

(3)动系相对于定系的运动,称为动点的牵连运动。动系上与动点重合的点称为动点的牵连点,牵连点所对应的轨迹、速度和加速度分别称为牵连运动轨迹、牵连速度 v_e、牵连加速度 a_e。

结合我们所建立的两个参考坐标系和三种运动,请初学者自己分析上面的例子。

一般来讲,绝对运动被看成运动的合成,相对运动和牵连运动被看成运动的分解,合成与分解是研究点的合成运动的两个方面,切不可孤立看待,必须用联系的观点去学习。

动点的绝对运动、相对运动和牵连运动之间的关系可以通过动点在定参考坐标系和动参考坐标系中的坐标变换得到。以平面运动为例,设 oxy 为定系,$O'x'y'$为动系,M 为动点,如图 7-3 所示。

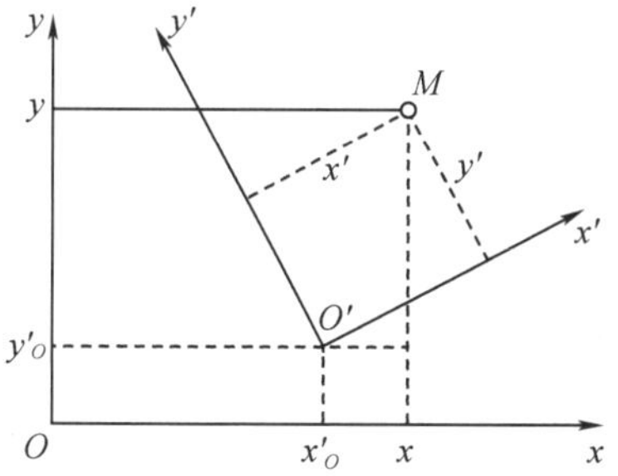

图 7-3　定系与动系

M 点绝对运动方程为

$$\begin{cases} x = x(t) \\ y = y(t) \end{cases} \tag{7-1}$$

M 点相对运动方程为

$$\begin{cases} x' = x'(t) \\ y' = y'(t) \end{cases} \tag{7-2}$$

牵连运动是动系 $O'x'y'$相对于定系 Oxy 的运动,其运动方程为

$$\begin{cases} x_{O'} = x_{O'}(t) \\ y_{O'} = y_{O'}(t) \\ \varphi = \varphi(t) \end{cases} \tag{7-3}$$

由图 7-3 得坐标变换

$$\begin{cases} x = x_{O'} + x'\cos\varphi - y'\sin\varphi \\ y = y_{O'} + x'\sin\varphi + y'\cos\varphi \end{cases} \tag{7-4}$$

例题 7-1　半径为 r 的轮子沿直线轨道无滑动地滚动,如图 7-4 所示,已知轮心 C 的速度为 v_C,试求轮缘上的点 M 的绝对运动方程和相对轮心 C 的运动方程和牵连运动方程。

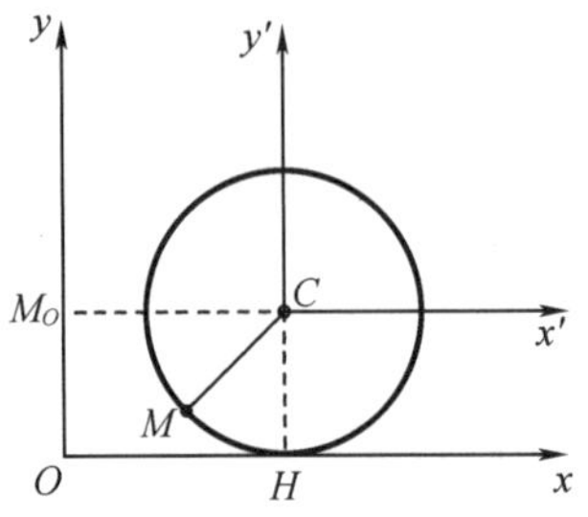

图 7-4　例题 7-1 图

解　沿轮子滚动的方向建立定系 Oxy，初始时设轮缘上的点 M 位于 y 轴上 M_O 处。在图示瞬时，点 M 和轮心 C 的连线与 CH 所成的夹角为

$$\varphi_1 = \frac{MH}{r} = \frac{v_C t}{r}$$

在轮心 C 建立动系 $Cx'y'$，点 M 的相对运动方程为

$$\begin{cases} x' = -r\sin\varphi_1 = -r\sin\dfrac{v_C t}{r} \\ y' = -r\cos\varphi_1 = -r\cos\dfrac{v_C t}{r} \end{cases} \tag{1}$$

点 M 的相对运动轨迹方程为

$$x'^2 + y'^2 = r^2 \tag{2}$$

由式(2)知点 M 的相对运动轨迹为圆。

点 M 的牵连运动为动系 $Cx'y'$ 相对于定系 Oxy 的运动，其牵连运动方程为

$$\begin{cases} x_C = v_C t \\ y_C = r \\ \varphi = 0 \end{cases} \tag{3}$$

其中，由于动系做平移，因此动系坐标轴 x' 与定系坐标轴 x 的夹角 $\varphi = 0$。

由式(7-4)得点 M 的绝对运动方程为

$$\begin{cases} x = v_C t - r\sin\varphi_1 = v_C t - r\sin\dfrac{v_C t}{r} \\ y = r - r\cos\varphi_1 = r - r\cos\dfrac{v_C t}{r} \end{cases} \tag{4}$$

点 M 的绝对运动轨迹为式(4)表示的旋轮线。

例题 7-2　用车刀切削垂直于工件直径的端面时，车刀沿水平轴 z 做往复运动，如图 7-5 所示。设定系为 $Oxyz$，刀尖在 Oxy 面上的运动方程为 $x = r\sin\omega t$，工件以匀角速度 ω 绕 z 轴转动，动系建立在工件上为 $Ox'y'z'$，试求刀尖在工件上划出的痕迹。

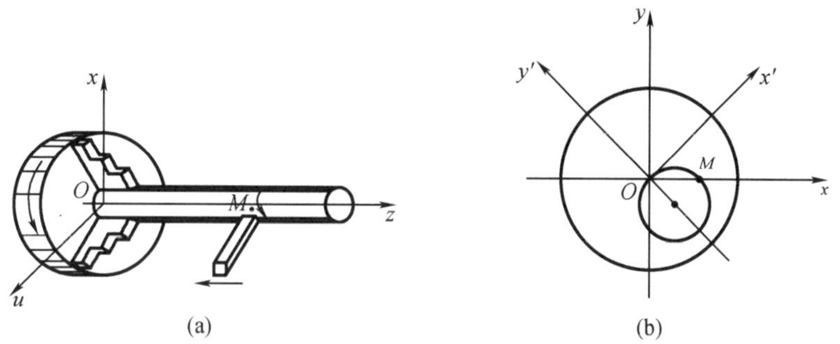

图7-5　例题7-2图

解　由题意知，刀尖为动点，刀尖在工件上划出的痕迹为动点相对运动轨迹。由图7-5(b)得动点相对运动方程为

$$\begin{cases} x' = x\cos\omega t = r\sin\omega t\cos\omega t = \dfrac{r}{2}\sin 2\omega t \\ y' = -x\sin\omega t = -r\sin^2\omega t = -\dfrac{r}{2}(1-\cos 2\omega t) \end{cases}$$

约去时间 t，得动点相对运动轨迹方程为

$$x'^2 + \left(y' + \frac{r}{2}\right)^2 = \frac{r^2}{4}$$

则刀尖在工件上划出的痕迹为圆。

注意：若求三种运动的速度之间的关系，最直接的方法是用式(7-4)对时间求导，即可求出点的相对速度、牵连速度的绝对速度三者之间的关系。

7.2　点的速度合成定理

现在研究点的相对速度、牵连速度、绝对速度三者之间的关系。

如图7-6所示，设 Oxy 为定系，$O'x'y'$为动系，M 为动点。动系的坐标原点 O'在定系上的矢径为 $\boldsymbol{r}_{O'}$，动点 M 在定系上的矢径为 $\boldsymbol{r}_M$，动点 M 在动系上的矢径为 $\boldsymbol{r}'$，动系坐标的三个单位矢量为 $\boldsymbol{i}'$ $\boldsymbol{j}'$、$\boldsymbol{k}'$，牵连点（动系上与动点重合的点）为 M'在定系上的矢径为 $\boldsymbol{r}_{M'}$，有如下关系：

$$\boldsymbol{r}_M = \boldsymbol{r}_{O'} + \boldsymbol{r}' \tag{7-5}$$

$$\boldsymbol{r}' = x'\boldsymbol{i}' + y'\boldsymbol{j}' + z'\boldsymbol{k}' \tag{7-6}$$

$$\boldsymbol{r}_M = \boldsymbol{r}_{M'} \tag{7-7}$$

动点 M 的绝对速度为

$$\boldsymbol{v}_a = \frac{d\boldsymbol{r}_M}{dt} \tag{7-8}$$

动点 M 的相对速度为

$$\boldsymbol{v}_r = \frac{d\boldsymbol{r}'}{dt} = \dot{x}'\boldsymbol{i}' + \dot{y}'\boldsymbol{j}' + \dot{z}'\boldsymbol{k}' \tag{7-9}$$

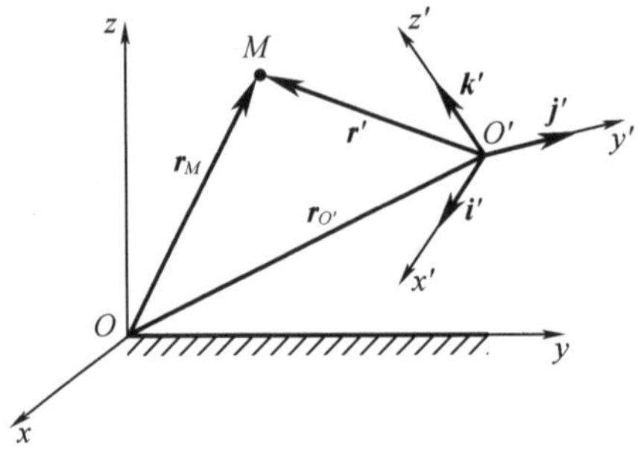

图7－6 动系与定系上的矢径

将式(7－6)和式(7－7)代入式(7－5)中,因牵连点 M' 是动系上的一个确定点,因此 M' 的三个坐标 x',y',z' 是常量,得牵连速度

$$\boldsymbol{v}_e=\frac{\mathrm{d}\boldsymbol{r}_{M'}}{\mathrm{d}t}=\dot{\boldsymbol{r}}_{O'}+x'\dot{\boldsymbol{i}}'+y'\dot{\boldsymbol{j}}'+z'\dot{\boldsymbol{k}}' \tag{7-10}$$

从而得相对速度、牵连速度的绝对速度三者之间的关系:

$$\boldsymbol{v}_a=\boldsymbol{v}_e+\boldsymbol{v}_r \tag{7-11}$$

点的速度合成定理:在任一瞬时,动点的绝对速度等于在同一瞬时相对速度和牵连速度的矢量和。点的相对速度、牵连速度、绝对速度三者之间满足平行四边形合成法则,即绝对速度由相对速度和牵连速度所构成的平行四边形的对角线所确定。

应当注意:

(1)三种速度有三个大小和三个方向共六个要素,必须已知其中四个要素,才能求出剩余的两个要素。因此只要正确地画出上面三种速度的平行四边形,即可求出剩余的两个要素。

(2)动点和动系的选择是关键,一般不能将动点和动系选在同一个参考体上。

(3)动系的运动是任意的运动,可以是平移、转动或者较为复杂的运动。

例题7－3 汽车以速度 v_1 沿直线道路行驶,雨滴以速度 v_2 铅直下落,如图7－7所示,试求雨滴相对于汽车的速度。

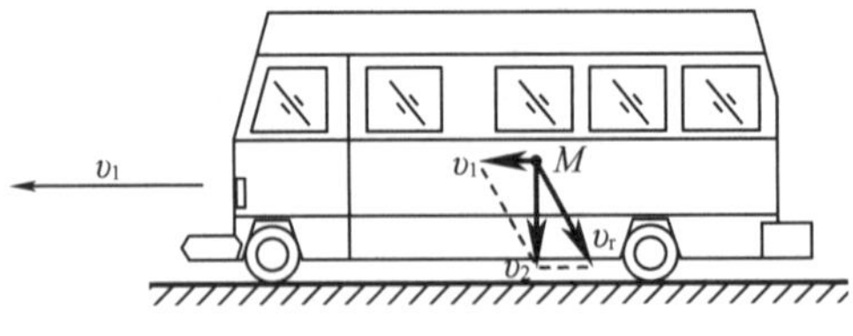

图7－7 例题7－3图

解 (1)建立两种坐标系

在地面上建立定系,在汽车上建立动系。

(2)分析三种运动

雨滴为动点,其绝对速度为

$$v_a=v_2$$

汽车的速度为牵连速度(牵连点的速度),即

$$v_e = v_1$$

(3)作速度的平行四边形

由于绝对速度 v_a 和牵连速度 v_e 的大小和方向都是已知的,如图 7 - 7 所示,只需将速度 v_a 和 v_e 矢量的端点连线便可确定雨滴相对于汽车的速度 v_r。故

$$v_r = \sqrt{v_a^2 + v_e^2} = \sqrt{v_2^2 + v_1^2}$$

雨滴相对于汽车的速度 v_r 与铅垂线的夹角为

$$\tan \alpha = \frac{v_1}{v_2}$$

例题 7 - 4　如图 7 - 8 所示,曲柄滑道机构 T 形杆 BC 部分处于水平位置,DE 部分处于铅直位置并放在套筒 A 中。已知曲柄 OA 以匀角速度 $\omega = 20$ rad/s 绕 O 轴转动,$OA = r = 10$ cm,试求当曲柄 OA 与水平线的夹角 φ 为 0°、30°、60°、90°时,T 形杆的速度。

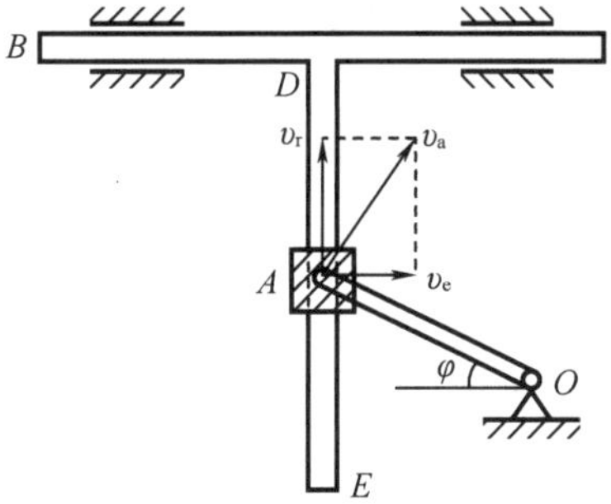

图 7 - 8　例题 7 - 4 图

解　选套筒 A 为动点,在 T 形杆上建立动系,在地面上建立定系。动点的绝对运动为圆周运动,绝对速度的大小为

$$v_a = r\omega = 10 \times 20 = 200 \text{ cm/s}$$

其方向垂直于曲柄 OA 沿角速度 ω 的方向。

由于 T 形杆受水平约束,则牵连运动为水平方向;动点的相对运动为沿 BC 的直线运动,即相对速度方向为铅直向上,如图 7 - 8 所示,作速度的平行四边形。故 T 形杆的速度为

$$v_T = v_e = v_a \sin \varphi$$

将已知条件代入得

$\varphi = 0°$:

$$v_T = 200\sin 0° = 0$$

$\varphi = 30°$:

$$v_T = 200\sin 30° = 100 \text{ cm/s}$$

$\varphi = 60°$:

$$v_T = 200\sin 60° = 173.2 \text{ cm/s}$$

$\varphi = 90°$:

$$v_T = 200\sin 90° = 200 \text{ cm/s}$$

例题 7 - 5　曲柄 OA 以匀角速度 ω 绕 O 轴转动,其上套有小环 M,而小环 M 又在固定

的大圆环上运动，大圆环的半径为 R，如图 7-9 所示。试求当曲柄 OA 与水平线成的角 $\varphi = \omega t$ 时，小环 M 的绝对速度和相对曲柄 OA 的相对速度。

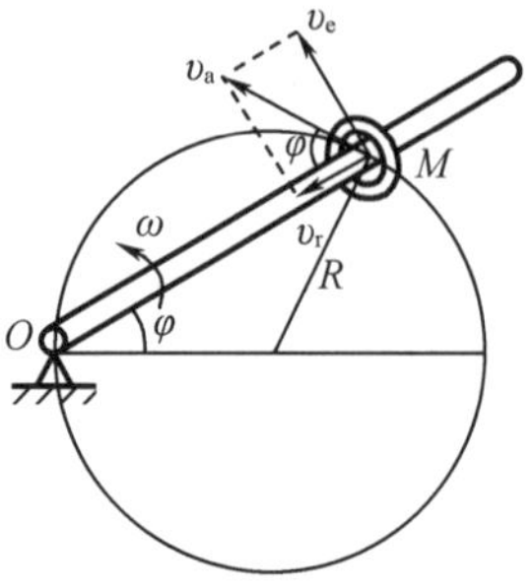

图 7-9 例题 7-5 图

解 由题意，选小环 M 为动点，在曲柄 OA 上建立动系，在地面上建立定系。小环 M 的绝对运动是在大圆上的运动，因此小环 M 的绝对速度垂直于大圆的半径 R；小环 M 的相对运动是在曲柄 OA 上的直线运动，因此小环 M 的相对速度沿曲柄 OA 并指向 O 点；小环 M 的牵连运动为曲柄 OA 的定轴转动，因此小环 M 的牵连速度垂直于曲柄 OA，如图 7-9 所示，作速度的平行四边形。

小环 M 的牵连速度为

$$v_e = OM\omega = 2R\omega\cos\varphi$$

小环 M 的绝对速度为

$$v_a = \frac{v_e}{\cos\varphi} = 2R\omega$$

小环 M 的相对速度为

$$v_r = v_e\tan\varphi = 2R\omega\sin\varphi = 2R\omega\sin\omega t$$

例题 7-6 如图 7-10(a)所示，半径为 R，偏心距为 e 的凸轮，以匀角速度 ω 绕 O 轴转动，并使滑槽内的直杆 AB 上下移动，设 OAB 在一条直线上，轮心 C 与点 O 在水平位置，试求在图 7-10(a)所示位置时，杆 AB 的速度。

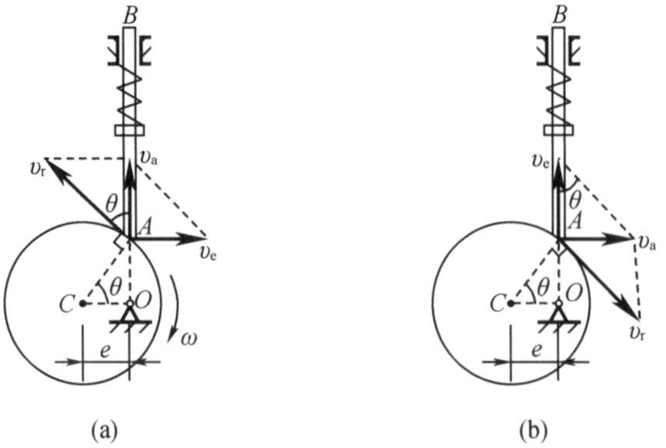

图 7-10 例题 7-6 图

解 由于杆 AB 做平移，所以研究直杆 AB 的运动只需研究其上 A 点的运动即可。因此

选直杆 AB 上的 A 点为动点，在凸轮上建立动系，在地面上建立定系。

动点 A 的绝对运动为直杆 AB 的上下直线运动；相对运动为沿凸轮的轮廓线（即凸轮边缘）的圆周运动；牵连运动为凸轮绕 O 轴的定轴转动。作速度的平行四边形，如图 7－10（a）所示。

动点 A 的牵连速度为

$$v_e = \omega OA$$

动点 A 的绝对速度为

$$v_a = v_e \cot \theta = \omega OA \frac{e}{OA} = \omega e$$

动点和动系的选择可以是任意的。本题的另一种解法是：选凸轮边缘上的点 A 为动点，在直杆 AB 上建立动系，在地面上建立定系。

动点 A 的绝对运动是凸轮绕 O 轴的定轴转动，绝对速度的方向垂直于 OA，水平向右，绝对速度为

$$v_a = \omega OA$$

动点 A 的相对运动为沿凸轮边缘的曲线运动，相对速度的方向沿凸轮边缘的切线，牵连运动为直杆 AB 上下的直线运动，作速度的平行四边形，如图 7－10（b）所示。直杆 AB 的速度为动点 A 的牵连速度，即

$$v_e = v_a \cot \theta = \omega OA \frac{e}{OA} = \omega e$$

应当注意：

（1）动点和动系不能选在同一个物体上。

（2）动点和动系应选在容易判断其相对运动的物体上；否则会使问题变得混乱。

（3）无特殊说明，定系应建立在地面上。

7.3　点的加速度合成定理

7.3.1　牵连运动为平移时点的加速度合成定理

在图 7－11 中，设 $Oxyz$ 为定系，$O'x'y'z'$ 为动系且做平移运动，M 为动点。动点 M 的相对速度为

$$\boldsymbol{v}_r = \frac{d\boldsymbol{r}'}{dt} = \dot{x}'\boldsymbol{i}' + \dot{y}'\boldsymbol{j}' + \dot{z}'\boldsymbol{k}' \tag{7-12}$$

动点 M 的相对加速度为

$$\boldsymbol{a}_r = \frac{d\boldsymbol{v}_r}{dt} = \ddot{x}'\boldsymbol{i}' + \ddot{y}'\boldsymbol{j}' + \ddot{z}'\boldsymbol{k}' \tag{7-13}$$

其中，$\boldsymbol{i}'$、$\boldsymbol{j}'$、$\boldsymbol{k}'$ 为动系坐标 x'、y'、z' 的单位矢量，由于动系做平移，故 $\boldsymbol{i}'$，$\boldsymbol{j}'$，$\boldsymbol{k}'$ 为常矢量，对时间的导数均为零，$v_e = v_{O'}$。将速度合成定理式（7－11）对时间求导得

$$\frac{d\boldsymbol{v}_a}{dt} = \frac{d\boldsymbol{v}_e}{dt} + \frac{d\boldsymbol{v}_r}{dt} = \frac{d\boldsymbol{v}_{O'}}{dt} + \frac{d}{dt}(\dot{x}'\boldsymbol{i}' + \dot{y}'\boldsymbol{j}' + \dot{z}'\boldsymbol{k}') = \boldsymbol{a}_{O'} + \ddot{x}'\boldsymbol{i}' + \ddot{y}'\boldsymbol{j}' + \ddot{z}'\boldsymbol{k}' = \boldsymbol{a}_e + \boldsymbol{a}_r$$

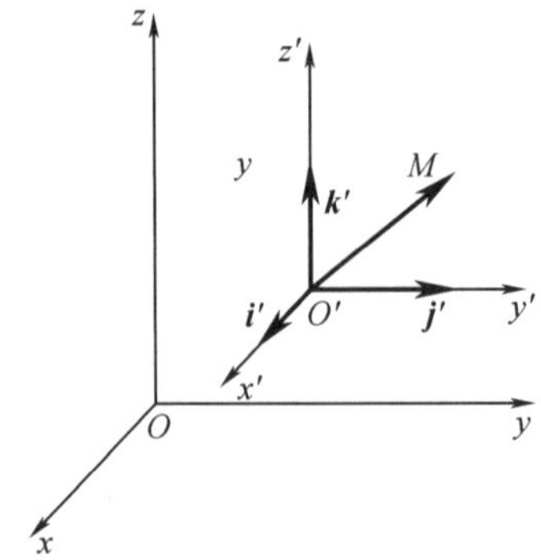

图 7－11　牵连运动为平移运动时的点

动点 M 的绝对加速度为

$$\boldsymbol{a}_{\mathrm{a}}=\boldsymbol{a}_{\mathrm{e}}+\boldsymbol{a}_{\mathrm{r}} \tag{7-14}$$

牵连运动为平移时点的加速度合成定理：在任一瞬时，动点的绝对加速度等于在同一瞬时动点相对加速度和牵连加速度的矢量和。它与速度合成定理一样满足平行四边形合成法则，即绝对加速度位于相对加速度和牵连加速度所构成的平行四边形的对角线位置。在求解时也要画加速度平行四边形来确定三种加速度之间的关系。

例题 7－7　如图 7－12(a)所示，曲柄 OA 以匀角速度 ω 绕定轴 O 转动，杆 BC 沿水平方向往复平动，滑块 A 在铅直槽 DE 内运动，$OA=r$，曲柄 OA 与水平线夹角 $\varphi=\omega t$，试求图 7－12(a)所示瞬时，杆 BC 的速度及加速度。

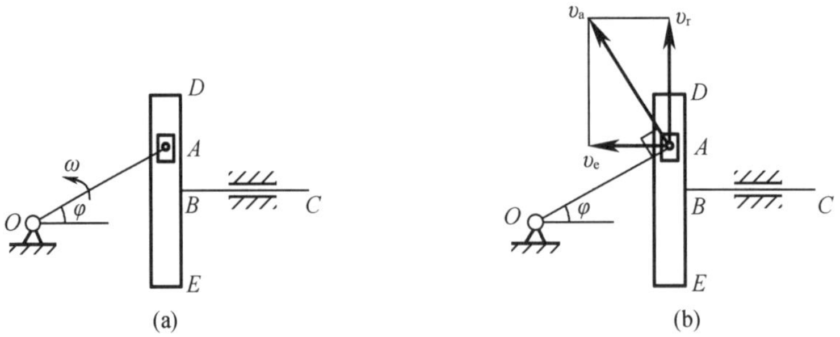

图 7－12　例题 7－7 图

解　滑块 A 为动点，在杆 BC 上建立动系，在地面上建立定系。动点 A 的绝对运动是曲柄 OA 绕 O 轴的定轴转动；相对运动为滑块 A 在铅直槽 DE 内的直线运动；牵连运动为杆 BC 沿水平方向的往复平移。

(1)求杆 BC 的速度

作速度的平行四边形，如图 7－12(b)所示。动点 A 的绝对速度为

$$v_{\mathrm{a}}=r\omega$$

杆 BC 的速度为

$$v_{BC}=v_{\mathrm{e}}=v_{\mathrm{a}}\sin\varphi=r\omega\sin\omega t$$

(2) 求杆 BC 的加速度

作加速度的平行四边形。动点 A 的绝对加速度为

$$a_a = r\omega^2$$

杆 BC 的加速度为

$$a_{BC} = a_e = a_a \cos\varphi = r\omega^2 \cos\omega t$$

例题 7-8　如图 7-13(a)所示的平面机构中，直杆 O_1A、O_2B 平行且等长，分别绕 O_1、O_2 轴转动，A、B 两点连接半圆形平板，动点 M 沿半圆形平板 ABD 边缘运动，起点为点 B。已知 $O_1A = O_2B = 18$ cm，$AB = O_1O_2 = 2R$，$R = 18$ cm，$\varphi = \frac{\pi}{18}t$。试求当 $t = 3$ s 时，动点 M 的绝对速度和绝对加速度。

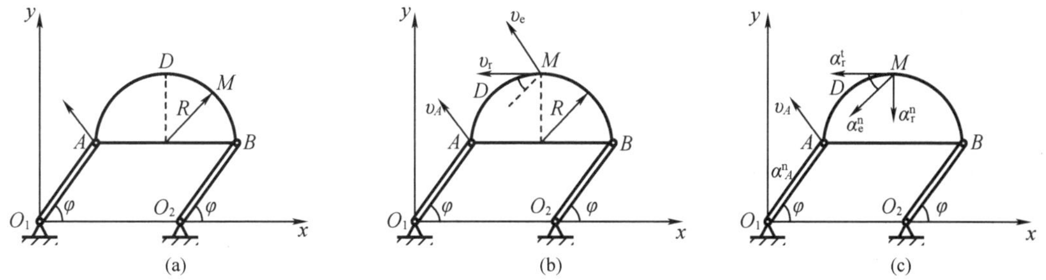

图 7-13　例题 7-8 图

解　根据题意，在半圆形平板 ABD 上建立动系，在地面上建立定系。由于直杆 O_1A、O_2B 平行且等长，则动系 ABD 做平移运动，动点 M 的牵连速度为

$$v_e = v_A = O_1A\,\dot{\varphi} = 18 \times \frac{\pi}{18} = \pi \text{ cm/s}$$

动点 M 的牵连速度的方向垂直于直杆 O_1A，沿角速度 ω 的转动方向。

由于动系做曲线运动，动点 M 的牵连加速度分为切向加速度和法向加速度，即

$$a_e^n = O_1A\,\dot{\varphi}^2 = 18 \times \left(\frac{\pi}{18}\right)^2 = 0.55 \text{ cm/s}^2$$

$$a_e^t = O_1A\,\ddot{\varphi} = 0$$

动点 M 的相对速度为

$$v_r = \dot{s} = 2\pi t$$

同理，动点 M 的相对加速度也分为切向加速度和法向加速度，即

$$a_r^n = \frac{v_r^2}{R}$$

$$a_r^t = \ddot{s} = 2\pi \text{ cm/s}^2$$

当 $t = 3s$ 时，动点 M 的相对轨迹为

$$s = \pi t^2 = 9\pi \text{ cm}$$

而

$$s = \frac{\pi}{2}R = \frac{\pi}{2} \times 18 = 9\pi \text{ cm}$$

则当 $t=3$ s 时，动点 M 恰巧运动到半圆形平板 ABD 最高点，动点 M 的相对速度的方向为水平向左，即

$$v_r=\dot{s}=2\pi t=6\pi\ \text{cm/s}$$

$$a_r^n=\frac{v_r^2}{R}=\frac{(6\pi)^2}{18}=19.74\ \text{cm/s}^2$$

$$a_r^t=\ddot{s}=2\pi=6.28\ \text{cm/s}^2$$

此时直杆 O_1A 与水平线的夹角为

$$\varphi=\frac{\pi}{18}t=\frac{\pi}{6}$$

(1)动点 M 的绝对速度

如图 7－13(b)所示，由速度合成定理的矢量形式

$$\boldsymbol{v}_a=\boldsymbol{v}_e+\boldsymbol{v}_r$$

向直角坐标轴 x、y 上投影，得动点 M 的绝对速度在坐标轴上的投影为

$$v_{ax}=-v_r-v_e\sin\frac{\pi}{6}=-6\pi-\frac{\pi}{2}\approx-20.4\ \text{cm/s}$$

$$v_{ay}=v_e\cos\frac{\pi}{6}=\frac{\pi\sqrt{3}}{2}\approx2.7\ \text{cm/s}$$

从而得动点 M 的绝对速度为

$$v_a=\sqrt{v_{ax}^2+v_{ay}^2}=\sqrt{(-20.4)^2+2.7^2}\approx20.58\ \text{cm/s}$$

(2)动点 M 的绝对速度

如图 7－13(c)所示，由牵连运动为平移时点的加速度合成定理的矢量形式

$$\boldsymbol{a}_a=\boldsymbol{a}_e+\boldsymbol{a}_r=\boldsymbol{a}_e^t+\boldsymbol{a}_e^n+\boldsymbol{a}_r^t+\boldsymbol{a}_r^n$$

向直角坐标轴 x、y 上投影，得动点 M 的绝对加速度在坐标轴上的投影为

$$a_{ax}=-a_r^t-a_e^n\cos\frac{\pi}{6}=-6.67\ \text{cm/s}^2$$

$$a_{ay}=-a_r^n-a_e^n\sin\frac{\pi}{6}=-20\ \text{cm/s}^2$$

从而得动点 M 的绝对加速度为

$$a_a=\sqrt{a_{ax}^2+a_{ay}^2}=\sqrt{(-6.67)^2+(-20)^2}\approx21.1\ \text{cm/s}^2$$

7.3.2 牵连运动为定轴转动时点的加速度合成定理

设动系 $O'x'y'$ 相对于定系 Oxy 做定轴转动，角速度矢量为 $\boldsymbol{\omega}$，角加速度矢量为 $\boldsymbol{\alpha}$，如图 7－14 所示，动系坐标轴的三个单位矢量为 $\boldsymbol{i}'$、$\boldsymbol{j}'$、$\boldsymbol{k}'$，在定系 oxy 中是变矢量，由定轴转动中的速度矢量式(6－15)得动系的三个单位矢量 $\boldsymbol{i}'$、$\boldsymbol{j}'$、$\boldsymbol{k}'$ 对时间的导数等于各单位矢量端点的速度，即

$$\frac{d\boldsymbol{i}'}{dt}=\boldsymbol{\omega}\times\boldsymbol{i}'\quad\frac{d\boldsymbol{j}'}{dt}=\boldsymbol{\omega}\times\boldsymbol{j}'\quad\frac{d\boldsymbol{k}'}{dt}=\boldsymbol{\omega}\times\boldsymbol{k}'\tag{7－15}$$

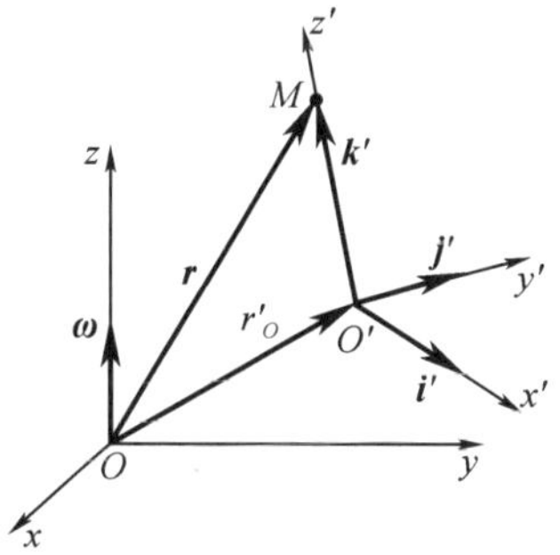

图 7 – 14　牵连运动为定轴转动时的点

动点 M 的绝对速度为

$$\boldsymbol{v}_{\mathrm{a}} = \frac{\mathrm{d}\boldsymbol{r}}{\mathrm{d}t}$$

动点 M 的牵连速度为

$$\boldsymbol{v}_{\mathrm{e}} = \boldsymbol{\omega} \times \boldsymbol{r}$$

动点 M 的相对速度为

$$\boldsymbol{v}_{\mathrm{r}} = \frac{\mathrm{d}\boldsymbol{r}'}{\mathrm{d}t} = \dot{x}'\boldsymbol{i}' + \dot{y}'\boldsymbol{j}' + \dot{z}'\boldsymbol{k}'$$

动点 M 的牵连加速度为

$$\boldsymbol{a}_{\mathrm{e}} = \boldsymbol{\alpha} \times \boldsymbol{r} + \boldsymbol{\omega} \times \boldsymbol{v}_{\mathrm{e}}$$

动点 M 的相对加速度为

$$\boldsymbol{a}_{\mathrm{r}} = \frac{\mathrm{d}\boldsymbol{v}_{\mathrm{r}}}{\mathrm{d}t} = \ddot{x}'\boldsymbol{i}' + \ddot{y}'\boldsymbol{j}' + \ddot{z}'\boldsymbol{k}'$$

由速度合成定理有

$$\boldsymbol{v}_{\mathrm{a}} = \boldsymbol{v}_{\mathrm{e}} + \boldsymbol{v}_{\mathrm{r}} \tag{7-16}$$

式(7 – 16)对时间求导,得动点 M 的绝对速度为

$$\begin{aligned}
\frac{\mathrm{d}\boldsymbol{v}_{\mathrm{a}}}{\mathrm{d}t} &= \frac{\mathrm{d}\boldsymbol{v}_{\mathrm{e}}}{\mathrm{d}t} + \frac{\mathrm{d}\boldsymbol{v}_{\mathrm{r}}}{\mathrm{d}t} \\
&= \frac{\mathrm{d}}{\mathrm{d}t}(\boldsymbol{\omega} \times \boldsymbol{r}) + [(\ddot{x}'\boldsymbol{i}' + \ddot{y}'\boldsymbol{j}' + \ddot{z}'\boldsymbol{k}') + (\dot{x}'\dot{\boldsymbol{i}}' + \dot{y}'\dot{\boldsymbol{j}}' + \dot{z}'\dot{\boldsymbol{k}}')] \\
&= (\boldsymbol{\alpha} \times \boldsymbol{r} + \boldsymbol{\omega} \times \frac{\mathrm{d}\boldsymbol{r}}{\mathrm{d}t}) + [(\ddot{x}'\boldsymbol{i}' + \ddot{y}'\boldsymbol{j}' + \ddot{z}'\boldsymbol{k}') + (\dot{x}'\boldsymbol{\omega} \times \boldsymbol{i}' + \dot{y}'\boldsymbol{\omega} \times \boldsymbol{j}' + \dot{z}'\boldsymbol{\omega} \times \boldsymbol{k}')] \\
&= [\boldsymbol{\alpha} \times \boldsymbol{r} + \boldsymbol{\omega} \times (\boldsymbol{v}_{\mathrm{e}} + \boldsymbol{v}_{\mathrm{r}})] + [(\ddot{x}'\boldsymbol{i}' + \ddot{y}'\boldsymbol{j}' + \ddot{z}'\boldsymbol{k}') + \boldsymbol{\omega} \times (\dot{x}'\boldsymbol{i}' + \dot{y}'\boldsymbol{j}' + \dot{z}'\boldsymbol{k}')] \\
&= \boldsymbol{a}_{\mathrm{e}} + \boldsymbol{a}_{\mathrm{r}} + \boldsymbol{\omega} \times \boldsymbol{v}_{\mathrm{r}} + \boldsymbol{\omega} \times (\dot{x}'\boldsymbol{i}' + \dot{y}'\boldsymbol{j}' + \dot{z}'\boldsymbol{k}') \\
&= \boldsymbol{a}_{\mathrm{e}} + \boldsymbol{a}_{\mathrm{r}} + 2\boldsymbol{\omega} \times \boldsymbol{v}_{\mathrm{r}}
\end{aligned}$$

即

$$\boldsymbol{a}_{\mathrm{a}} = \boldsymbol{a}_{\mathrm{e}} + \boldsymbol{a}_{\mathrm{r}} + \boldsymbol{a}_{\mathrm{c}} \tag{7-17}$$

$$\boldsymbol{a}_{\mathrm{c}} = 2\boldsymbol{\omega} \times \boldsymbol{v}_{\mathrm{r}} \tag{7-18}$$

式中，$\boldsymbol{a}_c$ 称为科氏加速度，是科利奥里在1832年给出的。当动系做平移时，其角速度矢量为 $\boldsymbol{\omega}=0$，科氏加速度 $\boldsymbol{a}_c=0$，式(7－18)就转化为式(7－14)。

式(7－18)为牵连运动为定轴转动时点的加速度合成定理：在任一瞬时，动点的绝对加速度等于在同一瞬时动点的相对加速度、牵连加速度和科氏加速度的矢量和。

牵连运动为定轴转动时点的加速度合成定理适合动系做任何运动的情况，此时动系的角速度矢量 $\boldsymbol{\omega}$ 分解为定系三个轴方向的角速度矢量 $\boldsymbol{\omega}_x$、$\boldsymbol{\omega}_y$、$\boldsymbol{\omega}_z$ 即可。

例题7－9 刨床的急回机构如图7－15(a)所示。曲柄 OA 与滑块 A 用铰链连接，曲柄 OA 以匀角速度 ω 绕固定轴 O 转动，滑块 A 在摇杆 O_1B 上滑动，并带动摇杆 O_1B 绕固定轴 O_1 转动。设曲柄 $OA=r$，两个轴间的距离 $OO_1=l$，试求当曲柄 OA 在水平位置时，摇杆 O_1B 的角速度 ω_1 和角加速度 α_1。

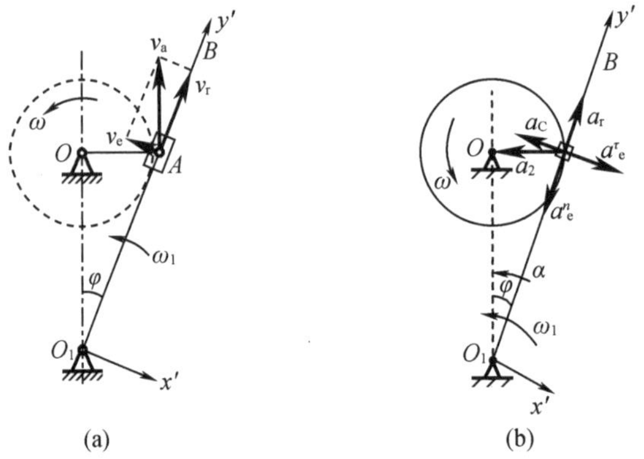

图7－15 例题7－9图

解 根据题意，选滑块 A 为动点，在摇杆 O_1B 上建立动系，在地面上建立定系。动点 A 的绝对运动为曲柄 OA 的圆周运动，相对运动为沿摇杆 O_1B 的直线运动，牵连运动为摇杆 O_1B 绕固定轴 O_1 的转动。

(1)求摇杆 O_1B 的角速度 ω_1

当曲柄 OA 在水平位置时，动点 A 的绝对速度 v_a 沿圆周的切线铅直向上，动点 A 的相对速度 v_r 沿摇杆 O_1B，牵连速度 v_e 垂直于摇杆 O_1B，作速度的平行四边形，如图7－15(a)所示。

动点 A 的绝对速度 v_a 为

$$v_a=r\omega \tag{1}$$

动点 A 的牵连速度 v_e 为

$$v_e=O_1A\omega_1 \tag{2}$$

利用速度的平行四边形的三角关系有

$$v_e=v_a\sin\varphi \tag{3}$$

式中，$O_1A=\sqrt{r^2+l^2}$，$\sin\varphi=\dfrac{OA}{O_1A}=\dfrac{r}{\sqrt{r^2+l^2}}$，$\cos\varphi=\dfrac{O_1O}{O_1A}=\dfrac{l}{\sqrt{r^2+l^2}}$。

将式(1)和式(2)代入式(3)得摇杆 O_1B 绕固定轴 O_1 转动的角速度：

$$\omega_1 = \frac{r^2\omega}{l^2 + r^2} \tag{4}$$

方向与曲柄 OA 的角速度 ω 相同。

动点 A 的相对速度 v_r 为

$$v_r = v_a\cos\varphi \tag{5}$$

将式(1)代入式(5)得

$$v_r = v_a\cos\varphi = r\omega\frac{l}{\sqrt{r^2 + l^2}} \tag{6}$$

(2)求摇杆 O_1B 的角加速度 α_1

由于动系做定轴转动，因此求摇杆 O_1B 的角加速度 α_1 应使用牵连运动为定轴转动时点的加速度合成定理。即

$$a_a = a_e + a_r + a_c \tag{7}$$

动点 A 的绝对加速度 a_a 分为切向加速度和法向加速度，但由于曲柄 OA 以匀角速度 ω 绕固定轴 O 转动，所以其角加速度 $\alpha = 0$，则有

$$a_a = a_a^n = r\omega^2 \tag{8}$$

动点 A 的牵连加速度 a_e 为

$$a_e^n = O_1A\omega_1^2 = \frac{r^4\omega^2}{(l^2 + r^2)^{\frac{3}{2}}} \tag{9}$$

$$a_e^t = O_1A\alpha_1 = \alpha_1\sqrt{r^2 + l^2} \tag{10}$$

动点 A 的相对加速度 a_r 大小未知，方向沿摇杆 O_1B 是已知的。

由式(7－18)可知，动点 A 的科氏加速度大小为

$$a_c = 2\omega_1 v_r \tag{11}$$

将式(4)和式(6)代入式(11)得

$$a_c = 2\omega_1 v_r = \frac{2\omega^2 r^3 l}{(l^2 + r^2)^{\frac{3}{2}}} \tag{12}$$

方向按右手螺旋法则来确定，如图 7－15(b)所示。

式(7)的具体表达式为

$$a_a^t + a_a^n = a_e^t + a_e^n + a_r + a_c \tag{13}$$

由图 7－15(b)所示，将式(13)向 O_1x' 轴投影，得

$$-a_a\cos\varphi = a_e^t - a_c \tag{14}$$

将式(8)、式(10)和式(11)代入式(14)得摇杆 O_1B 的角加速度 α_1，即

$$\alpha_1 = -\frac{rl(l^2 - r^2)}{(l^2 + r^2)^2}\omega^2$$

负号说明原假设方向与实际相反，如图 7－15(b)所示，应为逆时针转向。

例题 7－10　例题 7－6 求杆 AB 的加速度。

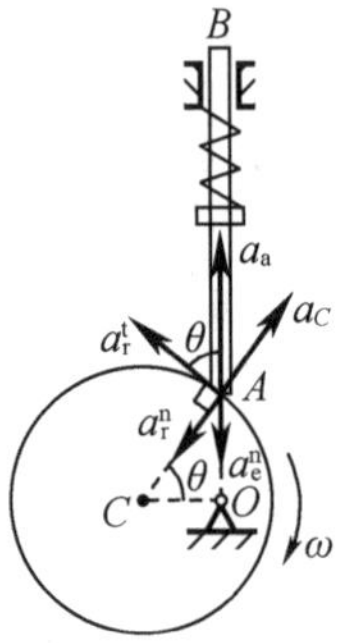

图 7-16　例题 7-10 图

解　选杆 AB 上的 A 点为动点，凸轮为动系，地面为定系。应用牵连运动为定轴转动时点的加速度合成定理，即

$$\boldsymbol{a}_a = \boldsymbol{a}_e + \boldsymbol{a}_r + \boldsymbol{a}_c \tag{1}$$

下面分析加速度。

动点 A 的绝对加速度 $\boldsymbol{a}_a$：由于动点 A 的绝对运动是直线运动，故其加速度的方向是已知的，大小是未知的。

动点 A 的相对加速度 $\boldsymbol{a}_r$：动点 A 的相对运动是沿凸轮边缘的圆周运动，故其加速度分为切向加速度 a_r^t 和法向加速度 a_r^n。

由前面例题求得相对速度为

$$v_r = \frac{v_a}{\cos\theta} = \frac{\omega e R}{e} = \omega R \tag{2}$$

则相对加速度的法向加速度 a_r^n 为

$$a_r^n = \frac{v_r^2}{R} = \omega^2 R \tag{3}$$

相对加速度的切向加速度 a_r^t 的方向沿圆轮的切线，指向任意；a_r^t 的大小是未知的。

牵连加速度 $\boldsymbol{a}_e$：因为凸轮以匀角速度 ω 绕 O 轴转动，所以牵连加速度等于法向加速度 a_e^n，切向加速度 $a_e^t=0$，即

$$a_e = a_e^n = OA\omega^2 = \sqrt{R^2 - e^2}\,\omega^2 \tag{4}$$

科氏加速度 a_c：由式(7-18)得其大小为

$$a_c = 2\omega v_r \tag{5}$$

将式(2)代入式(5)得

$$a_c = 2\omega v_r = 2\omega^2 R \tag{6}$$

方向按右手螺旋法则来确定，如图 7-16 所示。

式(1)的具体表达式为

$$\boldsymbol{a}_a = \boldsymbol{a}_e^t + \boldsymbol{a}_e^n + \boldsymbol{a}_r^t + \boldsymbol{a}_r^n + \boldsymbol{a}_c \tag{7}$$

由图 7-16 所示，将式(7)向 x 轴投影，得

$$a_a \sin\theta = -a_e^n \sin\theta - a_r^n + a_c \tag{8}$$

式中，$\sin\theta = \dfrac{\sqrt{R^2 - e^2}}{R}$。将式(3)、式(4)和式(6)代入式(8)得杆 AB 的加速度为

$$a_a=\frac{1}{\sin\theta}(-a_e^n\sin\theta-a_r^n+a_c)-\frac{e^2\omega^2}{\sqrt{R^2-e^2}}$$

习　题

7－1　如图7－17所示，点 M 在平面 $Ox'y'$ 中运动，运动方程为 $x'=40(1-\cos t)$，$y'=40\sin t$ 式中 t 以 s 计，x' 和 y' 以 mm 计。平面 $Ox'y'$ 又绕垂直于该平面的轴 O 转动，转动方程为 $\varphi=t$ rad，式中角 φ 为动系的 x' 轴与定系的 x 轴间的交角。求点 M 的相对轨迹和绝对轨迹。

7－2　如图7－18所示，瓦特离心调速器以角速度 ω 绕铅直轴转动。由于机器负荷的变化，瓦特离心调速器重球以角速度 ω_1 向外张开。$\omega=10$ rad/s，$\omega_1=1.2$ rad/s，球柄长 $l=500$ mm，悬挂球柄的支点到铅直轴的距离 $e=50$ mm，球柄与铅直轴间所成的交角 $\beta=30°$。求此时重球的绝对速度。

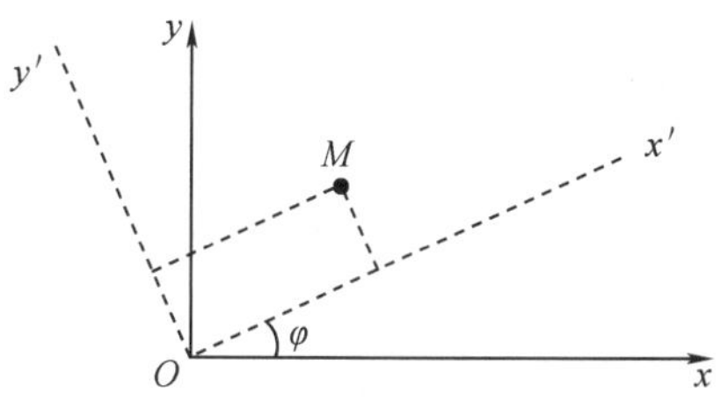

图7－17　习题7－1图

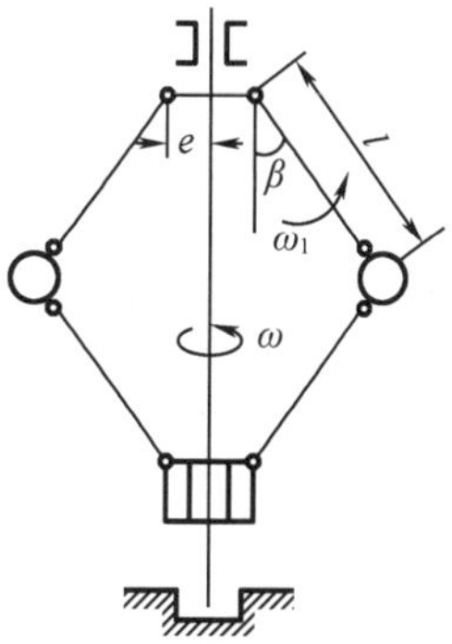

图7－18　习题7－2图

7－3　在如图7－19(a)和图7－19(b)所示的两种机构中，已知 $O_1O_2=a=200$ mm，$\omega_1=3$ rad/s。求如图7－19所示位置 O_2A 的角速度。

7－4　杆 OA 长 l，由推杆推动而在图面内绕点 O 转动，如图7－20所示。假定推杆的速度为 v，其弯头高为 a。求杆端 A 的速度的大小（表示为推杆至点 O 的距离 x 的函数）。

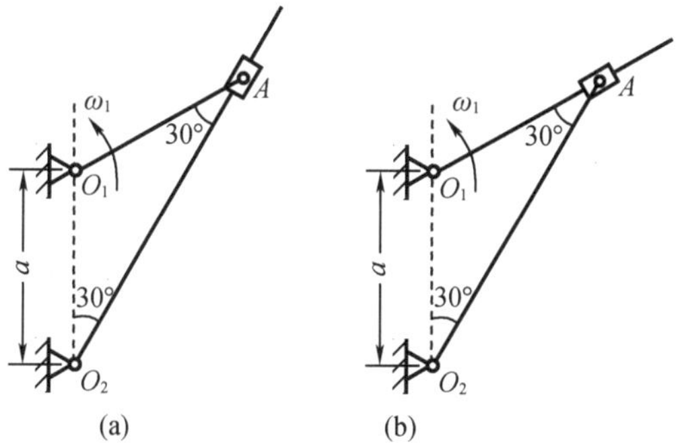

图7－19　习题7－3图

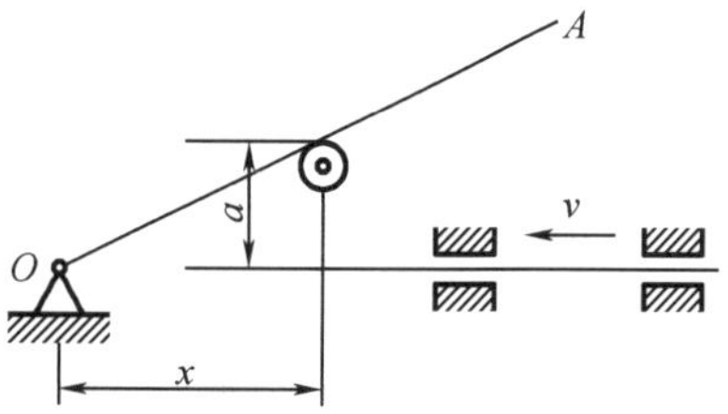

图7－20　习题7－4图

7－5　如图7－21所示曲柄滑道机构中，曲柄长 $OA=r$，并以等角速度 ω 绕轴 O 转动。装在水平杆上的滑槽 DE 与水平线成60°角。求当曲柄与水平线的交角 φ 分别为0°，30°，60°时，杆 BC 的速度。

7－6　如图7－22所示，摇杆机构的滑杆 AB 以速度 v 向上运动，初瞬时摇杆 OC 水平。摇杆长 $OC=a$，距离 $OD=l$。求当 $\varphi=\frac{\pi}{4}$ 时点 C 的速度的大小。

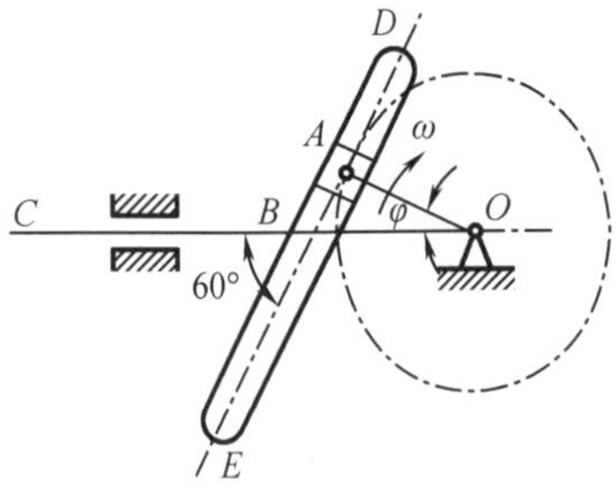

图7－21　习题7－5图

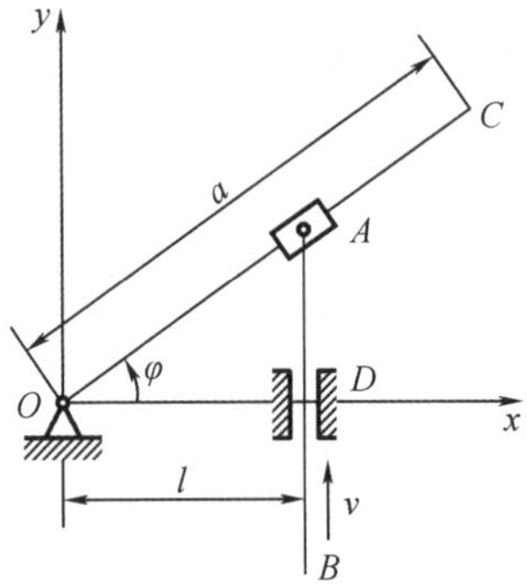

图7－22　习题7－6图

7－7　平底顶杆凸轮机构如图7－23所示，顶杆 AB 可沿导轨上下移动，偏心圆盘绕轴 O 转动，轴 O 位于顶杆轴线上。工作时顶杆的平底始终接触凸轮表面。该凸轮半径为 R，偏心距 $OC=e$，凸轮绕轴 O 转动的角速度为 ω，OC 与水平线夹角为 φ。求当 $\varphi=0°$ 时顶杆的速度。

7－8　绕轴 O 转动的圆盘及直杆 OA 上均有一导槽，两导槽间有一活动销子 M，如图7－24所示，$b=0.1$ m。设在如图7－24所示位置时，圆盘及直杆 OA 的角速度分别为 $\omega_1=9$ rad/s 和 $\omega_2=3$ rad/s。求此瞬时活动销子 M 的速度。

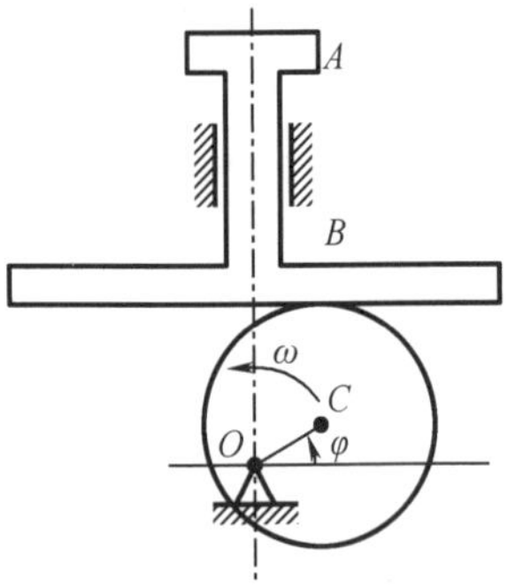

图7－23　习题7－7图

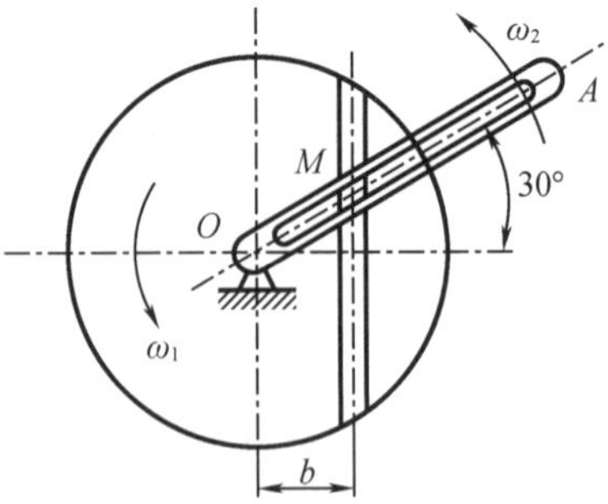

图7－24　习题7－8图

7－9　如图7－25所示铰接四边形机构中，$O_1A=O_2B=100$ mm，$O_1O_2=AB$，杆 O_1A 以等角速度 $\omega=2$ rad/s 绕 O_1 轴转动。杆 AB 上有一套筒 C，此筒与杆 CD 相铰接。机构的各部件都在同一铅直面内。求当 $\varphi=60°$ 时，杆 CD 的速度和加速度。

7－10　如图7－26所示，曲柄OA长0.4 m，以等角速度$\omega=0.5$ rad/s绕O轴逆时针转动。由于曲柄OA的A端推动水平板B而使滑杆C沿铅直方向上升。求当曲柄OA与水平线间的夹角θ为30°时，滑杆C的速度和加速度。

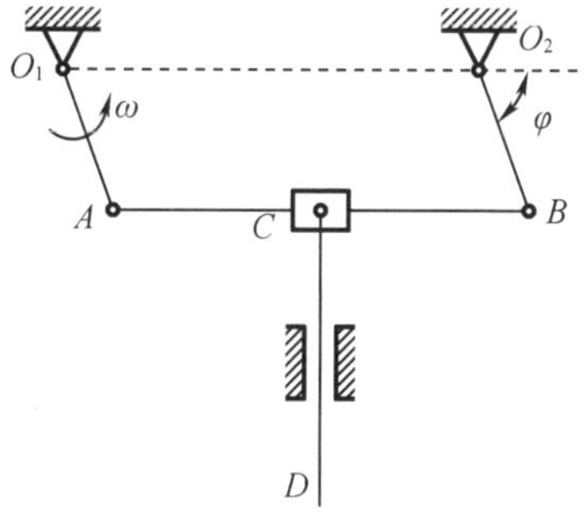

图7－25　习题7－9图

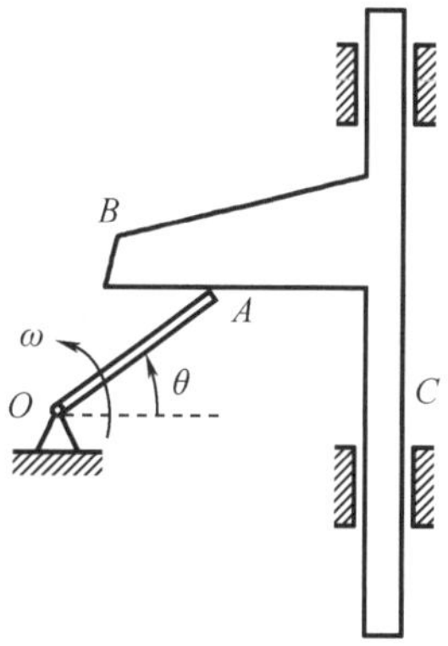

图7－26　习题7－10图

7－11　半径为R的半圆形凸轮D以等速v_0沿水平线向右运动，带动从动杆AB沿铅直方向上升，如图7－27所示。求$\varphi=30°$时杆AB相对于凸轮的速度和加速度。

7－12　如图7－28所示圆盘绕AB轴转动，其角速度$\omega=2t$ rad/s。点M沿圆盘直径离开中心向外缘运动，其运动规律为$OM=40t^2$ mm。半径OM与AB轴间成60°倾角。求当$t=$1 s时点M的绝对加速度的大小。

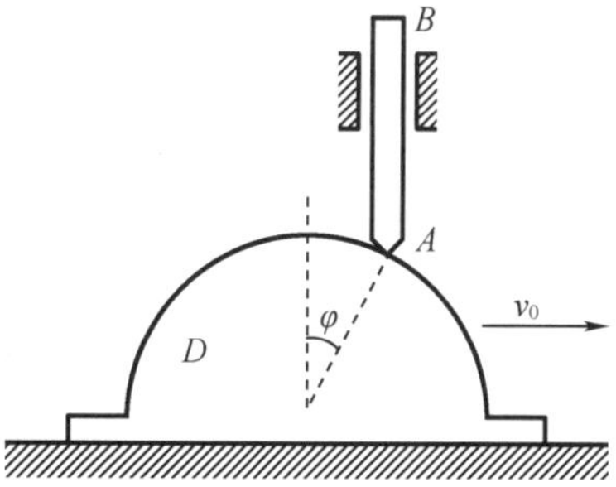

图7－27　习题7－11图

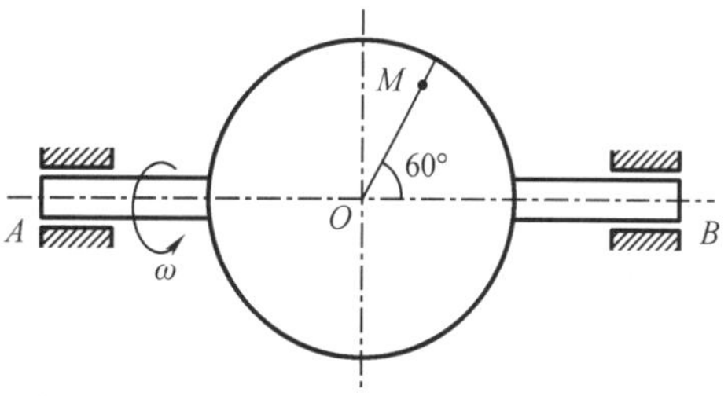

图7－28　习题7－12图

7－13　如图7－29所示，直角曲杆OBC绕轴O转动，使套在其上的小环M沿固定直杆OA滑动。已知：$OB=0.1$ m，OB与BC垂直，曲杆OBC的角速度$\omega=0.5$ rad/s，角加速度为零。求当$\varphi=60°$时，小环M的速度和加速度。

7－14　牛头刨床机构如图7－30所示。已知$O_1A=200$ mm，角速度$\omega_1=2$ rad/s。求如图7－30所示位置滑枕CD的速度和加速度。

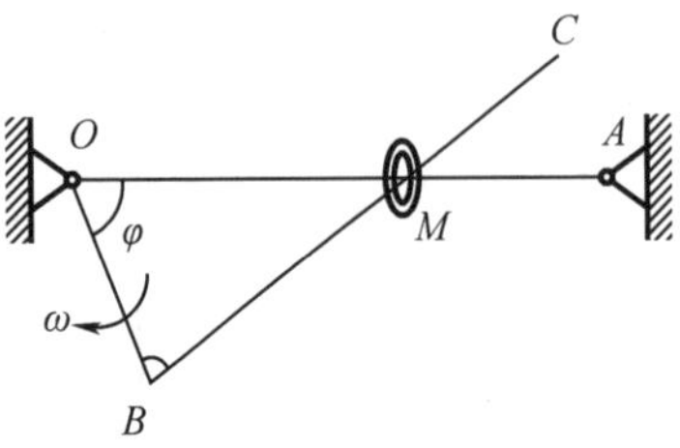

图 7-29　习题 7-13 图

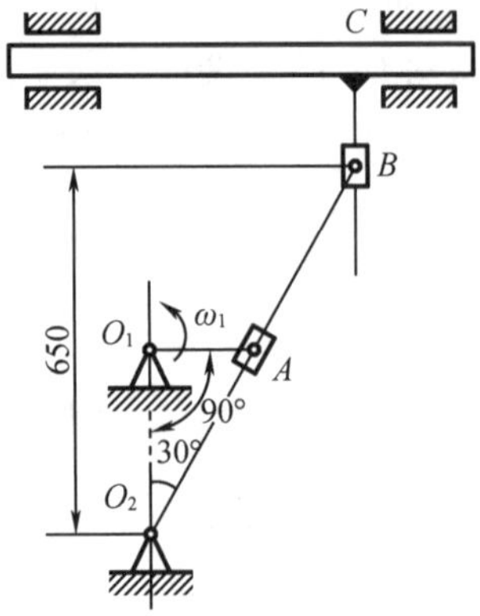

图 7-30　习题 7-14 图

第 8 章　刚体平面运动

前面我们学习了刚体的基本运动，即平行移动和定轴转动。这一章里我们要学习由这两个运动合成的运动——刚体的平面运动，并运用点的速度合成定理和牵连运动为平移时的加速度合成定理，建立刚体上各点的速度和加速度之间的关系。刚体的平面运动是机械中各种构件的常见运动形式。

8.1　刚体平面运动概述

8.1.1　刚体平面运动的定义

机械结构中很多构件的运动，例如行星齿轮机构中动齿轮 B 的运动（图 8－1(a)）曲柄连杆机构中连杆 AB 的运动（图 8－1(b)），以及沿直线轨道滚动的轮子（图 8－1(c)），它们的共同特点是既不沿同一方向平移，又不绕某固定点做定轴转动，而是在其自身平面内运动。

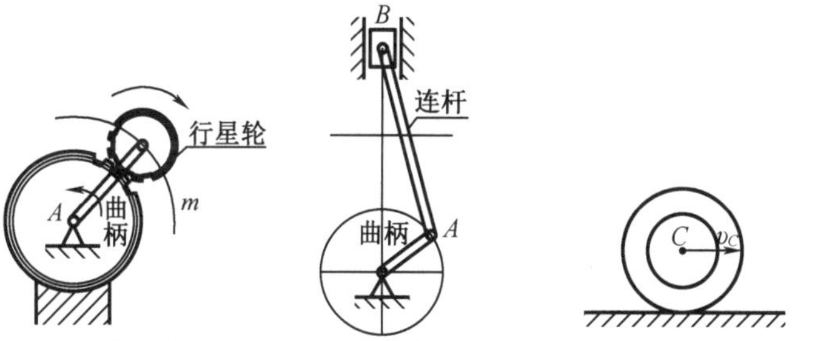

图 8－1　平面运动举例

刚体平面运动的定义：在一般情况下，刚体运动过程中其上任意一点与某一固定平面的距离始终保持不变的运动。

8.1.2　刚体平面运动的运动方程

设刚体做平面运动，某一固定平面为 P_0，如图 8－2 所示，过刚体上 M 点作一个与固定平面 P_0 相平行的平面 P，在刚体上截出一个平面图形 S，平面图形 S 内各点的运动由刚体平面运动的定义知，均在平面 P 内运动。过 M 点作与固定平面 P_0 相垂直的直线段 M_1M_2，直线段 M_1M_2 的运动为平移，其上各点的运动均与 M 点的运动相同。因此，刚体做平面运动时，对其运动的研究只需研究平面图形 S 在其自身平面 P 内的运动即可。

如图 8－3 所示，在平面图形 S 内建立平面直角坐标系 oxy，来确定平面图形 S 的位置。

为确定平面图形 S 的位置只需确定其上任意线段 AB 的位置，线段 AB 的位置可由点 A 的坐标和线段 AB 与 x 轴或 y 轴的夹角来确定。即有

$$\begin{cases} x_A = f_1(t) \\ y_A = f_2(t) \\ \varphi = f_3(t) \end{cases} \tag{8-1}$$

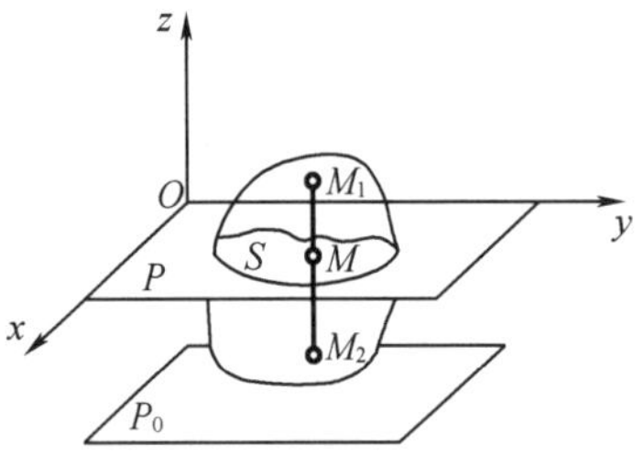

图 8-2　做平面运动的刚体

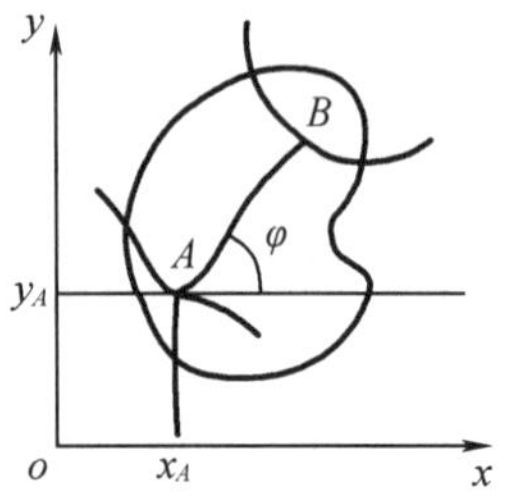

图 8-3　平面图形 *S*

式(8-1)称为平面图形 S 的运动方程，即刚体平面运动的运动方程。点 A 称为基点，一般选为已知点，若已知刚体的运动方程，刚体在任一瞬时的位置和运动规律就可以确定了。例如沿平直轨道直线滚动的车轮，如图 8-4 所示，设车轮的轮心 C 以速度 v_0 做匀速运动，选点 C 为基点，初始时点 C 在 y 轴上 CM 与 y 轴的夹角 φ，则车轮的运动方程为

$$\begin{cases} x_C = v_0 t \\ y_C = R \\ \varphi = \dfrac{v_0 t}{R} \end{cases}$$

式中，R 为车轮的半径。

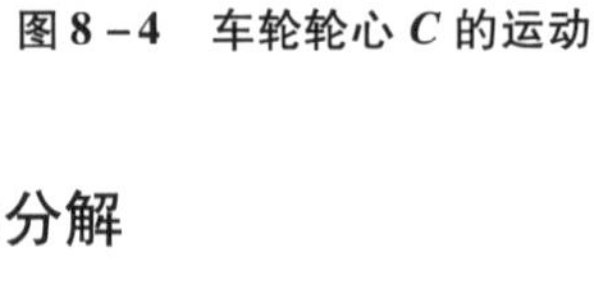

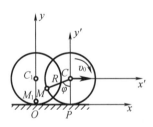

图 8-4　车轮轮心 *C* 的运动

8.1.3　刚体平面运动的分解

由式(8-1)知：①若基点 A 不动，基点 A 坐标 x_A、y_A 均为常数，则平面图形 S 绕基点 A 做定轴转动；②若 φ 为常数，平面图形 S 无转动，则平面图形 S 以方位不变的 φ 角做平移。由此可见，当两者都变化时，平面图形 S 的运动可以看成随着基点的平移和绕基点的转动的合成。在一般的情况下，在基点 A 处建立平移坐标系 $Ax'y'$，平面图形内各点的速度和加速度由点的合成运动知识来解决。

基点的选择是任意的，选择不同的基点，平面图形上各点的运动情况一般是不相同的，

如图 8－5 所示，A 和 A' 为平面图形上的两个不同点，此两点的速度和加速度是不相等的，因此平面图形随着基点平移的速度和加速度与基点的选择有关。过 A 和 A' 分别作线段 AB 和 $A'B'$，与平移坐标系的夹角分别为 φ 和 φ'，两条线段的夹角为 α，平移坐标系的两轴 x' 和 x_1'，有关系为 $\varphi' = \varphi + \alpha$，由于两条直线段的夹角 α 是常数，其角速度和角加速度有 $\omega' = \omega, \alpha' = \alpha$，因此平面图形绕基点转动的角速度和角加速度与基点的选择无关。

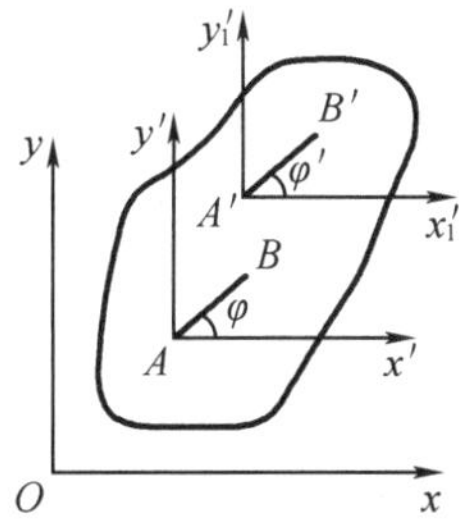

图 8－5　平面图形上 A 点和 B 点的运动

8.2　平面图形内各点的速度

8.2.1　基点法

平面图形 S 的运动可以看成随着基点的平移和绕基点的转动的合成。因此，可运用速度合成定理求平面图形内各点的速度。

如图 8－6 所示，取 A 点为基点，求平面图形内 B 点的速度，设图示瞬时平面图形的角速度为 ω，由速度合成定理知，牵连速度 $\boldsymbol{v}_e = \boldsymbol{v}_A$，相对速度 $v_r = v_{BA} = \omega AB$

$$\boldsymbol{v}_B = \boldsymbol{v}_A + \boldsymbol{v}_{BA} \tag{8-2}$$

求平面图形 S 内任一点速度的基点法：在任一瞬时，平面图形内任一点的速度等于基点的速度和绕基点转动速度的矢量和。

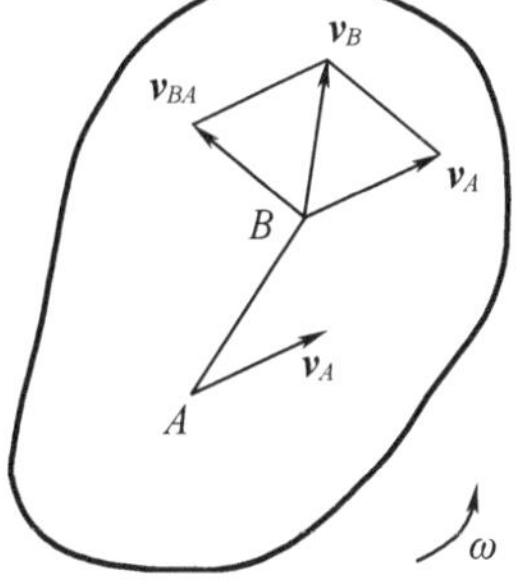

图 8－6　基点法求平面图形内点的速度

8.2.2　速度投影法

已知平面图形 S 内任意两点 A、B 速度的方位，如图 8－7 所示，由式(8－2)，点 A、B 速

度向 AB 连线投影为

$$[\boldsymbol{v}_A]_{AB}=[\boldsymbol{v}_B]_{AB} \tag{8-3}$$

即得速度投影定理:平面图形 S 内任意两点的速度在两点连线上投影相等。

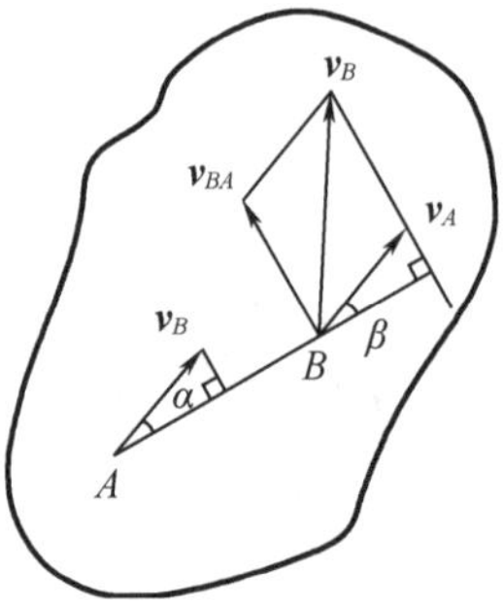

图 8-7 速度投影法求平面图形内点的速度

式(8-2)和式(8-3)反映了刚体上各点的速度关系,一般情况下,刚体上各点的速度是不相等的,它们相差的是相对基点转动的速度,说明选不同的点作为基点时,平面图形 S 随基点平动的速度与基点的选择是有关的。

例题 8-1 如图 8-8(a)所示,滑块 A、B 分别在相互垂直的滑槽中滑动,连杆 AB 的长度为 $l=20$ cm,在图示瞬时,$v_A=20$ cm/s,方向水平向左,连杆 AB 与水平线的夹角 φ 为 30°,试求滑块 B 的速度和连杆 AB 的角速度。

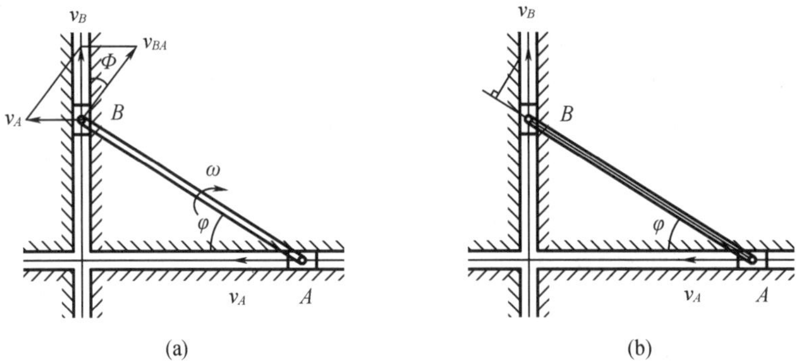

图 8-8 例题 8-1 图

解 连杆 AB 做平面运动,因滑块 A 的速度是已知的,故选点 A 为基点,由基点法式(8-2)得滑块 B 的速度为

$$\boldsymbol{v}_B=\boldsymbol{v}_A+\boldsymbol{v}_{BA}$$

上式中有三个大小和三个方向,共六个要素,其中 $\boldsymbol{v}_B$ 的方向是已知的,$\boldsymbol{v}_B$ 的大小是未知的;$\boldsymbol{v}_A$ 的大小和方向是已知的;点 B 相对基点转动的速度 $\boldsymbol{v}_{BA}$ 的大小是未知的,$v_{BA}=\omega AB$,方向是已知的,垂直于连杆 AB。在点 B 处作速度的平行四边形,应使 $\boldsymbol{v}_B$ 位于平行四边形对角线的位置,如图 8-8(a)所示。由图 8-8(a)中的几何关系可得

$$v_B=\frac{v_A}{\tan\varphi}=\frac{20}{\tan 30^\circ}=34.6 \text{ cm/s}$$

v_B 的方向铅直向上。

点 B 相对基点转动的速度为

$$v_{BA}=\frac{v_A}{\sin\varphi}=\frac{20}{\sin 30^\circ}=40\ \text{cm/s}$$

则连杆 AB 的角速度为

$$\omega=\frac{v_{BA}}{l}=\frac{40}{20}=2\ \text{rad/s}$$

方向为顺时针。

本题若采用速度投影法,可以很快速地求出滑块 B 的速度。如图 8-8(b)所示,由式(8-3)有

$$[\boldsymbol{v}_A]_{AB}=[\boldsymbol{v}_B]_{AB}$$

即

$$v_A\cos\varphi=v_B\sin\varphi$$

则

$$v_B=\frac{\cos\varphi}{\sin\varphi}v_A=\frac{v_A}{\tan\varphi}=\frac{20}{\tan 30^\circ}=34.6\ \text{cm/s}$$

但用此法不能求出连杆 AB 的角速度。

例题 8-2　曲柄连杆机构如图 8-9 所示,曲柄 OA 以匀角速度 ω 绕 O 轴转动,已知曲柄 OA 长为 R,连杆 AB 长为 l,试求当曲柄 OA 与水平线的夹角 $\varphi=\omega t$ 时,滑块 B 的速度和连杆 AB 的角速度。

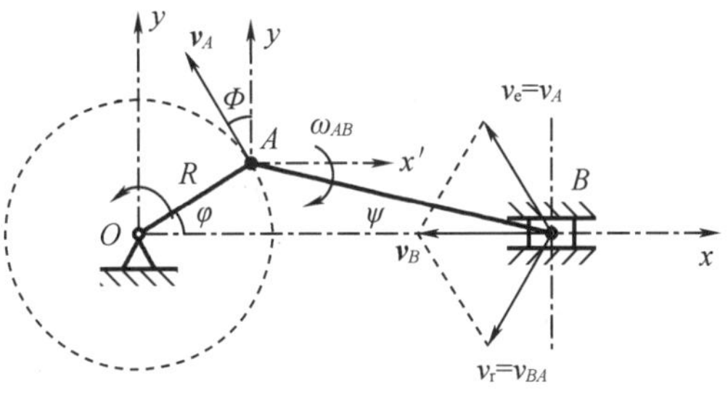

图 8-9　例题 8-2 图

解　连杆 AB 作平面运动,因点 A 的运动是已知的,故选点 A 为基点,由基点法式(8-2)得滑块 B 的速度为

$$\boldsymbol{v}_B=\boldsymbol{v}_A+\boldsymbol{v}_{BA}$$

其中,由于曲柄 OA 做定轴转动,则点 A 的速度大小为 $v_A=\omega R$,方向垂直于曲柄 OA 沿 ω 的旋转方向;滑块 B 的速度大小是未知的,方向是已知的,点 B 相对基点转动的速度 $\boldsymbol{v}_{BA}$ 的大小是未知的,$v_{BA}=\omega AB$,方向是已知的,垂直于连杆 AB。故在点 B 处作速度的平行四边形,应使 $\boldsymbol{v}_B$ 位于平行四边形对角线的位置,如图 8-9 所示。由图 8-9 中的几何关系得

$$\frac{v_A}{\sin(90^\circ-\psi)}=\frac{v_B}{\sin(\varphi+\psi)}$$

解得滑块 B 的速度为

$$v_B = v_A \frac{\sin(\psi + \varphi)}{\cos \psi} = \omega R(\sin \varphi + \cos \varphi \tan \psi) \tag{1}$$

根据几何关系有

$$l\sin \psi = R\sin \varphi$$

则

$$\sin \psi = \frac{R}{l}\sin \varphi$$

$$\mathrm{con}\ \psi = \sqrt{1 - \sin^2\psi} = \frac{1}{l}\sqrt{l^2 - R^2\sin^2\varphi}$$

$$\tan \psi = \frac{R\sin \varphi}{\sqrt{l^2 - R^2\sin^2\varphi}} \tag{2}$$

将式(2)代入式(1),并考虑 $\varphi = \omega t$,有

$$v_B = \omega R\left(1 + \frac{R\cos \omega t}{\sqrt{l^2 - R^2\sin^2\omega t}}\right)\sin \omega t$$

求解连杆 AB 的角速度:

$$\frac{v_A}{\sin(90° - \psi)} = \frac{v_{BA}}{\sin(90° - \varphi)}$$

解得

$$v_{BA} = \frac{v_A \sin(90° - \varphi)}{\sin(90° - \psi)} = \omega R \frac{\cos \varphi}{\cos \psi}$$

则

$$\omega_{AB} = \frac{v_{BA}}{l} = \frac{\omega R}{l}\frac{\cos \varphi}{\cos \psi} = \frac{\omega R\cos \omega t}{\sqrt{l^2 - R^2\sin^2\varphi}}$$

例题 8 - 3 如图 8 - 10 所示的平面机构,曲柄 OB 以匀角速度 $\omega = 2$ rad/s 绕 O 轴转动,并带动连杆 AD 上的滑块 A 和滑块 B 在水平滑道和铅直滑道上运动,已知 $AB = BC = CD = OB = 12$ cm,试求连杆 AD 的运动方程,点 D 的轨迹方程,以及当曲柄 OB 与水平线夹角 φ 为 45°时点 D 的速度。

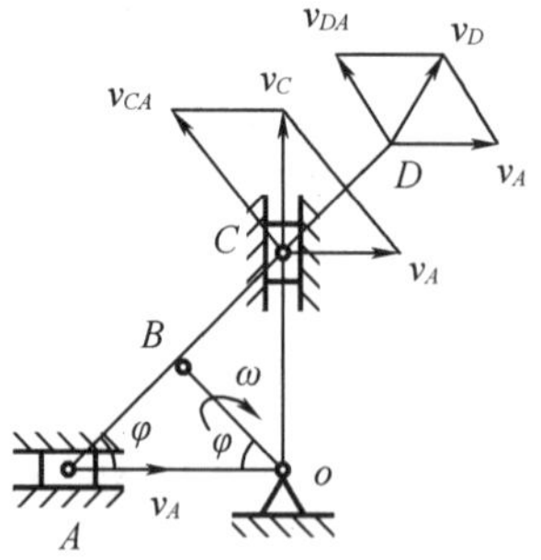

图 8 - 10 例题 8 - 3 图

解 (1)求连杆 AD 的运动方程和点 D 的轨迹方程

在点 o 处建立直角坐标系 oxy,选点 D 为基点,其运动方程为

$$x_D = 12\cos\varphi = 12\cos\omega t$$
$$y_D = 36\cos\varphi = 36\cos\omega t$$

连杆 AD 与 x 轴夹角为

$$\varphi = \omega t$$

则连杆 AD 的运动方程为

$$\begin{cases} x_D = 12\cos\omega t \\ y_D = 36\cos\omega t \\ \varphi = \omega t \end{cases}$$

点 D 的轨迹方程为

$$\left(\frac{x_D}{12}\right)^2 + \left(\frac{y_D}{36}\right)^2 = 1$$

点 D 的轨迹为椭圆。

(2)求点 D 的速度

由速度投影定理得滑块 A 的速度为

$$v_A\cos 45° = v_B$$

$$v_A = \frac{v_B}{\cos 45°} = \frac{OB\omega}{\cos 45°} = \frac{12\times 2}{\frac{\sqrt{2}}{2}} = 33.94\ \text{cm/s}$$

选点 A 为基点,在点 C 处作速度的平行四边形,如图 8-10 所示,点 C 相对点 A 的速度为

$$v_{CA} = \frac{v_A}{\cos 45°} = \frac{v_B}{\cos^2 45°} = \frac{12\times 2}{\left(\frac{\sqrt{2}}{2}\right)^2} = 48\ \text{cm/s}$$

连杆 AD 的角速度为

$$\omega_{AD} = \frac{v_{CA}}{CA} = \frac{48}{24} = 2\ \text{rad/s}$$

由点 D 的速度基点法式(8-2)得

$$\boldsymbol{v}_D = \boldsymbol{v}_A + \boldsymbol{v}_{DA}$$

如图 8-10 所示,将上式向直角坐标轴投影得

$$v_{Dx} = v_A - v_{DA}\cos 45° = v_A - \omega_{AD}DA\cos 45° = 33.94 - 2\times 36\times\frac{\sqrt{2}}{2} = -16.97\ \text{cm/s}$$

$$v_{Dy} = v_{DA}\cos 45° = \omega_{AD}DA\cos 45° = 2\times 36\times\frac{\sqrt{2}}{2} = 50.91\ \text{cm/s}$$

则点 D 的速度大小为

$$v_D = \sqrt{v_{Dx}^2 + v_{Dy}^2} = \sqrt{(-16.97)^2 + 50.91^2} = 53.7\ \text{cm/s}$$

点 D 的速度的方向为

$$\cos(\boldsymbol{v},\boldsymbol{i}) = \frac{v_{Dx}}{v_D} = \frac{-16.97}{53.7} = -0.3160$$

$$\cos(\boldsymbol{v},\boldsymbol{j})=\frac{v_{Dy}}{v_D}=\frac{50.91}{53.7}=0.9480$$

其中，$\angle(\boldsymbol{v},\boldsymbol{i})=180°\pm71.58°$，$\angle(\boldsymbol{v},\boldsymbol{j})=180°\pm18.55°$，点 D 的速度为第Ⅱ象限角，即 $\angle(\boldsymbol{v},\boldsymbol{i})=108.42°$，$\angle(\boldsymbol{v},\boldsymbol{j})=18.55°$。

例题 8－4 半径为 R 的圆轮，沿直线轨道无滑动地滚动，如图 8－11 所示。已知轮心 O 以速度 v_O 运动，试求轮缘上水平位置和竖直位置处点 A、B、C、D 的速度。

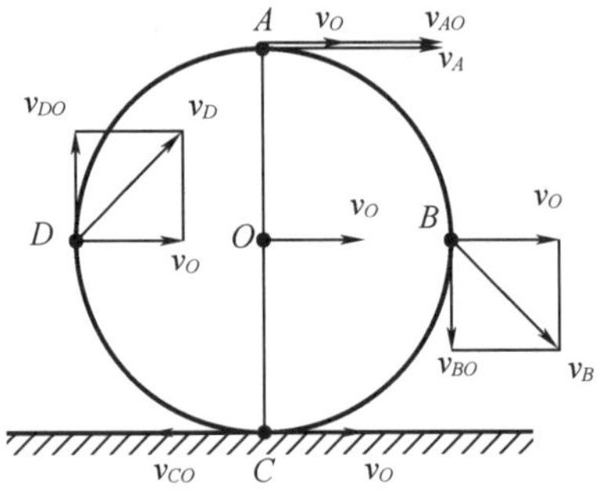

图 8－11 例题 8－4 图

解 选轮心 O 为基点，先研究点 C 的速度。由于圆轮沿直线轨道无滑动地滚动，故点 C 的速度为

$$v_C=0$$

如图 8－11 所示，则有

$$v_C=v_O-v_{CO}=0$$

圆轮的角速度为

$$\omega=\frac{v_{CO}}{R}=\frac{v_O}{R}$$

各点相对基点的速度为

$$v_{AO}=v_{BO}=v_{DO}=\omega R=v_O$$

点 A 的速度为

$$v_A=v_O+v_{AO}=2v_O$$

点 B、D 的速度为

$$v_B=v_D=\sqrt{2}v_O$$

方向如图 8－11 所示。

8.2.3 速度瞬心法

1. 速度瞬心法定义

由基点法知，若选择不同的点作为基点，平面图形上同一点相对于基点的速度是不相同的，因此在每一瞬时，平面图形上总可以找到速度为零的点。此点的速度是由基点的速度和相对于基点转动的速度合成得到的，即基点的速度和相对于基点转动的速度大小相等、方向

相反。该点称为瞬时速度转动中心,简称速度瞬心。如图 8－12 所示,已知 A 点的速度 $\boldsymbol{v}_A$,过 A 点作速度矢量 $\boldsymbol{v}_A$ 的垂线 AB,沿角速度 ω 的旋转方向,在直线段 AP 上找点 P,使

$$PA = \frac{v_A}{\omega}$$

则相对速度 $v_{PA} = \omega PA = v_A$,则点 P 的速度,$\boldsymbol{v}_P = \boldsymbol{v}_A + \boldsymbol{v}_{PA} = 0$。

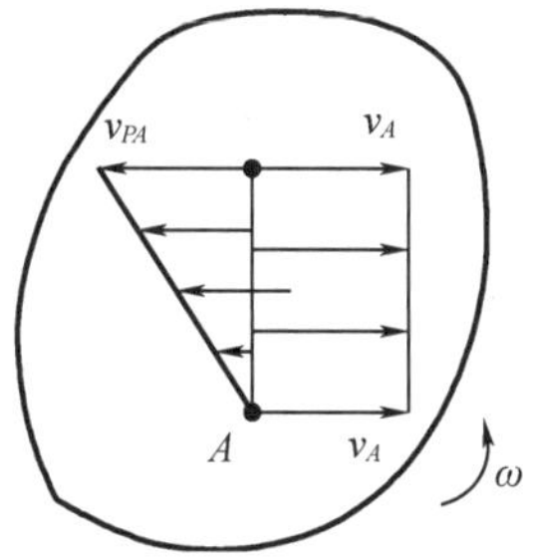

图 8－12　速度为 0 的点

结论:做平面运动的刚体,每一瞬时存在速度为零的点,此时平面图形相对于该点做纯转动,则对平面图形内各点的速度可以用定轴转动的知识来求解。这种求速度的方法称为速度瞬心法,简称瞬心法。

应当注意:由于速度瞬心的位置是随时间的变化而变化的,因此平面图形相对速度瞬心的转动具有瞬时性。

2. 确定速度瞬心的方法

(1)若已知某一瞬时平面图形上任意两点的速度矢量 $\boldsymbol{v}_A$、$\boldsymbol{v}_B$ 的方向,作 A、B 点速度矢量的垂线,其交点 P 即为平面图形在该瞬时的速度瞬心,如图 8－13(a)所示。

(2)平面图形沿某一固定表面无滑动地滚动,称为纯滚动,平面图形与固定表面接触的点 P 其速度为零,故点 P 为平面图形在该瞬时的速度瞬心。例如,如图 8－13(b)所示的平直轨道上纯滚动的车轮的点 P。

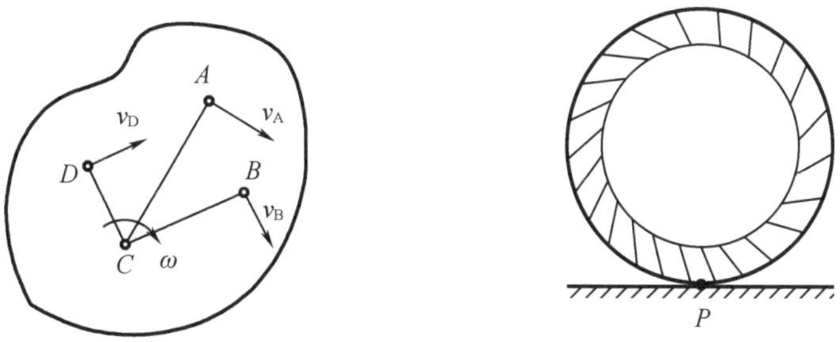

(a)速度不平行时　(b)平直轨道上纯滚动的车轮

图 8－13　确定速度瞬心的方法

(3)若已知某一瞬时平面图形上任意两点的速度矢量 $\boldsymbol{v}_A$、$\boldsymbol{v}_B$ 彼此平行,且两个速度方向垂直于 A、B 两点连线,如图 8－14(a)和图 8－14(b)所示的速度矢量 $\boldsymbol{v}_A$、$\boldsymbol{v}_B$ 端点连线与线段 AB 的交点 P 为该瞬时平面图形的速度瞬心;若两个速度方向不垂直于 A、B 两点连线,过 A、

B 点作速度矢量 $\boldsymbol{v}_A$、$\boldsymbol{v}_B$ 的垂线,其交点在无限远处,此时的角速度为

$$\omega = \frac{v_A}{PA} = \frac{v_A}{\infty} = 0$$

则 A、B 两点的速度相等,此时平面图形做平移,称为瞬时平移,如图 8－14(c)所示。平面图形内各点的速度相等,但加速度一般不相等。

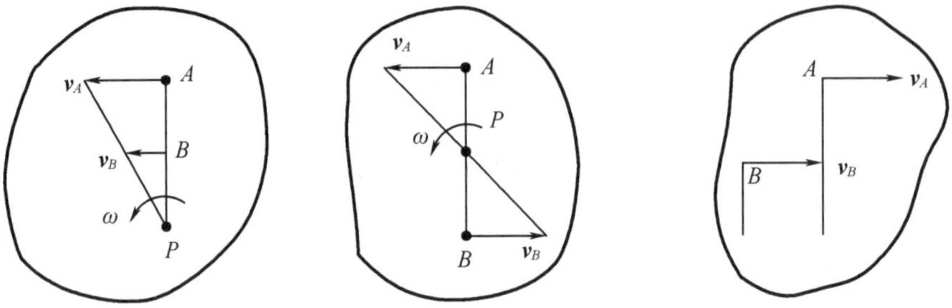

图 8－14 速度矢量平行时速度瞬心的确定

例题 8－5 用速度瞬心法求例题 8－4 各点的速度。

解 由于圆轮沿直线轨道无滑动地滚动,圆轮与轨道接触点的速度为零,故点 C 为速度瞬心。圆轮的角速度为

$$\omega = \frac{v_O}{R}$$

圆轮上各点速度为

$$v_A = \omega AC = \frac{v_O}{R}2R = 2v_O$$

$$v_B = v_D = \omega\sqrt{2}R = \sqrt{2}v_O$$

$$v_C = 0$$

各点速度的方向如图 8－15 所示。

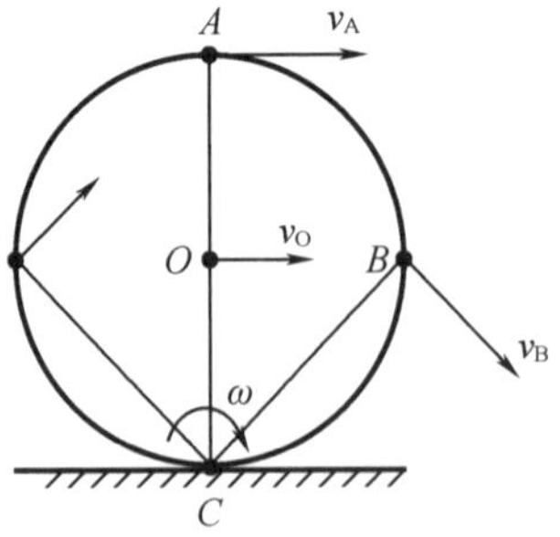

图 8－15 例题 8－5 图

例题 8－6 平面机构如图 8－16 所示,曲柄 OA 以角速度 $\omega = 2$ rad/s 绕轴 O 转动,已知:$OA = CD = 10$ cm,$AB = 20$ cm,$BC = 30$ cm,在图示位置时,曲柄 OA 处于水平位置,曲柄

CD 与水平线夹角 $\varphi=45°$。试求该瞬时连杆 AB、BC 和曲柄 CD 的角速度。

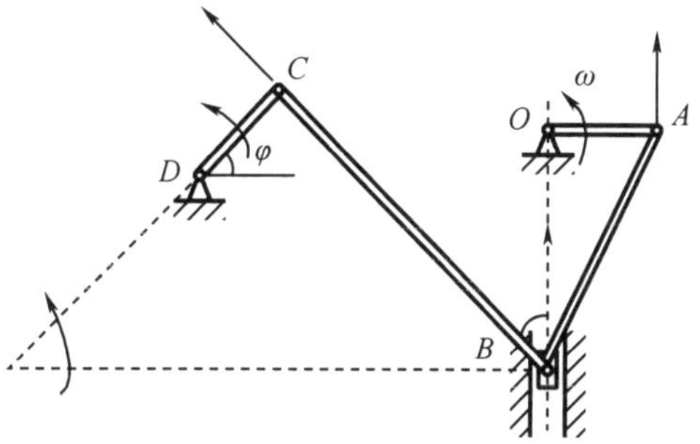

图 8-16　例题 8-6 图

解　速度分析如图 8-16 所示,点 A 的速度为

$$v_A=\omega OA=10\times 2=20\ \text{cm/s}$$

由于点 B 的速度方向为铅直方向,故连杆 AB 做瞬时平移,其角速度为

$$\omega_{AB}=0$$

则点 B 的速度为

$$v_B=v_A=20\ \text{cm/s}$$

点 C 的速度方向垂直于 CD,连杆 BC 速度瞬心为点 B、C 速度矢量垂线的交点 P。则连杆 BC 的角速度为

$$\omega_{BC}=\frac{v_B}{PB}=\frac{v_B}{\sqrt{2}BC}=\frac{20}{30\sqrt{2}}=0.471\ \text{cm/s}$$

点 C 的速度大小为

$$v_C=\omega_{BC}PC=0.471\times 30=14.14\ \text{cm/s}$$

曲柄 CD 的角速度为

$$\omega_{CD}=\frac{v_C}{CD}=\frac{14.14}{10}=1.414\ \text{cm/s}$$

8.3　平面图形内各点的加速度——基点法

由于平面图形的运动被看成随着基点的平移和相对基点的转动的合成,因此根据牵连运动为平移时的加速度合成定理便可求平面图形内各点的加速度。如图 8-17 所示,选点 A 作为基点,其加速度为 $\boldsymbol{a}_A$,某一瞬时平面图形的角速度和角加速度分别为 ω、α,则 B 的加速度为

牵连加速度:

$$\boldsymbol{a}_e=\boldsymbol{a}_A$$

相对加速度:

$$\boldsymbol{a}_{BA}=\boldsymbol{a}_{BA}^{\tau}+\boldsymbol{a}_{BA}^{n}$$

相对切向加速度:

$$a_{BA}^{\tau} = \alpha AB$$

相对法向加速度：

$$a_{BA}^{n} = \omega^2 AB$$

相对加速度的全加速度：

$$a_{BA} = \sqrt{{a_{BA}^{\tau}}^2 + {a_{BA}^{n}}^2} = AB\sqrt{\alpha^2 + \omega^4}, \tan\theta = \frac{|\alpha|}{\omega^2}$$

B 的加速度：

$$\boldsymbol{a}_B = \boldsymbol{a}_A + \boldsymbol{a}_{BA} = \boldsymbol{a}_A + \boldsymbol{a}_{BA}^{t} + \boldsymbol{a}_{BA}^{n} \tag{8-4}$$

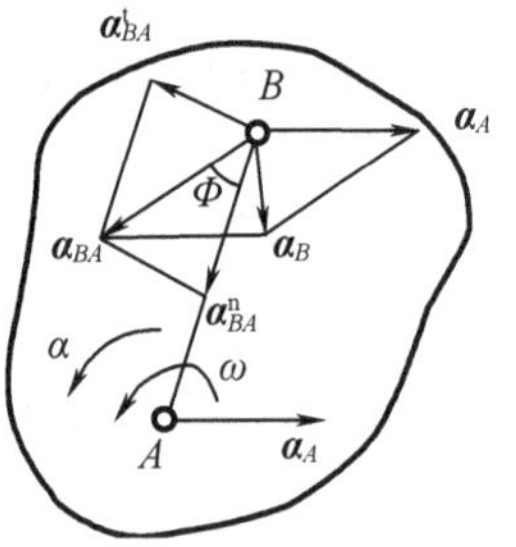

图 8-17　基点法求 *B* 点加速度

求平面图形 S 内各点的加速度的基点法：在任一瞬时，平面图形内任一点的加速度等于基点的加速度和相对于基点转动的加速度的矢量和。

式(8-4)中有四个矢量(包括四个大小和四个方向)，共八个要素，必须已知其中的六个要素，才可以求出剩余的两个要素，一般采用向坐标投影的方法进行求解。

例题 8-7　如图 8-18(a)所示，曲柄 OA 以角速度 $\omega_O = 2$ rad/s 绕轴 O 转动，$OA = 20$ mm，逆时针方向转动，并带动连杆 AB，$AB = 100$ mm，滑块 B 沿铅直滑道运动，当 $\varphi = 45°$ 时，曲柄 OA 与连杆 AB 垂直，试求此瞬时连杆 AB 中点 M 的加速度大小。

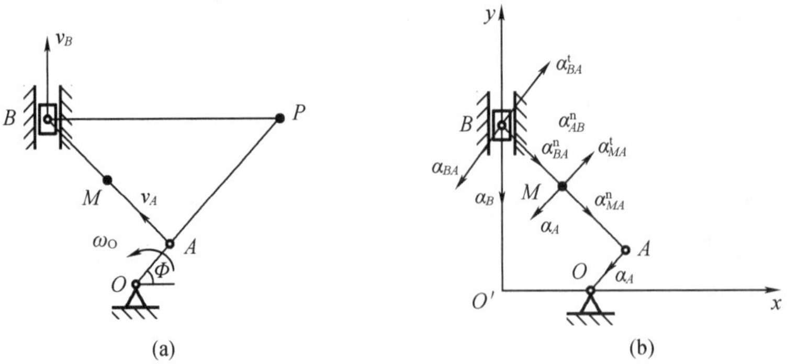

图 8-18　例题 8-7 图

解　用速度瞬心法求连杆 AB 的角速度，如图 8-18(a)所示，即

$$\omega_{AB} = \frac{v_A}{PA} = \frac{\omega_O OA}{AB} = \frac{10 \times 20}{100} = 2 \text{ rad/s}$$

选点 A 为基点,基点 A 的加速度为

$$a_A = \omega_O^2 OA = 100^2 \times 20 = 2\ 000\ \text{mm/s}^2$$

则点 B 的加速度为

$$\boldsymbol{a}_B = \boldsymbol{a}_A + \boldsymbol{a}_{BA} = \boldsymbol{a}_A + \boldsymbol{a}_{BA}^{\text{t}} + \boldsymbol{a}_{BA}^{\text{n}} \tag{1}$$

点 B 的加速度分析如图 8－18(b)所示,有

$$a_{BA}^{\text{n}} = \omega_{AB}^2 AB = 2^2 \times 100 = 400\ \text{mm/s}^2$$

$$a_{BA}^{\text{t}} = \alpha AB$$

将式(1)向水平方向 x 轴投影,得

$$0 = -a_A \cos 45° + a_{BA}^{\text{n}} \cos 45° + a_{BA}^{\text{t}} \cos 45°$$

得连杆 AB 的角加速度为

$$\begin{aligned}\alpha &= \frac{a_{BA}^{\text{t}}}{AB} \\ &= \frac{1}{100\cos 45°}(a_A \cos 45° - a_{BA}^{\text{n}} \cos 45°) \\ &= \frac{1}{100\cos 45°}(2\ 000\cos 45° - 400\cos 45°) \\ &= 16\ \text{rad/s}^2\end{aligned}$$

连杆 AB 中点 M 的加速度为

$$\boldsymbol{a}_M = \boldsymbol{a}_A + \boldsymbol{a}_{MA} = \boldsymbol{a}_A + \boldsymbol{a}_{MA}^{\text{t}} + \boldsymbol{a}_{MA}^{\text{n}} \tag{2}$$

其中,

$$a_{MA}^{\text{t}} = \alpha MA = 16 \times 50 = 800\ \text{mm/s}^2$$

$$a_{MA}^{\text{n}} = \frac{1}{2} a_{BA}^{\text{n}} = 200\ \text{mm/s}^2$$

将式(2)向 x、y 轴投影,得

$$\begin{aligned}a_{Mx} &= -a_A \cos 45° + a_{MA}^{\text{t}} \cos 45° + a_{MA}^{\text{n}} \cos 45° \\ &= -2\ 000\cos 45° + 800\cos 45° + 200\cos 45° \\ &= -707.1\ \text{mm/s}\end{aligned}$$

$$\begin{aligned}a_{My} &= -a_A \cos 45° + a_{MA}^{\text{t}} \cos 45° - a_{MA}^{\text{n}} \cos 45° \\ &= -2\ 000\cos 45° + 800\cos 45° - 200\cos 45° \\ &= -989.94\ \text{mm/s}\end{aligned}$$

$$a_M = \sqrt{a_{Mx}^2 + a_{My}^2} = \sqrt{(-707.1)^2 + (-989.94)^2} = 1\ 216.54\ \text{mm/s}$$

例题 8－8　在平直的轨道上做纯滚动的圆轮,已知轮心 O 的速度为 v_O,加速度为 a_O,轮的半径为 R,如图 8－19(a)所示,试求速度瞬心的加速度。

解　由于圆轮做纯滚动,则轮缘与地面接触的点 P 为速度瞬心。圆轮的角速度为

$$\omega = \frac{v_O}{R}$$

又由于圆轮的半径为常数,则圆轮的角加速度对上式求导即可得到。即

$$\alpha = \dot{\omega} = \frac{\dot{v}_O}{R} = \frac{a_O}{R}$$

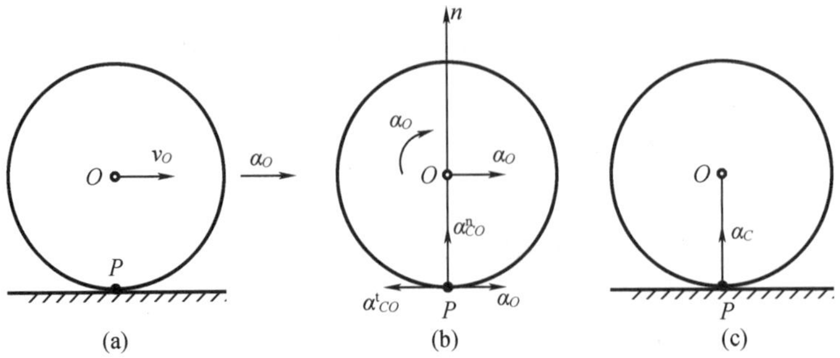

图 8－19 例题 8－8 图

点 C 的加速度为

$$a_C = a_O + a_{CO} = a_O + a_{CO}^{t} + a_{CO}^{n}$$

其中，

$$a_{CO}^{t} = \alpha R = a_O$$

$$a_{CO}^{n} = R\omega^2 = \frac{v_O^2}{R}$$

如图 8－19(b)所示，点 C 的加速度为

$$a_C = a_{CO}^{n} = \frac{v_O^2}{R}$$

方向恒指向轮心。

例题 8－9 如图 8－20 所示行星轮系机构中，大齿轮Ⅰ固定不动，半径为 r_1，曲柄 OA 以匀角速度 ω_O 绕 O 轴转动，并带动行星齿轮Ⅱ沿大齿轮Ⅰ只滚动而不滑动，行星齿轮Ⅱ的半径为 r_2，试求行星齿轮Ⅱ的角速度 $\omega_{Ⅱ}$，轮缘上点 C、B 的速度和加速度。(点 C 为曲柄 OA 延长线上的点、点 B 为过点 A 与 OA 垂直的线上的点)

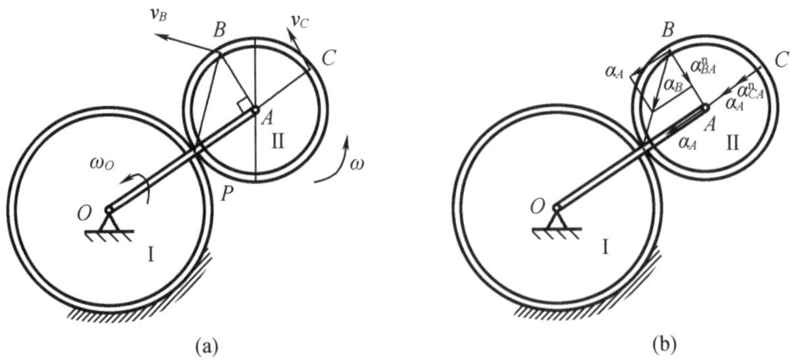

图 8－20 例题 8－9 图

解 (1)求轮缘上点 C、B 的速度

由于行星齿轮Ⅱ做平面运动，其上点 A 的速度由曲柄转动求得，即

$$v_A = \omega_O OA = \omega_O (r_1 + r_2)$$

由于行星齿轮Ⅱ沿大齿轮Ⅰ只滚动而不滑动,则两轮接触点 A 为速度瞬心,大齿轮Ⅱ的角速度为

$$\omega_{\mathrm{II}}=\frac{v_A}{r_2}=\frac{\omega_O(r_1+r_2)}{r_2} \tag{1}$$

轮缘上点 C、B 的速度为

$$v_e=2r_2\omega_{\mathrm{II}}=2\omega_O(r_1+r_2)$$

$$v_B=\sqrt{2}r_2\omega_{\mathrm{II}}=\sqrt{2}\omega_O(r_1+r_2)$$

其方向如图 8－20(a)所示。

(2)求轮缘上点 C、B 的加速度

由于曲柄 OA 以匀角速度 ω_O 转动,则用式(1)对时间求导得大齿轮Ⅱ的角加速度为

$$a=0$$

轮缘上点 C、B 的加速度为

$$\boldsymbol{a}_B=\boldsymbol{a}_A+\boldsymbol{a}_{BA}=\boldsymbol{a}_A^{\mathrm{t}}+\boldsymbol{a}_A^{\mathrm{n}}+\boldsymbol{a}_{BA}^{\mathrm{t}}+\boldsymbol{a}_{BA}^{\mathrm{n}}$$

$$\boldsymbol{a}_C=\boldsymbol{a}_A+\boldsymbol{a}_{CA}=\boldsymbol{a}_A^{\mathrm{t}}+\boldsymbol{a}_A^{\mathrm{n}}+\boldsymbol{a}_{CA}^{\mathrm{t}}+\boldsymbol{a}_{CA}^{\mathrm{n}}$$

其中,

$$a_A^{\mathrm{t}}=a_{BA}^{\mathrm{t}}=a_{CA}^{\mathrm{t}}=0$$

$$a_A=a_A^{\mathrm{n}}=\omega_O^2(r_1+r_2)$$

$$a_{BA}^{\mathrm{n}}=a_{CA}^{\mathrm{n}}=\omega_{\mathrm{II}}^2r_2=\frac{\omega_O^2(r_1+r_2)^2}{r_2}$$

$$a_c=a_A+a_{CA}^{\mathrm{n}}=\omega_O^2(r_1+r_2)+\frac{\omega_O^2(r_1+r_2)^2}{r_2}$$

$$a_B=\sqrt{a_A^2+a_{BA}^{\mathrm{n}\,2}}=\sqrt{\omega_O^4(r_1+r_2)^2+\frac{\omega_O^4(r_1+r_2)^4}{r_2^2}}$$

a_B 与 AB 的夹角为

$$\theta=\tan^{-1}\frac{a_A}{a_{EA}^{\mathrm{n}}}=\tan^{-1}\frac{r_2}{r_1+r_2}$$

其方向如图 8－20(b)所示。

8.4　运动学综合应用举例

在复杂的机构中,可以同时存在点的合成运动和刚体平面运动等较为复杂的运动,对这样的问题应注意分别进行分析,一般要从它们连接处找出各构件运动之间的关系,选用较为简便的方法加以综合分析,以达到快速求解的目的。

例题 8－10　曲柄滑块机构如图 8－21(a)所示,曲柄 OA 以匀角速度 ω 绕 O 轴转动,杆 AC 在套筒 B 内,套筒 B 与杆 BD 固连,$AB=2OA$,$BD=l$,BD 绕铰链 B 转动,图示瞬时,曲柄 OA 铅直,试求套筒 B 的角速度和角加速度,以及点 D 的速度和加速度。

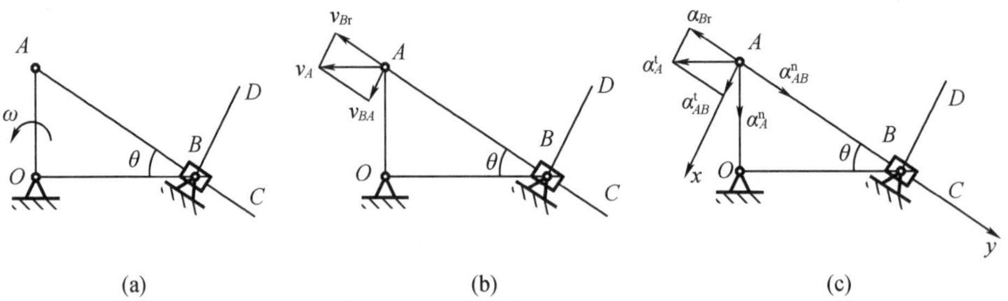

图 8-21 例题 8-10 图

解 在套筒 B 上建立动系，以杆 AC 上的点 B 为动点，又因杆 AC 做平面运动，选点 B 为基点。

(1)求套筒 B 的角速度

点 A 的速度为

$$v_A = v_{Br} + v_{AB}$$

如图 8-21(b)所示，由速度的平行四边形得

$$v_{AB} = v_A \sin\theta$$

而

$$v_A = \omega OA$$

则杆 AC 的角速度为

$$\omega_{AC} = \frac{v_{AB}}{AB} = \frac{\omega OA\sin\theta}{2OA} = \frac{\omega}{4}$$

又由于杆 AC 和套筒 B 只有相对的滑动而无转动，故套筒 B 的角速度为

$$\omega_{BD} = \omega_{AC} = \frac{\omega}{4}$$

其转向为逆时针。

(2)求套筒 B 的加角速度

点 A 的加速度为

$$\boldsymbol{a}_A^t + \boldsymbol{a}_A^n = \boldsymbol{a}_{Be}^t + \boldsymbol{a}_{Be}^n + \boldsymbol{a}_{Br} + \boldsymbol{a}_{Bc} + \boldsymbol{a}_{AB}^t + \boldsymbol{a}_{AB}^n \tag{1}$$

其中，点 A 的加速度：

$$a_A^t = 0$$

$$a_A^n = \omega^2 r$$

套筒 B 的牵连加速度：

$$a_{Be}^t = 0$$

$$a_{Be}^n = 0（因动点 B 在转轴上）$$

套筒 B 的相对加速度：a_{Br}沿 AC 做直线运动。

套筒 B 的相对速度：

$$u_{Br} = v_A \cos\theta = \frac{\sqrt{3}}{2}\omega r$$

套筒 B 的科氏加速度：

$$a_{Bc}=2\omega_{BD}v_{Br}=2\times\frac{\omega}{4}\times\frac{\sqrt{3}}{2}\omega r=\frac{\sqrt{3}}{4}\omega^2 r$$

点 A 相对点 B 的加速度：

$$a_{AB}^{t}=\alpha_{BD}AB=2r\alpha_{BD}$$

$$a_{AB}^{n}=\omega_{BD}^{2}AB=\left(\frac{\omega}{4}\right)^2 2r=\frac{\omega^2 r}{8}$$

如图 8－21(c)所示，将式(1)向 x 轴投影得

$$a_{A}^{t}\sin\theta+a_{A}^{n}\cos\theta=a_{AB}^{t}-a_{Bc}$$

$$\omega^2 r\frac{\sqrt{3}}{2}=2r\alpha_{AC}-\frac{\sqrt{3}}{4}\omega^2 r$$

则套筒 B 的加角速度为

$$\alpha_{BD}=\frac{3\sqrt{3}}{8}\omega^2$$

其转向为逆时针。

(3)求点 D 的速度和加速度

$$v_D=\frac{\omega l}{4}$$

$$a_{D}^{t}=\alpha_{BD}l=\frac{3\sqrt{3}}{8}\omega^2 l$$

$$a_{D}^{n}=\omega_{bD}^{n}l=\frac{\omega^2}{16}l$$

例题 8－11　如图 8－22(a)所示，曲柄 OA 以匀角速度 ω_O 绕 O 轴转动，连杆 AB 穿过套筒 D，套筒 D 与曲柄 CD 相连，连杆 AB 的另一端连接滑块 B，滑块 B 在水平的滑道内运动。已知 $OA=CD=AD=DB=r$，试求当曲柄 OA 和曲柄 CD 位于水平位置，$\angle BAO=60°$时，曲柄 CD 的角速度和加速度。

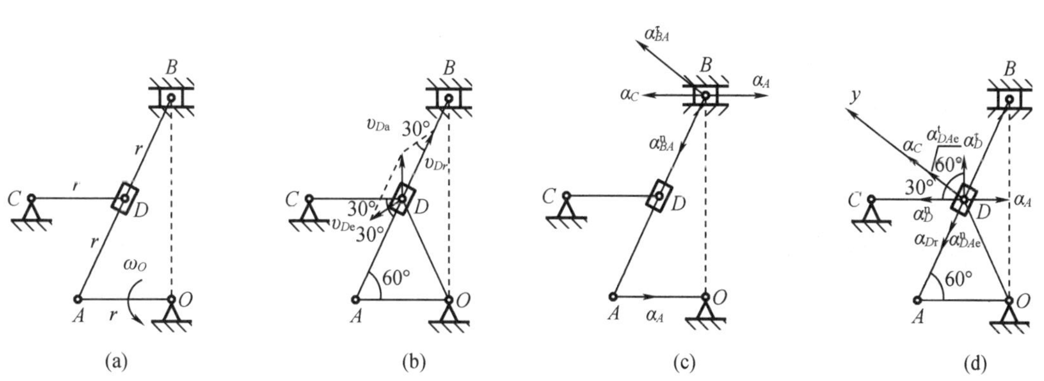

图 8－22　例题 8－11 图

解　(1)求曲柄 CD 的角速度

连杆 AB 做平面运动，用速度瞬心法求得连杆 AB 的角速度为

$$\omega_{AB}=\frac{v_A}{OA}=\frac{\omega_O OA}{OA}=\omega_O$$

套筒 D 的牵连速度为

$$v_{De}=\omega_{AB}OD=\omega_O r$$

如图 8－22(b)所示，由套筒 D 速度的平行四边形得

$$v_{Dr}=2v_{De}\cos 30°=\sqrt{3}\omega_O r$$

$$v_{Da}=v_{De}=\omega_O r$$

则曲柄 CD 的角速度为

$$\omega_{CD}=\frac{v_{Da}}{CD}=\frac{\omega_o r}{r}=\omega_o$$

其转向为逆时针。

(2)求曲柄 CD 的角加速度

选点 A 为基点，滑块 B 的加速度为

$$\boldsymbol{a}_B=\boldsymbol{a}_A^{t}+\boldsymbol{a}_A^{n}+\boldsymbol{a}_{BA}^{t}+\boldsymbol{a}_{BA}^{n} \tag{1}$$

其中，基点 A 的加速度：

$$a_A^{t}=0$$

$$a_A=a_A^{n}=r\omega_O^2$$

相对基点转动的加速度：

$$a_{BA}^{t}=2r\alpha_{AB}$$

$$a_{BA}^{n}=2r\omega_{AB}^2=2r\omega_O^2$$

如图 8－22(c)所示，将式(1)向 OB 投影得

$$0=a_{BA}^{t}\cos 60°-a_{BA}^{n}\cos 30°$$

$$\alpha_{AB}=\sqrt{3}-\omega_O^2$$

套筒 D 的加速度为

$$\boldsymbol{a}_D^{t}+\boldsymbol{a}_D^{n}=\boldsymbol{a}_A+\boldsymbol{a}_{DAe}^{t}+\boldsymbol{a}_{DAe}^{n}+\boldsymbol{a}_{Dr}+\boldsymbol{a}_{Dc} \tag{2}$$

其中，基点 A 的加速度：

$$a_A=a_A^{n}=r\omega_O^2$$

套筒 D 的绝对加速度：

$$a_D^{t}=\alpha_{CD}r$$

$$a_D^{n}=r\omega_{CD}^2=r\omega_O^2$$

套筒 D 的牵连加速度：

$$a_{DAe}^{t}=\alpha_{AB}AD=\sqrt{3}-\omega_O^2 r$$

$$a_{DAe}^{n}=\omega_{AB}^2 AD=\omega_O^2 r$$

套筒 D 的科氏加速度：$a_{Dc}=2\omega_{AB}v_{Dr}=2\sqrt{3}\omega_O^2 r$。

套筒 D 的相对加速度：

$$a_{Dr}\text{沿连杆 } AB$$

如图 8－22(d)所示，将式(2)向 y 轴投影得

$$a_D^{\mathrm{t}}\cos 60^\circ + a_D^{\mathrm{n}}\cos 30^\circ = -a_A\cos 30^\circ + a_{DAe}^{\mathrm{t}} + a_{Dc}$$

$$\frac{1}{2}a_{CD}r + \omega_O^2 r\frac{\sqrt{3}}{2} = -\omega_O^2 r\frac{\sqrt{3}}{2} + \sqrt{3}\omega_O^2 r + 2\sqrt{3}\omega_O^2 r$$

$$a_{CD} = 4\sqrt{3}\omega_O^2 r$$

其转向为逆时针。

习　　题

8－1　椭圆规尺 AB 由曲柄 OC 带动，曲柄以角速度 ω_0 绕轴 O 匀速转动，如图 8－23 所示。如 $OC=BC=AC=r$，并取 C 为基点，求椭圆规尺 AB 的平面运动方程。

8－2　如图 8－24 所示，圆柱 A 缠以细绳，绳的 B 端固定在天花板上。圆柱自静止落下，其轴心的速度为 $v=\frac{2}{3}\sqrt{3gh}$，其中 g 为常量，h 为圆柱轴心到初始位置的距离。如圆柱半径为 r，求圆柱的平面运动方程。

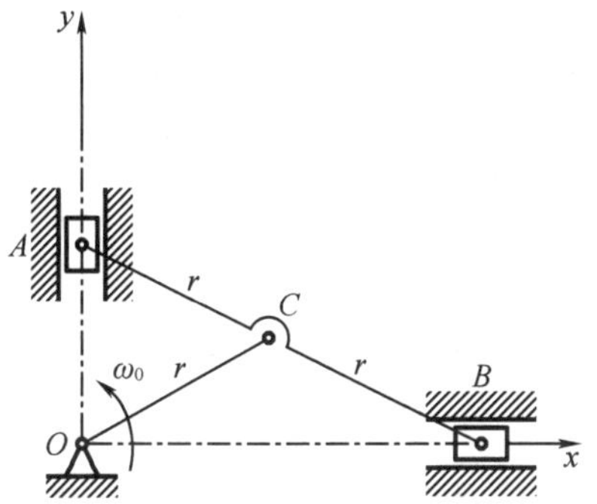

图 8－23　习题 8－1 图

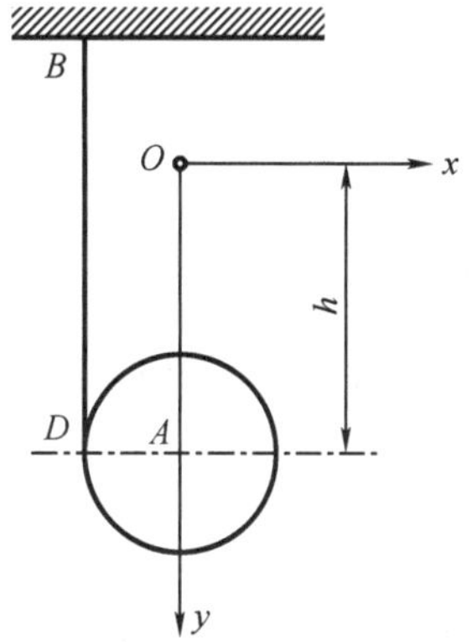

图 8－24　习题 8－2 图

8－3　杆 AB 的 A 端沿水平线以速度 v 运动，运动时杆恒与一半圆周相切于点 C，半圆周的半径为 R，如图 8－25 所示，如杆 AB 与水平线间的交角为 θ，试以角 θ 表示杆的角速度。

8－4　如图 8－26 所示双曲柄连杆机构的滑块 B 和 E 用杆 BE 连接。主动曲柄 OA 和从动曲柄 OD 都绕 O 轴转动。主动曲柄 OA 以等角速度 $\omega_0=12$ rad/s 转动。已知机构的尺寸为：$OA=0.1$ m，$OD=0.12$ m，$AB=0.26$ m，$BE=0.12$ m，$DE=0.123$ m。求当主动曲柄 OA 垂直于滑块的导轨方向时，从动曲柄 OD 和杆 DE 的角速度。

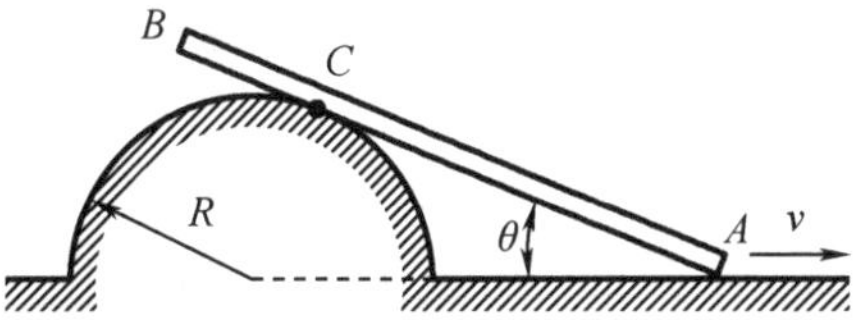

图 8－25　习题 8－3 图

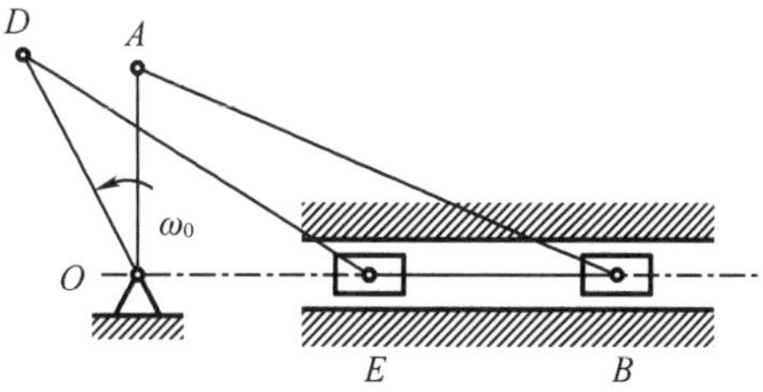

图 8－26　习题 8－4 图

8－5　如图 8－27 所示，在筛动机构中，筛子的摆动是由曲柄杆连机构带动的。已知曲柄 OA 的转速 $n_{OA}=40$ r/min，$OA=0.3$ m。当筛子 BC 运动到与点 O 在同一水平线上时，$\angle BAO=90°$。求此瞬时筛子 BC 的速度。

8－6　四连杆机构中，连杆 AB 上固结一块三角板 ABD，如图 8－28 所示。机构由曲柄 O_1A 带动。已知曲柄 O_1A 的角速度 $\omega_{O_1A}=2$ rad/s，$O_1A=0.1$ m，$O_1O_2=0.05$ m，$AD=0.05$ m；当 O_1A 铅直时，AB 平行于 O_1O_2，且 AD 与 AO_1 在同一直线上；$\varphi=30°$。求三角板 ABD 的角速度和点 D 的速度。

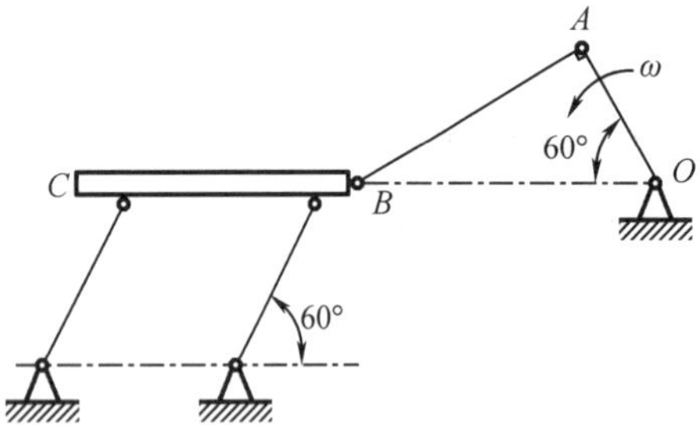

图 8－27　习题 8－5 图

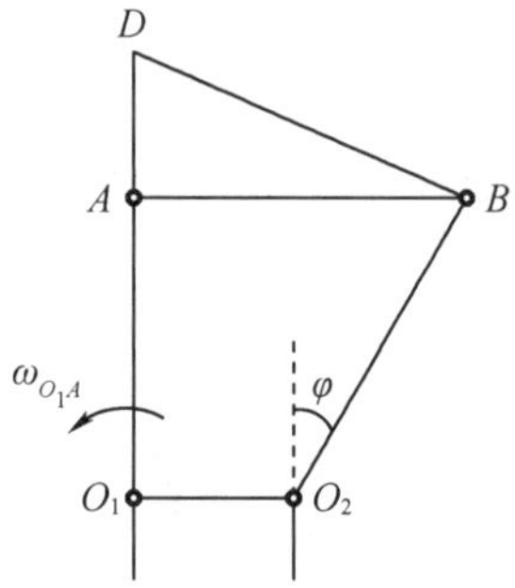

图 8－28　习题 8－6 图

8－7　如图 8－29 所示机构中，已知：$OA=BD=DE=0.1$ m，$EF=0.1\sqrt{3}$ m，$\omega=4$ rad/s，在图示位置时，曲柄 OA 与水平线 OB 垂直；且 B，D 和 F 在同一铅直线上，又 DE 垂直于 EF。求杆 EF 的角速度和点 F 的速度。

8－8　在瓦特行星传动机构中，平衡杆 O_1A 绕轴 O_1 转动，并借连杆 AB 带动曲柄 OB；而曲柄 OB 活动地装在轴 O 上，如图 8－30 所示。在轴 O 上装有齿轮 I，齿轮 II 与连杆 AB 固结于一体。已知：$r_1=r_2=0.3\sqrt{3}$ m，$O_1A=0.75$ m，$AB=1.5$ m，平衡杆 O_1A 的角速度 $\omega=6$ rad/s。求当 $\gamma=60°$ 且 $\beta=90°$时，曲柄 OB 和齿轮 I 的角速度。

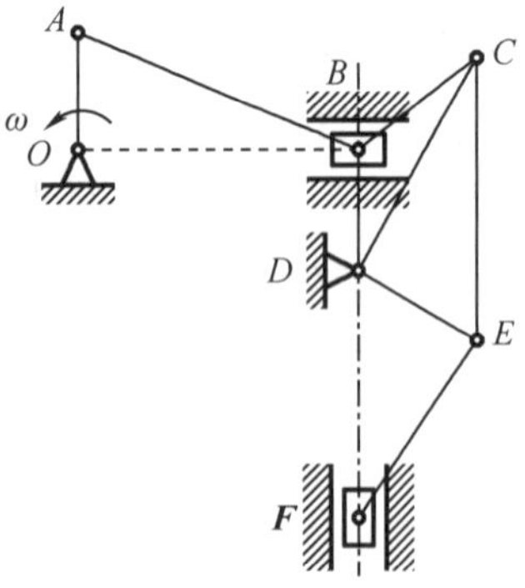

图 8－29　习题 8－7 图

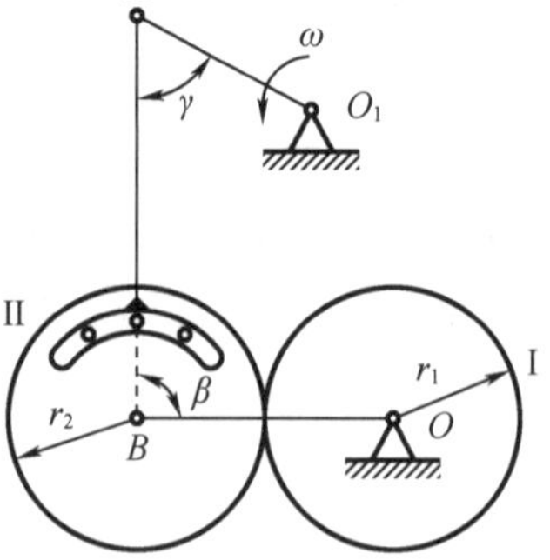

图 8－30　习题 8－8 图

8－9　使砂轮高速转动的装置如图 8－31 所示。杆 O_1O_2 绕 O_1 轴转动，转速为 n_4。O_2 处用铰链接一半径为 r_2 的活动齿轮 Ⅱ，杆 O_1O_2 转动时活动齿轮 II 在半径为 r_3的固定内齿轮Ⅲ上滚动，并使半径为 r_1的齿轮 Ⅰ绕 O_1 轴转动。齿轮 Ⅰ上装有砂轮，随同齿轮 I 高速转动。已知$\frac{r_3}{r_1}=11$，$n_4=900$ r/min，求砂轮的转速。

8－10　如图 8－32 所示，齿轮 I 在齿轮 II 内滚动，其半径分别为 r 和 $R=2r$。曲柄 OO_1 绕轴 O 以等角速度 ω_O 转动，并带动齿轮 I。求该瞬时齿轮 I 上瞬时速度中心 C 的加速度。

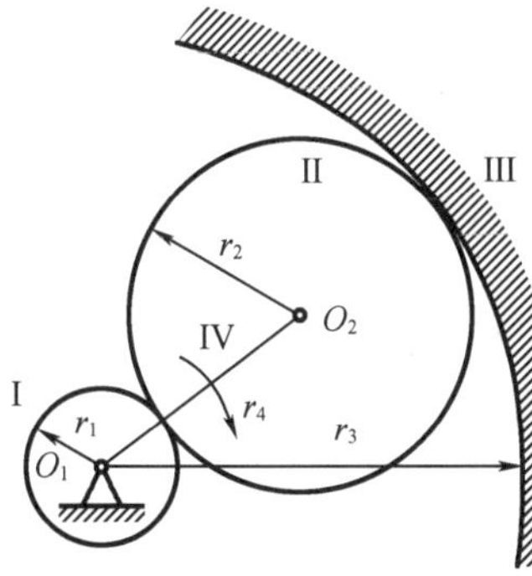

图 8－31　习题 8－9 图

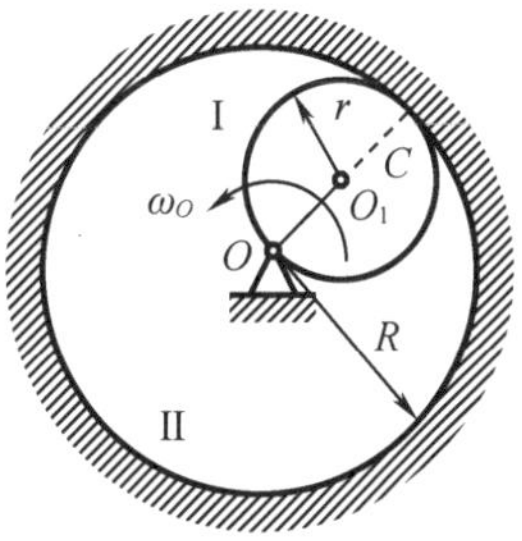

图 8－32　习题 8－10 图

8－11　如图 8－33 所示，曲柄 OA 以恒定的角速度 $\omega=2$ rad/s 绕轴 O 转动，并借助连杆 AB 驱动半径为 r 的轮子在半径为 R 的圆弧槽中做无滑动的滚动。设 $OA=AB=R=2r=1$ m，求如图 8－33 所示瞬时点 B 和点 C 的速度与加速度。

8－12　在曲柄齿轮椭圆规中，齿轮 A 和曲柄 O_1A 固结为一体，齿轮 C 和齿轮 A 半径为 r 并互相啮合，如图 8－34 所示。图 8－34 中 $AB=O_1O_2$，$O_1A=O_2B=0.4$ m。曲柄 O_1A 以恒定的角速度 ω 绕轴 O_1 转动，$\omega=0.2$ rad/s。点 M 为齿轮 C 上一点，$CM=0.1$ m。在如图 8－34 所示瞬时，CM 为铅直，求此时点 M 的速度和加速度。

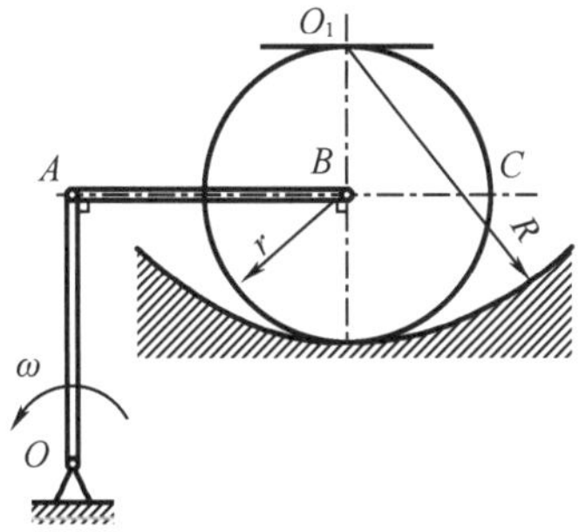

图 8－33　习题 8－11 图

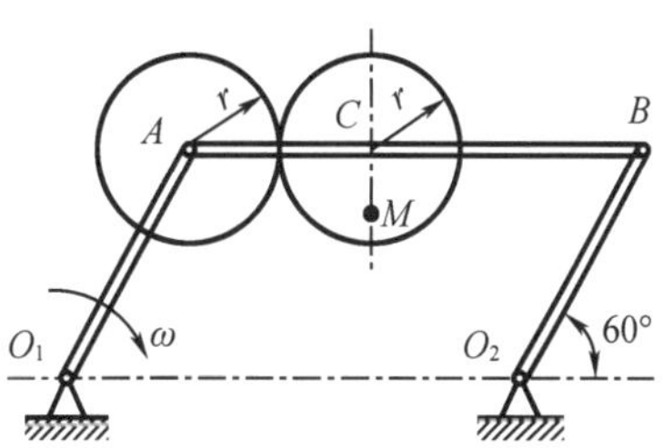

图 8－34　习题 8－12 图

8－13　在如图 8－35 所示曲柄连杆机构中，曲柄 OA 绕轴 O 转动，其角速度为 ω_O，角加速度为 α_O。在某瞬时曲柄与水平线间成 60°角，而连杆 AB 与曲柄 OA 垂直。滑块 B 在圆形槽内滑动，此时半径 O_1B 与连杆 AB 间成 30°角。若 $OA=r$，$AB=2\sqrt{3}r$，$O_1B=2r$，求在该瞬时滑块 B 的切向加速度和法向加速度。

8－14　在如图 8－36 所示机构中，曲柄 OA 长为 r，绕轴 O 以等角速度 ω_O 转动，$AB=6r$，$BC=3\sqrt{3}r$。求如图 8－36 所示位置瞬时滑块 C 的速度和加速度。

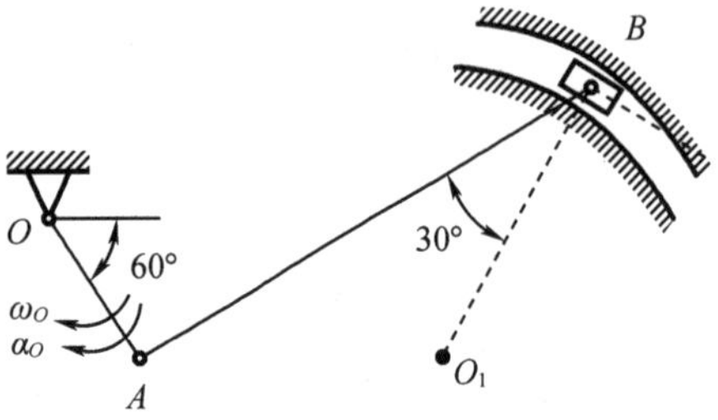

图 8-35 习题 8-13 图

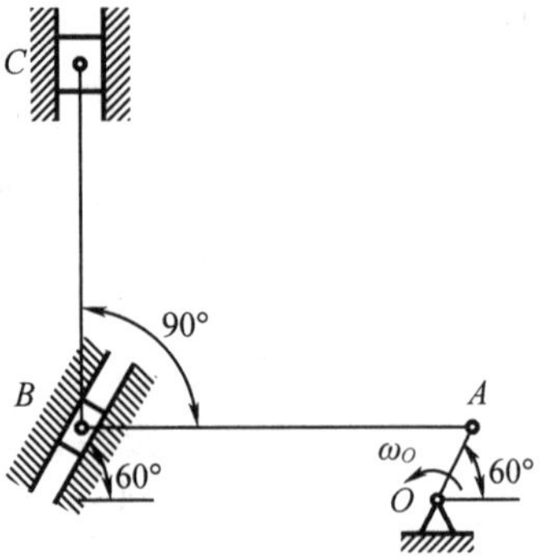

图 8-36 习题 8-14 图

第三篇　动　力　学

第9章　质点动力学基本方程

本章在复习牛顿三定律即动力学基本定律的基础上，得出质点运动微分方程，运用微积分方法求解一个质点的动力学问题。

9.1　动力学基本定律

质点动力学的基础是牛顿三定律，这三个定律是牛顿在总结前人特别是伽利略的研究成果的基础上提出来的。牛顿三定律不但是质点动力学的基本定律，而且是整个质点系动力学的基本定律，所以被称为动力学基本定律。

1. 牛顿第一定律（惯性定律）

牛顿第一定律的内容：不受力或受平衡力系作用的质点，将保持静止或做匀速直线运动。不受力或受平衡力系作用的质点，不是处于静止状态，就是保持其原有的速度（包括大小和方向）不变，这种性质称为惯性，故第一定律又被称为惯性定律。

2. 牛顿第二定律（力与加速度之间关系的定律）

牛顿第二定律的内容：质点的质量与加速度的乘积，等于作用于质点的力的大小，加速度的方向与力的方向相同，其数学表达式为

$$m\boldsymbol{a}=\boldsymbol{F} \tag{9-1}$$

式(9－1)是质点动力学的基本方程，它建立了质点的质量、加速度与作用力之间的定量关系。当质点受多个力作用时，式(9－1)中的 $\boldsymbol{F}$ 应为该力系的合力。

式(9－1)表明，质点在力的作用下必有相应的加速度，使其运动状态发生改变。如果用相同的力作用于质量不等的质点上，则质量大的质点加速度小，质量小的质点加速度大。这表明质点的质量越大，其运动状态越不容易改变，也就是质点的惯性越大。因此，质量是质点惯性的度量。

在地球表面，任何物体都受到重力 P 的作用。在重力作用下得到的加速度称为重力加速度，用 g 表示。根据牛顿第二定律有

$$P=mg$$

或

$$m=\frac{P}{g}$$

根据国际计量委员会规定的标准，重力加速度的数值为9.806 65 m/s^2，一般取9.80 m/s^2。实际上在不同的地区，g 的数值有些微小的差别。

在实际应用中，一般采用工程单位制；在教材中，一般采用国际单位制。在国际单位制(SI)中，长度、质量和时间的单位，分别取m（米）、kg（千克）和s（秒），力的单位是N（牛顿），意思是质量为1 kg的质点，获得1 m/s的加速度时，作用于该质点的力为1 N。

3. 牛顿第三定律(作用与反作用定律)

牛顿第三定律的内容:两个物体间的作用力与反作用力总是大小相等,方向相反,沿着同一直线,且同时分别作用在这两个物体上。这一定律就是静力学中的公理四,它不仅适用于平衡的物体,也适用于做任何运动的物体。在动力学中,它仍然是分析两个物体相互作用关系的依据。

质点动力学的三个基本定律是在观察天体运动和生产实践中的一般机械运动的基础上总结出来的,因此只在一定范围内适用。三个基本定律适用的参考系称为惯性参考系。在工程问题中,把固定于地面的坐标系或相对于地面做匀速直线平移的坐标系作为惯性参考系,可以得到相当精确的结果。在本书中,如无特别说明,均取固定在地球表面的坐标系为惯性参考系。

以牛顿三定律为基础的力学,称为古典力学。对于一般工程中的机械运动问题,应用古典力学都能得到足够精确的结果。

9.2 质点运动微分方程

1. 质点运动微分方程

根据质点动力学第二定律,当质点受到 n 个力 $\boldsymbol{F}_1,\boldsymbol{F}_2,\cdots,\boldsymbol{F}_n$ 作用时,式(9-1)应写为

$$m\boldsymbol{a} = \sum \boldsymbol{F}_i \tag{9-2a}$$

或

$$m\frac{\mathrm{d}^2\boldsymbol{r}}{\mathrm{d}t^2} = \sum \boldsymbol{F}_i \tag{9-2b}$$

式(9-2)和(9-2b)是矢量形式的质点运动微分方程,在实际计算时,应用其投影式。

式(9-2)和(9-2b)在直角坐标系上的投影式为

$$\begin{cases} ma_x = m\dfrac{\mathrm{d}^2x}{\mathrm{d}t^2} = \sum F_{xi} \\ ma_y = m\dfrac{\mathrm{d}^2y}{\mathrm{d}t^2} = \sum F_{yi} \\ ma_z = m\dfrac{\mathrm{d}^2z}{\mathrm{d}t^2} = \sum F_{zi} \end{cases} \tag{9-3}$$

式(9-3)即为直角坐标形式的质点运动微分方程。

由点的运动学知,点的全加速度 $\boldsymbol{a}$ 在切线与主法线构成的密切平面内,其在副法线上的投影等于零,即

$$\boldsymbol{a} = a_{\mathrm{t}}\boldsymbol{\tau} + a_{\mathrm{n}}\boldsymbol{n}$$

$$a_{\mathrm{b}} = 0$$

式中,$\boldsymbol{\tau}$ 和 $\boldsymbol{n}$ 为沿轨迹切线和主法线的单位矢量,如图 9-1 所示。

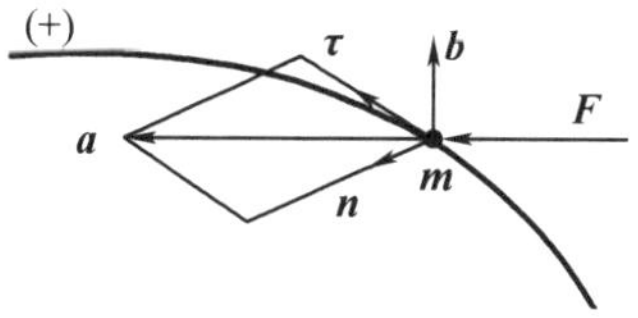

图9-1　沿轨迹切线和主法线的单位矢量

式(9-2)和(9-2b)在自然轴系上的投影式为

$$\begin{cases} ma_{\mathrm{t}} = m\dfrac{\mathrm{d}v}{\mathrm{d}t} = \sum F_{i\mathrm{t}} \\ ma_{\mathrm{n}} = m\dfrac{v^2}{\rho} = \sum F_{i\mathrm{n}} \\ ma_{\mathrm{b}} = 0 = \sum F_{i\mathrm{b}} \end{cases} \tag{9-4}$$

式(9-4)即为自然坐标形式的质点运动微分方程。式(9-4)中 $F_{i\mathrm{t}}$、$F_{i\mathrm{n}}$和 $F_{i\mathrm{b}}$分别为作用于质点的各力在切线、主法线、副法线上的投影，ρ 为轨迹的曲率半径。

2. 质点动力学的两类基本问题

质点动力学的问题可分为两类：一是已知质点的运动，求作用于质点的力；二是已知作用于质点的力，求质点的运动。这两类问题称为质点动力学的两类基本问题。第一类基本问题比较简单，若已知质点的运动方程，求两次导数可得到质点的加速度，代入质点运动微分方程中即可求解，一般即为数学上的求导运算。第二类基本问题，若已知作用于质点的力，要求加速度，只需代入质点运动微分方程即可；要求速度，则需作一次积分；要求运动方程，则需作二次积分。这类问题相对复杂，一般在数学上主要归结为求积分的问题，对此，需按作用力的函数规律进行积分，并根据具体问题的运动条件确定积分常数。

例题9-1　曲柄连杆机构如图9-2(a)所示。曲柄 OA 以匀角速度 ω 转动，$OA=r$，$AB=l$，当 $\lambda=r/l$ 比较小时，以 O 为坐标原点，滑块 B 的运动方程可近似写为

$$x=l\left(1-\frac{\lambda^2}{4}\right)+r\left(\cos\omega t+\frac{\lambda}{4}\cos 2\omega t\right)$$

若滑块的质量为 m，忽略摩擦及连杆 AB 的质量，求当 $\varphi=\omega t=0$ 和 $\varphi=\omega t=\dfrac{\pi}{2}$时，连杆 AB 所受的力。

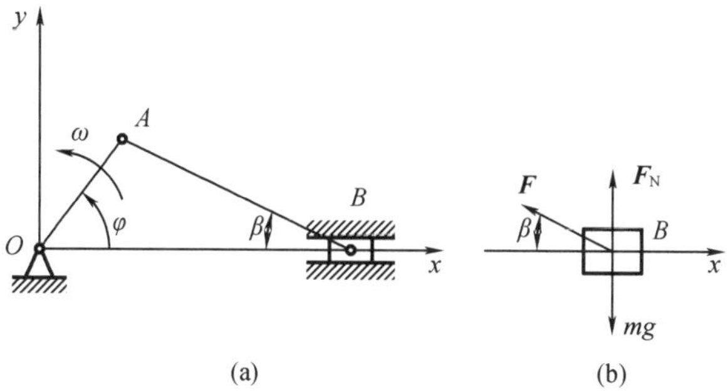

图9-2　例题9-1图

解 以滑块 B 为研究对象，当 $\varphi=\omega t$ 时，受力如图 9－2(b) 所示。由于不计连杆质量，连杆应受平衡力系作用，连杆 AB 为二力杆，它对滑块 B 的力 F 沿 AB 方向。滑块 B 沿 x 轴的运动微分方程：

$$ma_x=-F\cos\beta$$

由已知运动微分方程，求得

$$a_x=\frac{\mathrm{d}^2x}{\mathrm{d}t^2}=-r\omega^2(\cos\omega t+\lambda\cos 2\omega t)$$

$\omega t=0$ 时，$a_x=-r\omega^2(1+\lambda)$，且 $\beta=0$，得

$$F=mr\omega^2(1+\lambda)$$

此时连杆 AB 受拉力。

$\omega t=\frac{\pi}{2}$ 时，$a_x=r\omega^2\lambda$，而 $\cos\beta=\sqrt{l^2-r^2}/l$，则有

$$mr\omega^2\lambda=-F\sqrt{l^2-r^2}/l$$

得

$$F=-mr^2\omega^2/\sqrt{l^2-r^2}$$

此时连杆 AB 受压力。

例题 9－2 一圆锥摆如图 9－3 所示。质量 $m=0.1$ kg 的小球系于长 $l=0.3$ m 的绳上，绳的另一端系在固定点 O 上，并与铅直线成 60°。若小球在水平面内做匀速圆周运动，求小球的速度 v 与绳的张力 F 的大小。

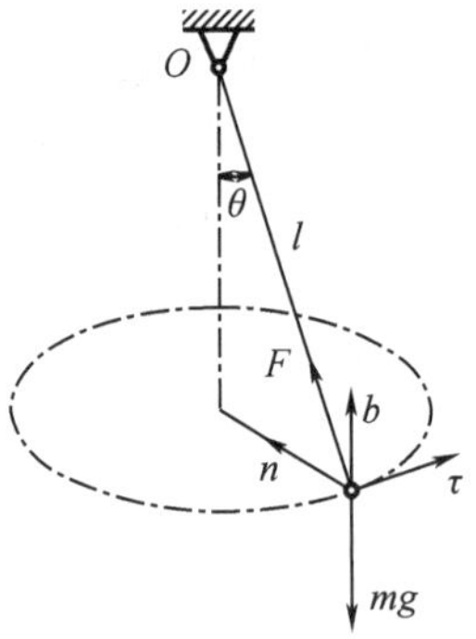

图 9－3 例题 9－2 图

解 以小球为研究的质点，作用于质点的力有重力 mg 和绳的拉力 F。选取自然坐标形式的质点运动微分方程，得

$$m\frac{v^2}{\rho}=F\sin\theta$$

$$0=F\cos\theta-mg$$

由 $\rho=l\sin\theta$，解得

$$F=\frac{mg}{\cos\theta}=\frac{0.1\times 9.8}{\frac{1}{2}}=1.96\ \text{N}$$

$$v=\sqrt{\frac{Fl\sin^2\theta}{m}}=\sqrt{\frac{1.96\times0.3\times\left(\frac{\sqrt{3}}{2}\right)^2}{0.1}}=2.1\ \text{m/s}$$

此例表明：对某些混合问题，向自然轴系投影可使动力学两类基本问题分开求解。

例题 9－3　如图 9－4 所示，粉碎机的滚筒半径为 R，绕通过中心的水平轴匀速运动，筒内铁球由筒壁上的凸棱带着上升。为了使铁球获得粉碎矿石的能量，铁球应在 $\theta=\theta_0$ 时才掉下来。求滚筒每分钟的转数 n。

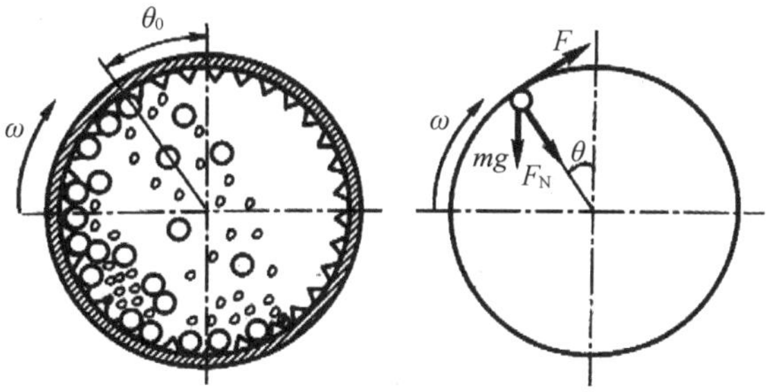

图 9－4　例题 9－3 图

解　视铁球为质点。质点在上升过程中，受到重力 mg 和筒壁的法向约束力 F_N、切向约束力 F 的作用。

质点运动微分方程在主法线上的投影式：

$$m\frac{v^2}{R}=F_N+mg\cos\theta$$

质点在未离开筒壁前的速度等于筒壁的速度，即

$$v=\frac{\pi n}{30}R$$

解得

$$n=\frac{30}{\pi R}\left[\frac{R}{m}(F_N+mg\cos\theta)\right]^{\frac{1}{2}}$$

当 $\theta=\theta_0$ 时，铁球将落下，这时 $F_N=0$，于是得

$$n=9.549\sqrt{\frac{g}{R}\cos\theta_0}$$

显然，θ_0 越小，要求 n 越大。当 $n=9.549\sqrt{\frac{g}{R}}$ 时，$\theta=\theta_0$，铁球就会紧贴筒壁转过最高点而不脱离筒壁落下，起不到粉碎矿石的作用。

习　　题

9－1　三个质量相同的质点，在某瞬时的速度分别如图 9－4 所示，若对它们作用了大小相等、方向相同的 F，质点的运动情况是否相同？

9－2　一质量为 m 的物体放在匀速转动的水平转台上，它与转轴的距离为 r。如图

9 - 5 所示。设物体与转台表面的摩擦因数为 f,求当物体不致因转台旋转而滑出时,转台的最大转速。

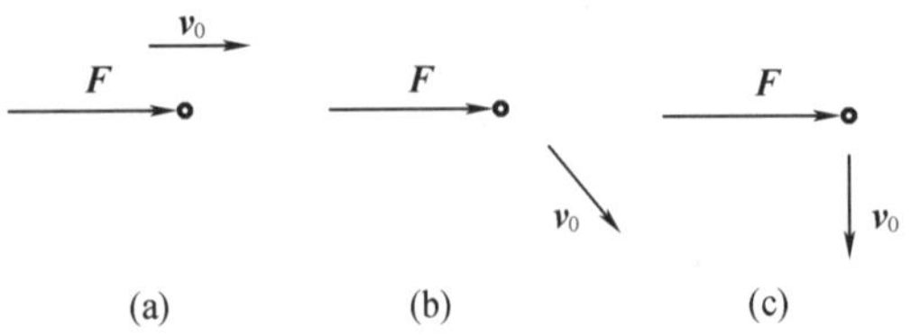

图 9 -4　习题 9 -1 图

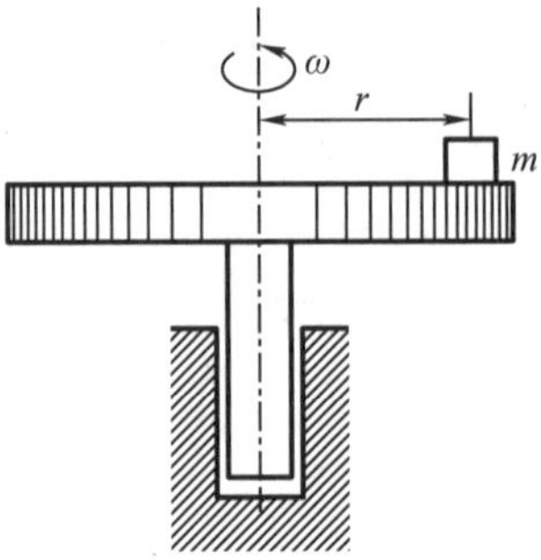

图 9 -5　习题 9 -2 图

9 -3　如图 9 -6 所示,A、B 两物体的质量分别为 m_1、m_2,二者间用一绳子连接,此绳跨过一滑轮,滑轮半径为 r。如在开始时,两物体的高度差为 h,而且 $m_1 > m_2$,不计滑轮质量。求由静止释放后,两物体达到相同高度所需的时间。

9 -4　半径为 R 的偏心轮绕轴 O 以匀角速度 ω 转动,推动导板沿铅直轨道运动,如图 9 -7 所示。导板顶部放有一质量为 m 的物块 A,设偏心距 $OC = e$,开始时 OC 沿水平线。求物块 A 对导板的最大压力和使物块 A 不离开导板的最大角速度。

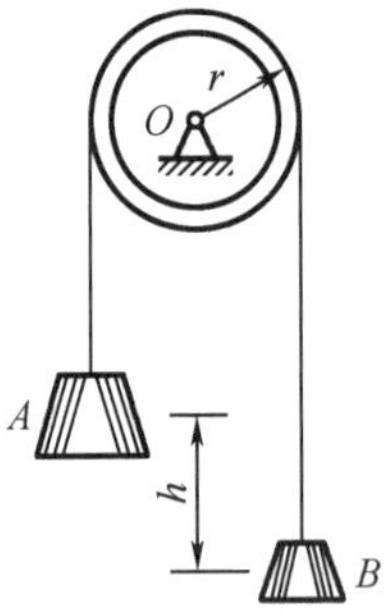

图 9 -6　习题 9 -3 图

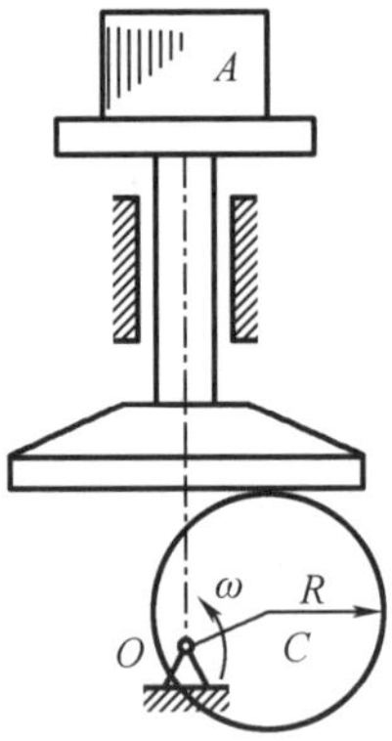

图 9 -7　习题 9 -4 图

9 -5　在如图 9 -8 所示的离心浇注装置中,电动机带动支撑轮 A、B 做同向转动,管模放在两轮上靠摩擦传动而旋转。使铁水浇入后均匀地紧贴管模的内壁而自动成型,从而得到质量密实的管形铸件。已知管模内径 D = 400 mm,求管模的最低转速 n。

9 -6　物体由高度 h 处以速度 v_0 水平抛出,如图 9 -9 所示。空气阻力可视为与速度的一次方成正比,即 $F = -kmv$,其中 m 为物体的质量,v 为物体的速度,k 为常系数。求物体的运动方程和轨迹。

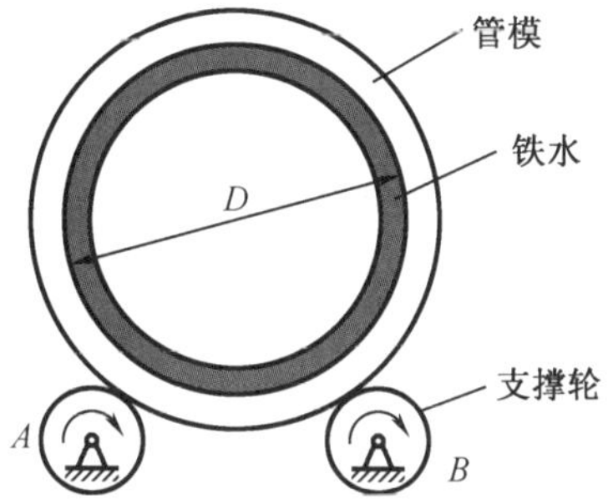

图 9-8　习题 9-5 图

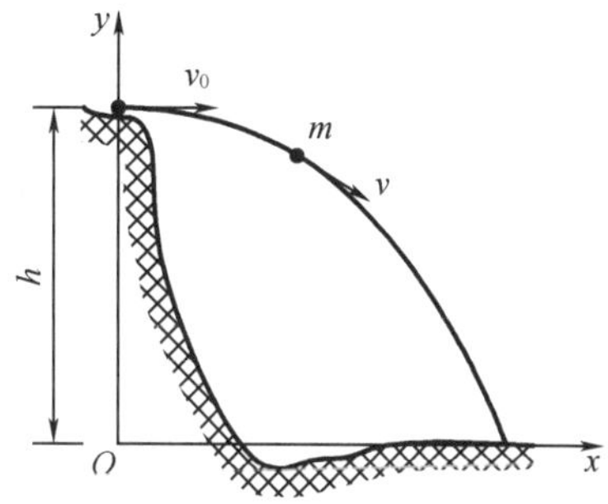

图 9-9　习题 9-6 图

9-7　如图 9-10 所示，为了使列车对铁轨的压力垂直于路基，在铁道弯道部分，外轨要比内轨稍高。轨道的曲率半径为 r，列车的速度为 v，内、外道间的距离 $b=1.6$ m。求外轨高于内轨的高度 h。

9-8　如图 9-11 所示，在曲柄滑道机构中，活塞和活塞杆质量共 50 kg，曲柄 OA 长 0.3 m，绕 O 轴做匀速转动，转速 $n=120$ r/min。求当曲柄 OA 在 $\varphi=0°$ 和 $\varphi=90°$ 时，作用在构件 BDC 上总的水平力。

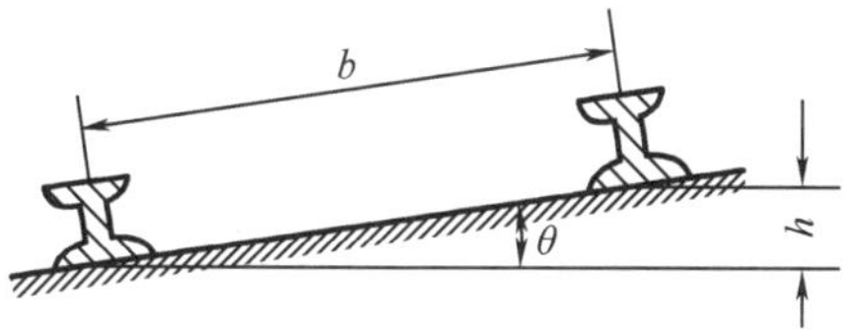

图 9-10　习题 9-7 图

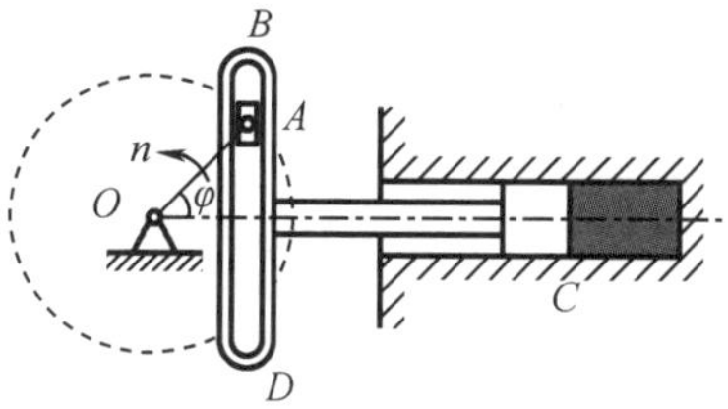

图 9-11　习题 9-8 图

9-9　如图 9-12 所示，振动式筛砂机使砂粒随筛框在铅直方向做简谐振动。若振幅 $A=25$ mm，求频率 f 至少为多少时，砂粒才能与筛面分离而向上抛起。

9-10　如图 9-13 所示，质量为 m 的球 M 由两根各长 l 的杆所支持，此机构以不变的角速度 ω 绕铅直轴 AB 转动，$AB=2a$，两杆的各端均为铰接，杆重忽略不计，求杆的内力。

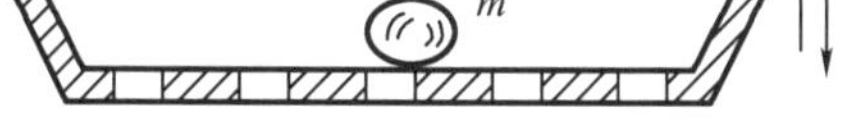

图 9-12　习题 9-9 图

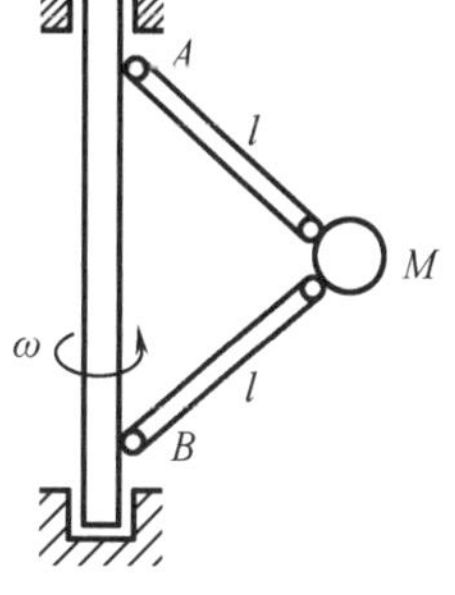

图 9-13　习题 9-10 图

9-11　如图 9-14 所示，套管 A 的质量为 m，受绳子牵引沿铅直杆向上滑动。绳子的另一端绕过与杆距离为 l 的滑轮 B 而缠在鼓轮上。当鼓轮转动时，绳子的速度保持为匀速 v。求绳子拉力与距离 x 之间的关系。

9－12　如图 9－15 所示，销钉 M 的质量为 0.2 kg，由水平槽杆带动，使其在半径为 $r=200$ mm 的固定半圆槽内运动。设水平槽杆以匀速 $v=400$ mm/s 向上运动，不计摩擦。求在如图 9－15 所示位置时半圆槽对销钉 M 的作用力。

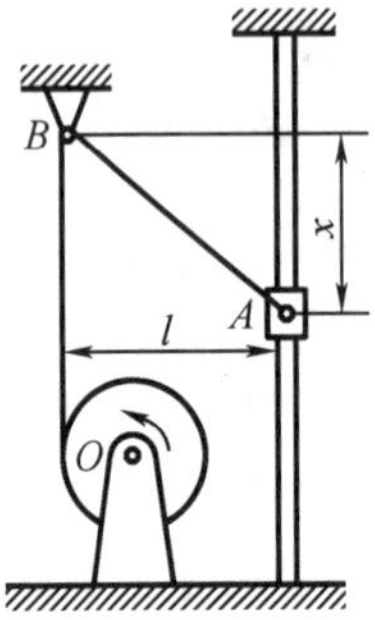

图 9－14　习题 9－11 图

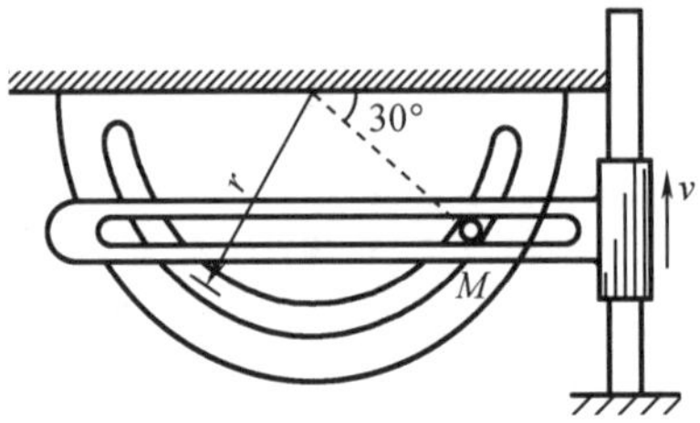

图 9－15　习题 9－12 图

9－13　如图 9－16 所示，质点的质量为 m，受指向原点 O 的力 $F=kr$ 作用，即力的大小与质点到点 O 的距离成正比。初瞬时质点的坐标为 $x=x_0$，$y=0$，速度的分量为 $v_x=0$，$v_y=v_0$，求质点的轨迹。

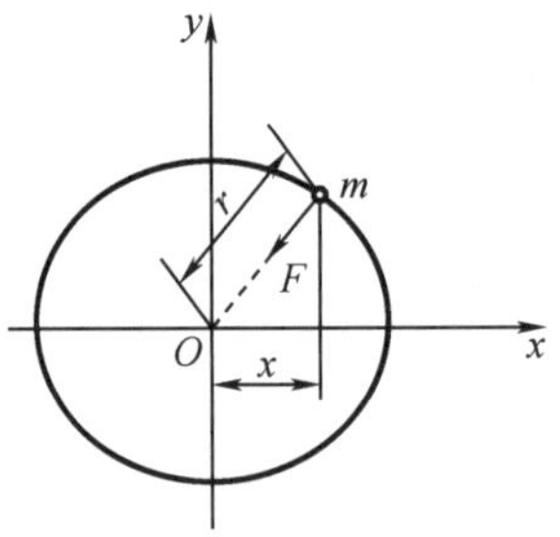

图 9－16　习题 9－13 图

第10章 动量定理

由于质点系是由质点组成的，所以对于质点系的动力学问题，可以逐个质点列出其运动微分方程，但联立求解很复杂。为了解决质点系的动力学问题，很多人从不同角度对此做了研究，并总结归纳为动力学三大定理，即动量定理、动量矩定理和动能定理。这三大定理分别从不同的侧面揭示了质点和质点系总体的运动变化与其受力之间的关系，可用以求解质点系动力学问题。动量定理、动量矩定理和动能定理也被统称为动力学普遍定理。本章先介绍动量定理。

10.1 动量与冲量

1. 动量

质点机械运动的强弱与质点的质量和速度有关，为此我们把二者的乘积称为质点的动量，记为 $\boldsymbol{p}=m\boldsymbol{v}$。例如，子弹质量小，但速度大，击中目标时，产生很大的冲击力；轮船靠岸时，速度小，但质量大，操纵稍有疏忽，足以将船撞坏。质点的动量是矢量，其方向与质点的速度方向一致。在国际单位制中，动量的单位为 $\mathrm{kg\cdot m\cdot s^{-1}}$。

质点系的动量等于质点系内各质点动量的矢量和，即

$$\boldsymbol{p}=\sum m_i\boldsymbol{v}_i \tag{10-1}$$

式中，m_i 为第 i 个质点的质量，$\boldsymbol{v}_i$ 为第 i 个质点的速度。

下面推导一种求质点系动量的简单算法。

如质点系中第 i 个质点的矢径为 $\boldsymbol{r}_i$，则其速度为 $\boldsymbol{v}_i=\dfrac{\mathrm{d}\boldsymbol{r}_i}{\mathrm{d}t}$，代入式(10-1)，则有

$$\boldsymbol{p}=\sum m_i\boldsymbol{v}_i=\sum m_i\frac{\mathrm{d}\boldsymbol{r}_i}{\mathrm{d}t}=\frac{\mathrm{d}}{\mathrm{d}t}\sum m_i\boldsymbol{r}_i$$

令质点系的总质量 $m=\sum m_i$，质点系质心 C 的矢径为

$$\boldsymbol{r}_C=\frac{\sum m_i\boldsymbol{r}_i}{m} \tag{10-2}$$

代入前式，得

$$\boldsymbol{p}=\frac{\mathrm{d}}{\mathrm{d}t}\sum m_i\boldsymbol{r}_i=\frac{\mathrm{d}}{\mathrm{d}t}(m\boldsymbol{r}_C)=m\boldsymbol{v}_C \tag{10-3}$$

式中，$\boldsymbol{v}_C=\dfrac{\mathrm{d}\boldsymbol{r}_C}{\mathrm{d}t}$为质点系质心 C 的速度。式(10-3)表明，质点系的动量等于其全部质量与质心速度的乘积。对于质量分布均匀的规则刚体，质心也是几何中心，用式(10-3)计算刚体的动量是非常方便的。

例如，如图 10-1(a)所示的绕中心转动的均质圆盘，由于其质心不动，无论有多大的角

速度和质量,其动量总是零;如图 10-1(b)所示的均质轮,质量为 m,轮心速度为 v_C,则其动量为 mv_C;如图 10-1(c)所示的均质细杆,质量为 m、长为 l,在平面内绕 O 点以角速度 ω 转动,则其动量大小为 $p=mv_C=\frac{1}{2}ml\omega$,方向与质心速度方向相同。

计算如图 10-1(d)所示系统的动量,设大三角块的质量为 m_1,速度为 v_1,小三角块的质量为 m_2,速度为 v_2,则系统的动量为 $\boldsymbol{p}=m_1\boldsymbol{v}_1+m_2(\boldsymbol{v}_1+\boldsymbol{v}_2)$,其中 $\boldsymbol{v}_1$ 是牵连速度,$\boldsymbol{v}_2$ 是相对速度。还可以写成投影形式 $p_x=-m_1v_1+m_2(-v_1+v_2\cos\theta)$,$p_y=-m_2v_2\sin\theta$,而若按 $\boldsymbol{p}=m_1\boldsymbol{v}_1+m_2\boldsymbol{v}_2$ 计算是错误的。

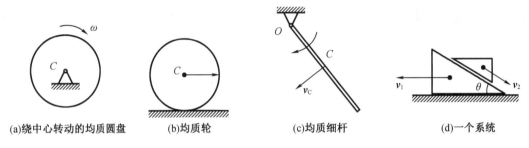

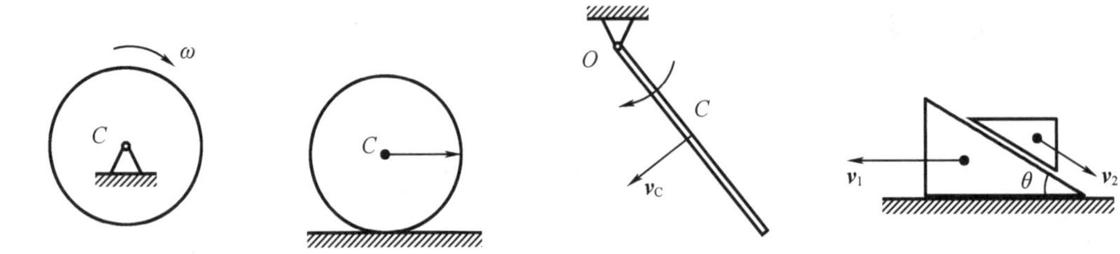

(a)绕中心转动的均质圆盘 (b)均质轮 (c)均质细杆 (d)一个系统

图 10-1 不同构件的动量

2. 冲量

物体在力的作用下引起的运动变化,不仅与力的大小和方向有关,还与力作用时间的长短有关。例如当人的推力足够大时,推动车厢沿铁轨运动,经过一段时间,可使车厢得到一定的速度;如改用机车牵引车厢,则只需很短的时间便能达到同样的速度。如果力 $\boldsymbol{F}$ 是常量,力在这段时间 t 内的累积效应用力与作用时间的乘积来衡量,这一结果称为常力的冲量,即

$$\boldsymbol{I}=\boldsymbol{F}t \tag{10-4}$$

如果力 $\boldsymbol{F}$ 是变量,在微小时间间隔 $\mathrm{d}t$ 内,力 $\boldsymbol{F}$ 的冲量称为元冲量,即

$$\mathrm{d}\boldsymbol{I}=\boldsymbol{F}\mathrm{d}t$$

而力 $\boldsymbol{F}$ 在作用时间 t 内的冲量是矢量积分

$$\boldsymbol{I}=\int_0^t\boldsymbol{F}\mathrm{d}t \tag{10-5}$$

冲量是矢量,方向与力的方向一致。在国际单位制中,冲量的单位是 N·s。

10.2 动量定理基本概念

1. 质点的动量定理

设质点的质量为 m,速度为 v,有作用于质点的力 $\boldsymbol{F}$,由式(9-1)有

$$m\boldsymbol{a}=m\frac{\mathrm{d}\boldsymbol{v}}{\mathrm{d}t}=\boldsymbol{F}$$

即

$$\frac{\mathrm{d}}{\mathrm{d}t}(m\boldsymbol{v})=\boldsymbol{F} \tag{10-6}$$

式(10-6)为导数形式的质点动量定理,即质点的动量对时间的一阶导数等于作用于质点上的力。

式(10-6)也可写为

$$\mathrm{d}(m\boldsymbol{v})=\boldsymbol{F}\mathrm{d}t \tag{10-7}$$

式(10-7)为微分形式的质点动量定理,即质点动量的增量等于作用于质点上的力的元冲量。

对式(10-7)积分,如时间由0到t,速度由$\boldsymbol{v}_1$变为$\boldsymbol{v}_2$,得

$$m\boldsymbol{v}_2-m\boldsymbol{v}_1=\int_0^t\boldsymbol{F}\mathrm{d}t=\boldsymbol{I} \tag{10-8}$$

式(10-8)为积分形式的质点动量定理,即在某一时间间隔内,质点动量的改变等于作用于质点的力在同一时间内的冲量。

2. 质点系的动量定理

设质点系由n个质点组成,第i个质点的质量为m_i,速度为$\boldsymbol{v}_i$。外界物体对该质点的作用力为$\boldsymbol{F}_i^{(\mathrm{e})}$,称为外力,质点系内其他质点对该质点的作用力为$\boldsymbol{F}_i^{(\mathrm{i})}$,称为内力。根据质点的动量定理有

$$\frac{\mathrm{d}}{\mathrm{d}t}(m_i\boldsymbol{v}_i)=\boldsymbol{F}_i^{(\mathrm{e})}+\boldsymbol{F}_i^{(\mathrm{i})}\quad(i=1,2,\cdots,n)$$

将n个方程相加得

$$\sum\frac{\mathrm{d}}{\mathrm{d}t}(m_i\boldsymbol{v}_i)=\sum\boldsymbol{F}_i^{(\mathrm{e})}+\sum\boldsymbol{F}_i^{(\mathrm{i})}$$

由于质点系的内力总是大小相等、方向相反地成对出现,因此内力的矢量和等于零,即

$$\sum\boldsymbol{F}_i^{(\mathrm{i})}\mathrm{d}t=0$$

且$\sum\frac{\mathrm{d}}{\mathrm{d}t}(m_i\boldsymbol{v}_i)=\frac{\mathrm{d}}{\mathrm{d}t}\sum(m_i\boldsymbol{v}_i)=\frac{\mathrm{d}\boldsymbol{p}}{\mathrm{d}t}$,于是得质点系动量定理的导数形式

$$\frac{\mathrm{d}\boldsymbol{p}}{\mathrm{d}t}=\sum\boldsymbol{F}_i^{(\mathrm{e})} \tag{10-9}$$

即质点系的动量对时间的一阶导数等于作用于质点系的外力的矢量和。

式(10-9)也可写为

$$\mathrm{d}\boldsymbol{p}=\sum\boldsymbol{F}_i^{(\mathrm{e})}\mathrm{d}t \tag{10-10}$$

式(10-10)为质点系动量定理的微分形式,即质点系的动量的增量等于作用于质点系的外力的元冲量的矢量和。

对式(10-10)积分,如时间由0到t,动量由$\boldsymbol{p}_1$变为$\boldsymbol{p}_2$,得

$$\boldsymbol{p}_2-\boldsymbol{p}_1=\boldsymbol{I} \tag{10-11}$$

式(10-11)为质点系动量定理的积分形式,即在某一时间间隔内,质点系动量的改变量等于作用于质点系外力在同一时间内冲量的矢量和。

由质点系动量定理可见,质点系的内力不能改变质点系的动量。

动量定理的三种形式均为矢量式，在应用中一般采取其投影形式，如式(10－9)在直角坐标系下的投影式为

$$\begin{cases}\dfrac{\mathrm{d}p_x}{\mathrm{d}t}=\sum F_x^{(\mathrm{e})}\\\dfrac{\mathrm{d}p_y}{\mathrm{d}t}=\sum F_y^{(\mathrm{e})}\\\dfrac{\mathrm{d}p_z}{\mathrm{d}t}=\sum F_z^{(\mathrm{e})}\end{cases}\tag{10-12}$$

例题 10－1 如图 10－2 所示，电动机的外壳固定在水平基础上，定子和外壳的质量为 m_1，转子的质量为 m_2，设定子的质心位于转轴的中心 O_1，但由于制造误差，转子的质心 O_2 到 O_1 的距离为 e。已知转子以角速度 ω 匀速转动，求基础的水平及铅直约束力。

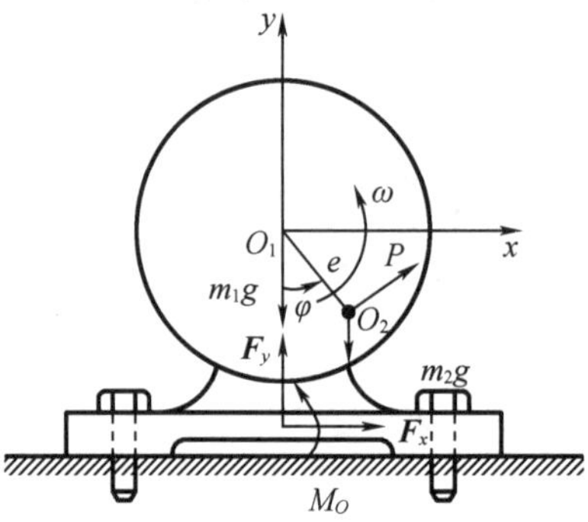

图 10－2 例题 10－1 图

解 取电动机外壳与转子组成质点系，受力分析如图 10－2 所示。质点系的动量大小为

$$p=m_2\omega e$$

其投影式为

$$p_x=m_2\omega e\cos\omega t$$

$$p_y=m^2\omega e\sin\omega t$$

由式(10－12)得

$$\frac{\mathrm{d}p_x}{\mathrm{d}t}=\frac{\mathrm{d}}{\mathrm{d}t}(m_2\omega e\cos\omega t)=Fx$$

$$\frac{\mathrm{d}p_y}{\mathrm{d}t}=\frac{\mathrm{d}}{\mathrm{d}t}(m_2\omega e\sin\omega t)=F_y-m_1g-m_2g$$

解得

$$F_x=-m_2e\omega^2\sin\omega t$$

$$F_y=(m_1+m_2)g+m_2e\omega^2\cos\omega t$$

电动机不转时，基础只有向上的约束力 $(m_1+m_2)g$，是系统平衡时产生的静约束力；电动机转动时的基础约束力为动约束力。静约束力与动约束力的差值是由于系统运动而产生的，可称为附加动约束力。此例中，用螺栓把电动机固定以后相当于固定端约束，其中力偶

M_O,可用下一章介绍的动量矩定理进行求解。

3. 质点系动量守恒定律

如果作用于质点系的外力的主矢恒等于零,根据式(10－9)、式(10－10)或式(10－11),有

$$\boldsymbol{p}_2 = \boldsymbol{p}_1 = \text{恒矢量}$$

即质点系的动量保持不变。

如果作用于质点系的外力的主矢在某一坐标轴上的投影恒等于零,如 $\sum F_x^{(e)} = 0$,则根据式(10－12),有

$$p_{2x} = p_{1x} = \text{恒量}$$

即质点系的动量在 x 轴上的投影保持不变。以上结论称为质点系动量守恒定律。

应注意,内力虽不能改变质点系的动量,但可以改变质点系中各质点的动量。

例题 10－2　如图 10－3 所示,物块 A 质量为 m_A,可沿光滑水平面自由滑动;小球 B 的质量为 m_B,以细杆与物块 A 铰接,设杆长为 l,质量不计。初始时系统静止,有初始摆角 φ_0;释放后,细杆近似以 $\varphi = \varphi_0 \cos \omega t$ 规律摆动(ω 为已知常数),求物块 A 的最大速度。

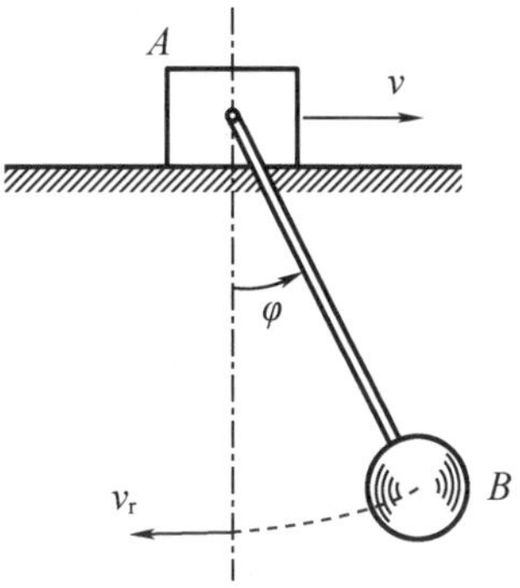

图 10－3　例题 10－2 图

解　选整体为研究对象,系统水平方向不受外力作用,则沿水平方向动量守恒。

细杆角速度为 $\dot{\varphi} = -\omega\varphi_0 \sin \omega t$,当 $\sin \omega t = 1$ 时,其绝对值最大,此时 $\cos \omega t = 0$,即 $\varphi = 0$。此时小球 B 相对于物块 A 有最大的水平速度,其值为

$$v_r = l\,\dot{\varphi}_{\max} = l\omega\varphi_0$$

当速度 v_r 向左时,物块 A 应有向右的绝对速度,设为 v,而小球 B 向左的绝对速度值为 $v_a = v_r - v$。根据动量守恒条件,有

$$m_A v - m_B(v_r - v) = 0$$

解出物块 A 的最大速度为

$$v = \frac{m_B v_r}{m_A + m_B} = \frac{m_B l\omega\varphi_0}{m_A + m_B}$$

当 $\sin \omega = -1$ 时,也有 $\varphi = 0$,此时物块 A 有向左的最大速度$\dfrac{m_B l\omega\varphi_0}{m_A + m_B}$。

10.3 质心运动定理

1.质心

质点系在力的作用下,其运动状态的改变与质点系的质量分布状况有关。质心的概念及质心的运动在质点系动力学中具有重要地位。式(10-2)所定义的质心位置反映了质点系质量分布的一种特征。实际计算时,常用式(10-2)在直角坐标系下的投影形式,即

$$\begin{cases} x_C = \dfrac{\sum m_i x_i}{\sum m_i} = \dfrac{\sum m_i x_i}{m} \\ y_C = \dfrac{\sum m_i y_i}{\sum m_i} = \dfrac{\sum m_i y_i}{m} \\ z_C = \dfrac{\sum m_i z_i}{\sum m_i} = \dfrac{\sum m_i z_i}{m} \end{cases} \tag{10-13}$$

例题 10-3 如图 10-4 所示的曲柄滑块机构,曲柄 OA 以匀角速度 ω 转动,滑块 B 水平滑动。若 $OA=AB=l$,OA 及 AB 均为均质杆,质量均为 m_1,滑块 B 的质量为 m_2。求系统的质心运动方程、轨迹及动量。

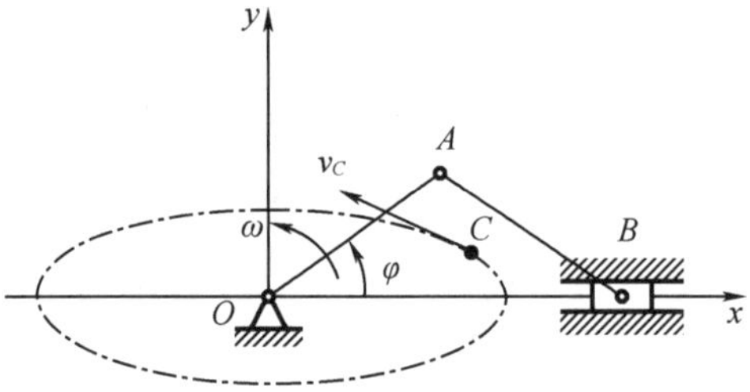

图 10-4 例题 10-3 图

解 设 $t=0$ 时曲柄 OA 水平,则有 $\varphi=\omega t$。由式(10-13)知质心 C 的坐标为

$$\begin{cases} x_C = \dfrac{m_1 \dfrac{l}{2} + m_1 \dfrac{3l}{2} + 2m_2 l}{2m_1 + m_2} \cos \omega t = \dfrac{2(m_1+m_2)}{2m_1+m_2} l\cos \omega t \\ y_C = \dfrac{2m_1 \dfrac{l}{2}}{2m_1+m_2} \sin \omega t = \dfrac{m_1}{2m_1+m_2} l\sin \omega t \end{cases} \tag{1}$$

式(1)即为质心 C 的运动方程消去 t 得

$$\left[\frac{x_C}{\dfrac{2(m_1+m_2)l}{2m_1+m_2}}\right]^2 + \left[\frac{y_C}{\dfrac{m_1 l}{2m_1+m_2}}\right]^2 = 1 \tag{2}$$

即质心 C 的运动轨迹为椭圆。

由式(10-3),沿 x,y 轴的投影 $p_x = mv_{Cx}$,$p_y = mv_{Cy}$,且 $m = \sum m_i = 2m_1 + m_2$,代入式(1)得

$$v_{Cx}=\dot{x}_C=\frac{-2(m_1+m_2)}{2m_1+m_2}l\omega\sin\omega t$$

$$v_{Cy}=\dot{y}_C=\frac{m_1}{2m_1+m_2}l\omega\cos\omega t$$

则系统动量沿 x、y 轴的投影为

$$p_x=-2(m_1+m_2)l\omega\sin\omega t$$

$$p_y=m_1l\omega\cos\omega t$$

系统的动量大小为

$$p=\sqrt{p_x^2+p_y^2}=l\omega\sqrt{4(m_1+m_2)^2\sin^2\omega t+m_1^2\cos^2\omega t}$$

动量的方向沿质心轨迹的切线方向。

2. 质心运动定理基本概念

由于质点系的动量等于质点系的质量与质心速度的乘积，即 $\boldsymbol{p}=m\boldsymbol{v}_C$，因此对于质量不变的质点系，动量定理的微分形式可写为

$$\frac{\mathrm{d}\boldsymbol{p}}{\mathrm{d}t}=\frac{\mathrm{d}}{\mathrm{d}t}(m\boldsymbol{v}_C)=m\frac{\mathrm{d}\boldsymbol{v}_C}{\mathrm{d}t}=\sum\boldsymbol{F}_i^{(e)}$$

或

$$m\boldsymbol{a}_C=\sum\boldsymbol{F}_i^{(e)}\tag{10-14}$$

式中，$\boldsymbol{a}_C$ 为质心的加速度。这个结论称为质心运动定理，即质点系的质量与质心加速度的乘积等于作用于质点系外力的矢量和。

式(10－14)在形式上与质点动力学基本方程 $m\boldsymbol{a}=\sum\boldsymbol{F}_i$ 相似，因此质心运动定理也可描述如下：质点系质心的运动，可以看成一个集中了整个质点系的质量及其所受外力的质点的运动。

质心运动定理在直角坐标系下的投影形式为

$$\begin{cases}ma_{Cx}=\sum F_x^{(e)}\\ma_{Cy}=\sum F_y^{(e)}\\ma_{Cz}=\sum F_z^{(e)}\end{cases}\tag{10-15}$$

由质心运动定理可知，质点系的内力不影响质心的运动，只有外力才能改变质心的运动。例如，在汽车发动机中，气体的压力是内力，虽然这个力是汽车行驶的原动力，但它不能使汽车的质心运动。汽车质心的运动是这种气体压力推动气缸内的活塞，经过一套机构转动主动轮（图 10－5 中的后轮），若车轮与地面接触面足够粗糙，则靠轮与地面的摩擦力 $\boldsymbol{F}_A$ 推动汽车前进。

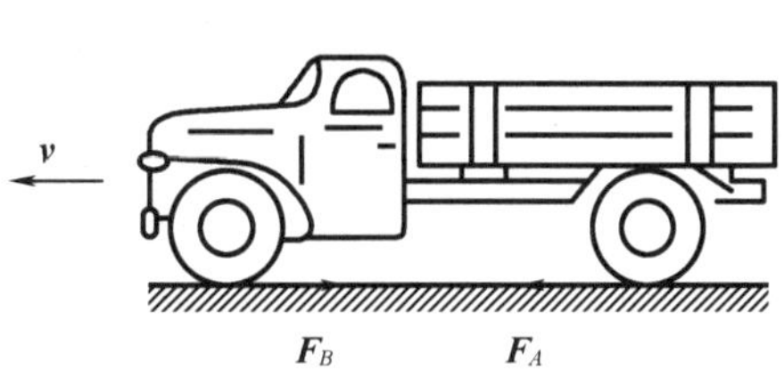

图 10－5　汽车质心的运动

下面举例说明质心运动定理的应用。

例题 10－4 如图 10－6 所示机构中，均质曲柄 AB 长为 r，质量为 m_1，以匀角速度 ω 转动，并带动总质量为 m_2、质心在点 C 的滑槽、连杆、活塞。在活塞上作用一恒力 $\boldsymbol{F}$。不计摩擦及滑块 B 的质量，求作用在 A 处的最大水平约束力 F_{Ax} 和最大铅直约束力 F_{Ay}。

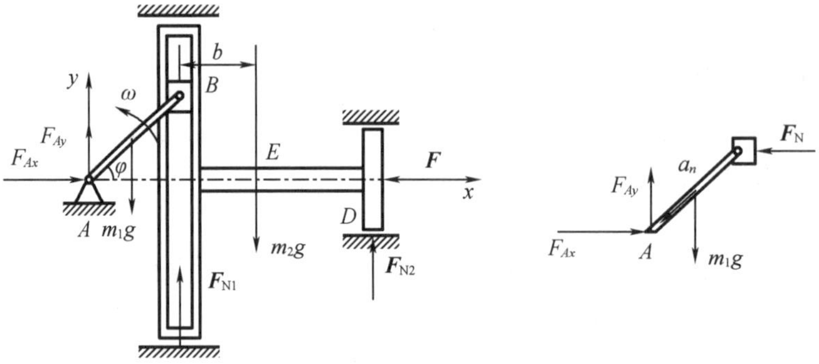

图 10－6 例题 10－4 图

解 选整体为研究对象，受力分析如图 10－6(a)所示。先计算质心沿 x 方向的坐标

$$x_C=\frac{m_1\dfrac{r}{2}\cos\varphi+m_2(r\cos\varphi+b)}{m_1+m_2}$$

对时间求二阶导数得

$$a_{Cx}=\frac{\mathrm{d}^2x_C}{\mathrm{d}t^2}=\frac{-r\omega^2}{m_1+m_2}\left(\frac{m_1}{2}+m_2\right)\cos\omega t$$

由式(10－15)得

$$(m_1+m_2)a_{Cx}=F_{Ax}-F$$

解得

$$F_{Ax}=F-r\omega^2\left(\frac{m_1}{2}+m_2\right)\cos\omega t$$

最大水平约束力为

$$F_{Ax\max}=F+r\omega^2\left(\frac{m_1}{2}+m_2\right)$$

为求作用在 A 处的最大铅直约束力，取曲柄 AB 为研究对象，受力分析如图 10－6(b)所示。由 y 轴方向的质心运动定理得

$$m_1(-a_n\sin\omega t)=F_{Ay}-m_1g$$

式中，曲柄 AB 质心的加速度 $a_n=\dfrac{r}{2}\omega^2$。解得

$$F_{Ay}=m_1g-\frac{1}{2}m_1r\omega^2\sin\omega t$$

最大铅直约束力为

$$F_{Ay}=m_1g+\frac{1}{2}m_1r\omega^2$$

3. 质心运动守恒定律

由质心运动定理可知：如果作用于质点系的外力主矢恒等于零，则质心加速度 $\boldsymbol{a}_C=0$，质心做匀速直线运动；若开始静止，则质心位置始终保持不变。如果作用于质点系的外力在某轴上投影的代数和恒等于零，则质心在该轴上的速度投影保持不变；若开始时速度投影等于零，则质心沿该轴的坐标保持不变。以上结论称为质心运动守恒定律。

例题 10－5　如图 10－7 所示，若例题 10－1 中的电动机没用螺栓固定，忽略各处摩擦，初始时电动机静止，求转子以匀角速度 ω 转动时电动机外壳沿水平方向的运动。

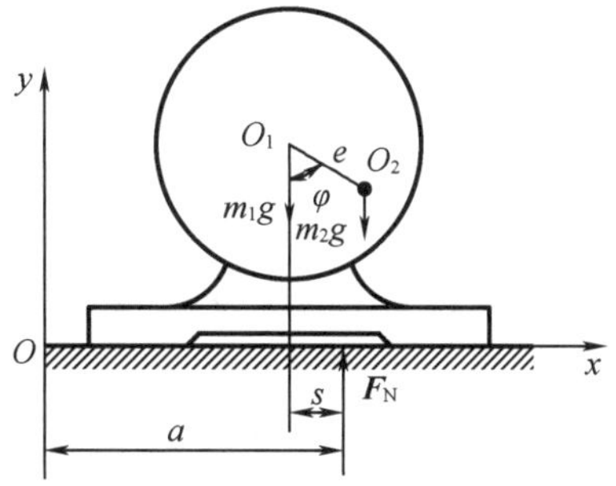

图 10－7　例题 10－5 图

解　电动机在水平方向没有受到外力，且初始为静止，因此系统在水平方向质心守恒，所以质心坐标 x_C 保持不变，有 $x_{C1}=x_{C2}$。建立坐标系如图 10－7 所示。转子静止时转子的质心 Q_2 在最低点，设 $x_{C1}=a$。当转子转过角度 φ 时，定子应向左移动，设移动距离为 s，则质心坐标为

$$x_{C2}=\frac{m_1(a-s)+m_2(a+e\sin\varphi-s)}{m_1+m_2}$$

解得

$$s=\frac{m_2}{m_1+m_2}e\sin\varphi$$

可看出电机在水平面上做往复（简谐）运动。

习　　题

10－1　求如图 10－8 所示各均质物体的动量。设各物体质量均为 m。

10－2　两物块 A 和 B，质量分别为 m_1 和 m_2，初始静止。如物块 A 沿斜面下滑的相对速度为 v_r，如图 10－9 所示。设物块 B 向左的速度为 v，根据动量守恒定律，有 $m_1v_r\cos\theta=m_2v$，对吗？

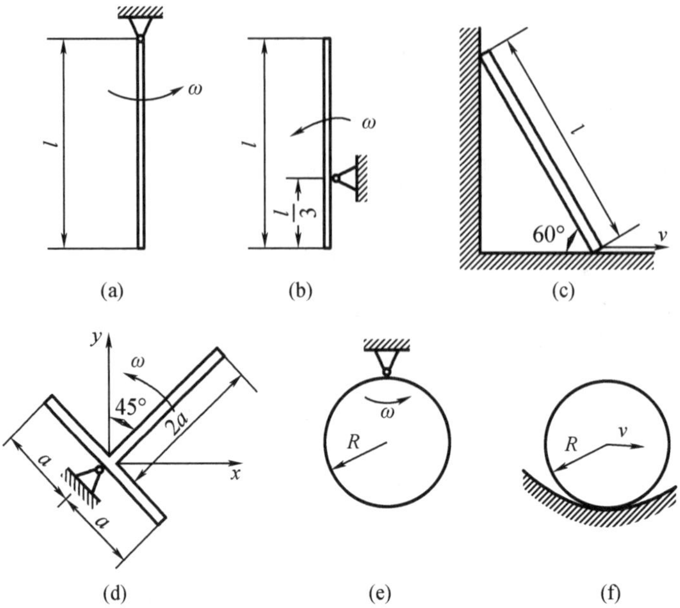

图 10-8 习题 10-1 图

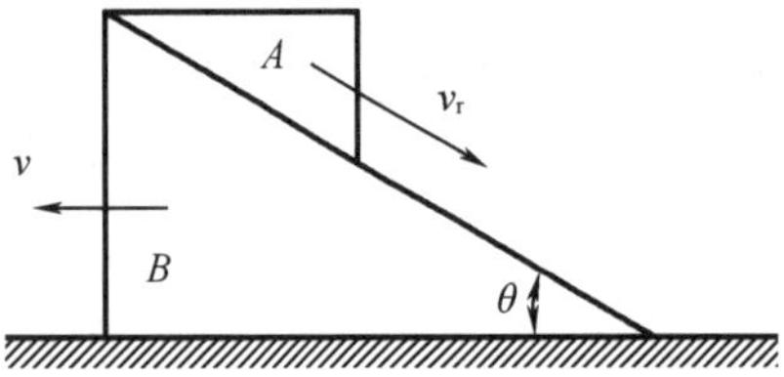

图 10-9 习题 10-2 图

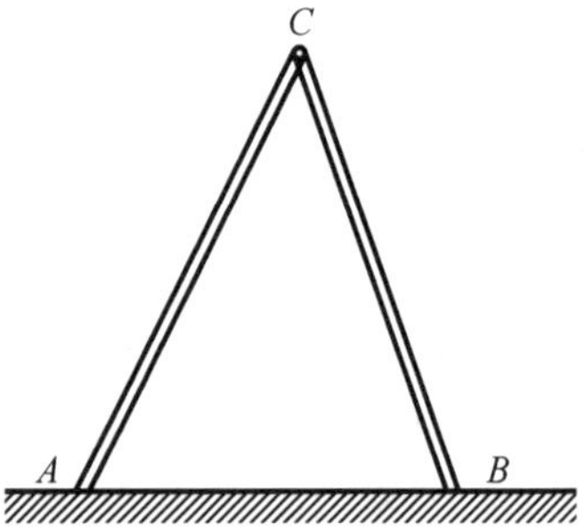

图 10-10 习题 10-3 图

10-3 两均质直杆 AC 和 CB，长度相同，质量分别为 m_1 和 m_2。两直杆在点 C 处由铰链连接，初始时维持在铅直面内不动，如图 10-10 所示。设地面绝对光滑，两杆被释放后将分开倒向地面。m_1 和 m_2 相等和不相等时，C 点的运动轨迹是否相同？

10-4 如图 10-11 所示，质量为 m 的滑块 A 可以在水平光滑槽中运动，刚度系数为 k 的弹簧一端与滑块 A 相连接，另一端固定。杆 AB 长度为 l，质量忽略不计，A 端与滑块 A 铰接，B 端装有质量为 m_1 的小球，在铅直平面内可绕点 A 旋转。设在力偶 M 作用下转动角速度 ω 为常数。求滑块 A 的运动微分方程。

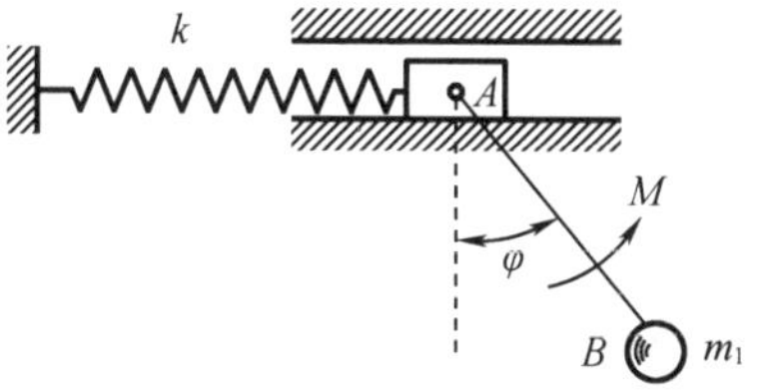

图10-11 习题10-4图

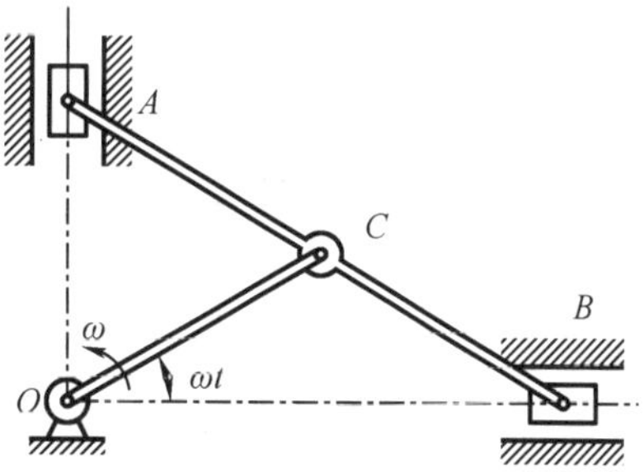

图10-12 习题10-5图

10-5 如图10-12所示,椭圆规尺 AB 质量为 $2m_1$,曲柄 OC 质量为 m_1,而滑块 A 和 B 的质量均为 m_2。已知 $OC=AC=CB=l$,曲柄 OC 和椭圆规尺 AB 的质心分别在其中点,曲柄 OC 绕 O 轴转动的角速度 ω 为常量。当开始时,曲柄水平向右,求此时质点系的动量。

10-6 在如图10-13所示的曲柄滑杆机构中,曲柄 OA 以等角速度 ω 绕 O 轴转动。开始时,曲柄 OA 水平向右。已知曲柄 OA 的质量为 m_1,滑块 A 的质量为 m_2,滑杆的质量为 m_3,曲柄 OA 的质心在其中点,$OA=l$,滑杆的质心在 C 点。求此机构质量中心的运动方程和作用在 O 轴上的最大水平约束力。

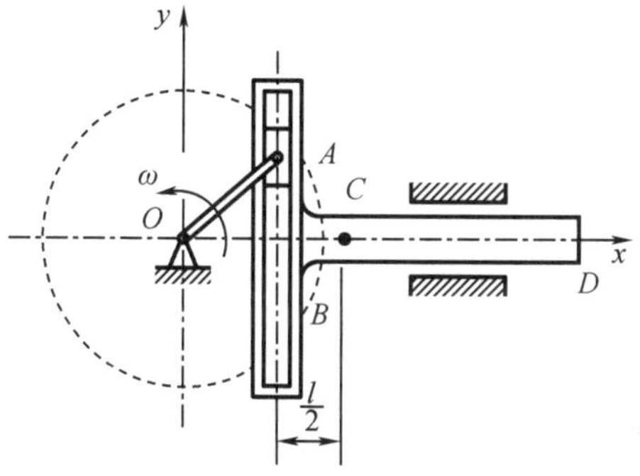

图10-13 习题10-6图

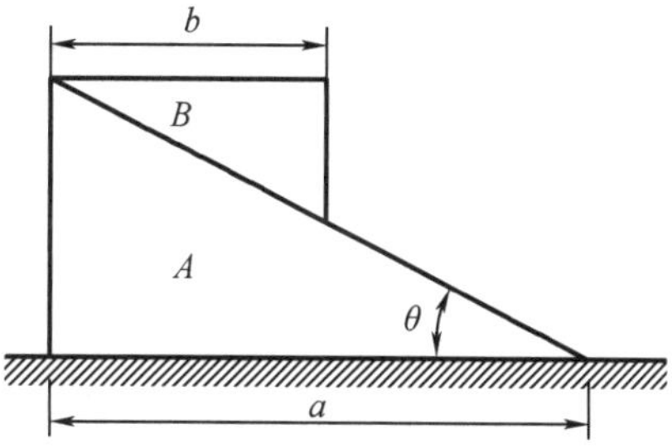

图10-14 习题10-7图

10-7 如图10-14所示,水平面上放一均质三棱柱 A,在其斜面上又放一均质三棱柱 B,两三棱柱的横截面均为直角三角形。三棱柱 A 的质量 m_A 为三棱柱 B 质量 m_B 的3倍,其尺寸如图10-14所示。设各处摩擦不计,初始时系统静止。求当三棱柱 B 沿三棱柱 A 滑下接触到水平面时,三棱柱 A 移动的距离。

10-8 如图10-15所示,坦克的履带质量为 m_1,把两个车轮看作均质轮,其质量均为 m_2,半径为 R,坦克前进的速度(轮心的速度)为 v,求系统的动量。

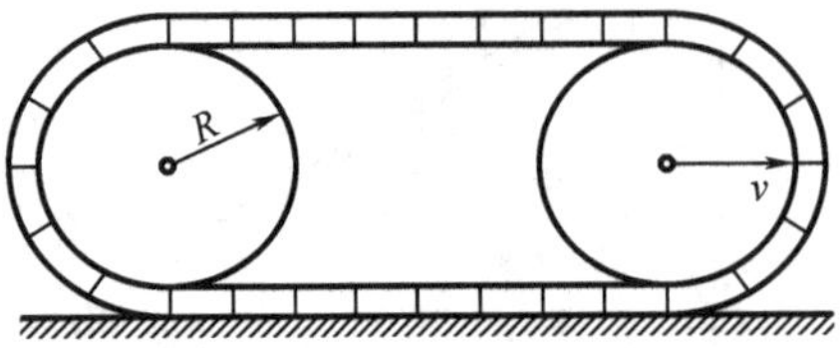

图 10-15 习题 10-8 图

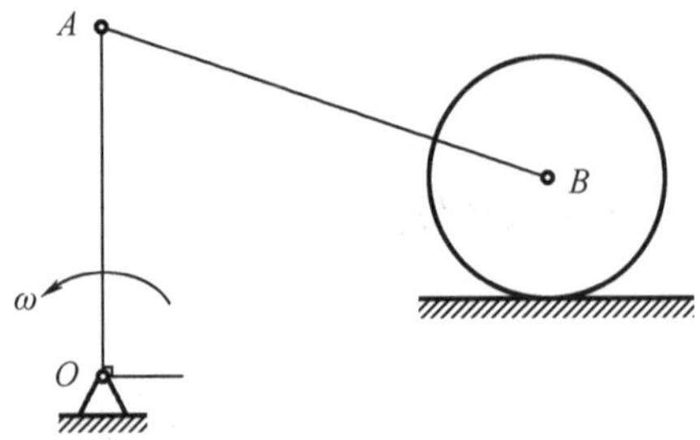

图 10-16 习题 10-9 图

10-9 如图 10-16 所示系统中，均质杆 OA、AB 和均质轮的质量均为 m，杆 OA 的长度为 l_1，杆 AB 的长度为 l_2，轮的半径为 R，在图示瞬时，OA 杆的角速度为 ω。求系统此时的动量。

10-10 如图 10-17 所示机构中，鼓轮 A 的质量为 m_1，转轴 O 为其质心。重物 B 的质量为 m_2，重物 C 的质量为 m_3。斜面光滑，倾角为 θ。重物 B 的加速度为 a，求转轴 O 处的约束力。

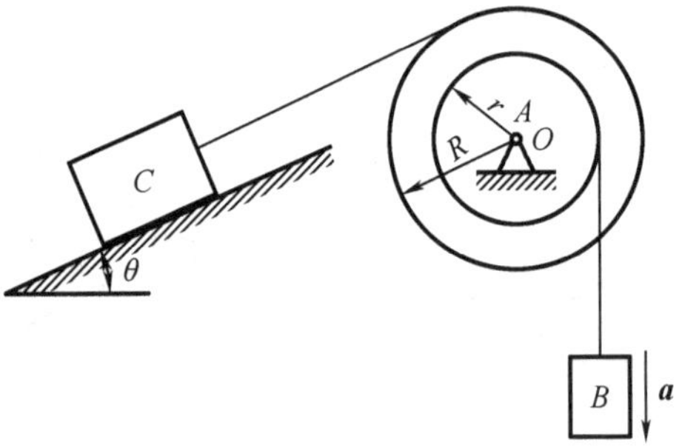

图 10-17 题 10-10 图

第 11 章　动量矩定理

第 10 章阐述的动量定理建立了作用力与动量变化之间的关系，揭示了质点系机械运动规律的一个侧面，而不是全貌。例如，如图 10－1(a) 所示的绕质心转动的均质圆盘，无论它怎样转动，其动量都是零，动量定理不能解释这种运动的规律。动量矩定理从另一个侧面揭示了质点系相对于某一定点(轴)的运动规律。本章将推导动量矩定理并阐明其应用。

11.1　质点和质点系的动量矩

1. 质点的动量矩

一个质点转动时的机械运动的强弱与其质量、速度和到一点的长度有关，因此引入动量矩的概念。如图 11－1 所示，设质点 Q 的质量为 m，速度为 v，质点 Q 相对点 O 的矢径为 r，则质点对点 O 的动量矩定义为

$$\boldsymbol{L}_O(m\boldsymbol{v}) = \boldsymbol{r} \times m\boldsymbol{v} \tag{11-1}$$

即质点的动量对点 O 的矩为质点对点 O 的动量矩。

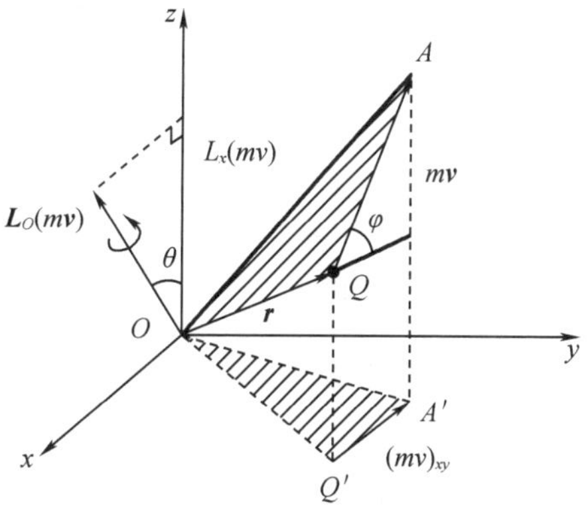

图 11－1　质点的动量矩

在静力学中，力可以对点取矩，也可以对轴取矩。同样，在动力学中，动量既可以对点取矩，又可以对轴取矩，且动量对点的矩与对轴的矩的关系为：动量对点的矩在过该点的轴上的投影等于动量对该轴的矩。即

$$[\boldsymbol{L}_O(m\boldsymbol{v})]_z = L_z(mv) \tag{11-2}$$

在国际单位制中动量矩的单位为 $kg \cdot m^2/s$。

2. 质点系的动量矩

质点系对点 O 的动量矩等于质点系内各质点对同一点 O 的动量矩的矢量和，即

$$\boldsymbol{L}_O = \sum \boldsymbol{L}_O(m_i\boldsymbol{v}_i) = \sum \boldsymbol{r}_i \times m_i\boldsymbol{v}_i \tag{11-3}$$

质点系对 z 轴的动量矩等于各质点对 z 轴的动量矩的代数和,即

$$L_z = \sum L_z(m_i v_i) \tag{11-4}$$

利用式(11-2),得

$$[\boldsymbol{L}_O]_z = L_z \tag{11-5}$$

即质点系对点 O 的动量矩矢在通过该点的 z 轴上的投影等于质点系对于该轴的动量矩。

刚体平移时,在各个瞬时各点的速度相等,即 $\boldsymbol{v}_i = \boldsymbol{v}_C$,则有

$$\boldsymbol{L}_O = \sum \boldsymbol{r}_i \times m_i \boldsymbol{v}_i = \sum \boldsymbol{r}_i \times m_i \boldsymbol{v}_C = (\sum m_i \boldsymbol{r}_i) \times \boldsymbol{v}_C$$

又知 $\sum m_i \boldsymbol{r}_i = m\boldsymbol{r}_C$,则上式简化为

$$L_O = m\boldsymbol{r}_C \times \boldsymbol{v}_C = \boldsymbol{r}_C \times m\boldsymbol{v}_C = \boldsymbol{r} \times \boldsymbol{p} \tag{11-6}$$

式(11-6)为刚体平移时的动量矩表达式,即刚体平移时,可将刚体的质量全部集中于质心,作为一个质点计算其动量矩。

刚体绕定轴转动的情况如图 11-2 所示,绕 z 轴转动的刚体,其对转轴的动量矩为

$$L_z = \sum L_z(m_i v_i) = \sum m_i v_i r_i = \sum m_i \omega r_i r_i = \omega \sum m_i r_i^2$$

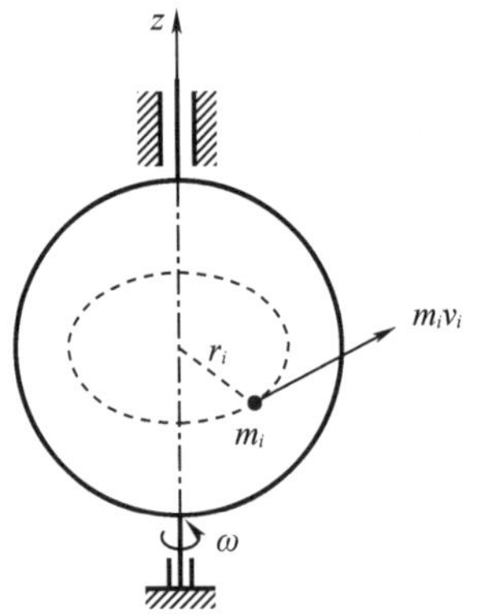

图 11-2　定轴转动的刚体对转轴的动量矩

令 $J_z = \sum m_i r_i^2$,称为刚体对 z 轴的转动惯量。于是得

$$L_z = J_z \omega \tag{11-7}$$

即绕定轴转动的刚体对其转轴的动量矩等于刚体对转轴的转动惯量与转动角速度的乘积。

11.2　动量矩定理基本概念

1. 质点的动量矩定理

如图 11-3 所示,设质点 Q 对定点 O 的动量矩为 $\boldsymbol{L}_O(m\boldsymbol{v})$,力 $\boldsymbol{F}$ 对点 O 的矩为 $\boldsymbol{M}_O(\boldsymbol{F})$。将动量矩对时间取一次导数,得

$$\frac{\mathrm{d}}{\mathrm{d}t}\boldsymbol{L}_O(m\boldsymbol{v}) = \frac{\mathrm{d}}{\mathrm{d}t}(\boldsymbol{r} \times m\boldsymbol{v}) = \frac{\mathrm{d}\boldsymbol{r}}{\mathrm{d}t} \times m\boldsymbol{v} + \boldsymbol{r} \times \frac{\mathrm{d}}{\mathrm{d}t}(m\boldsymbol{v})$$

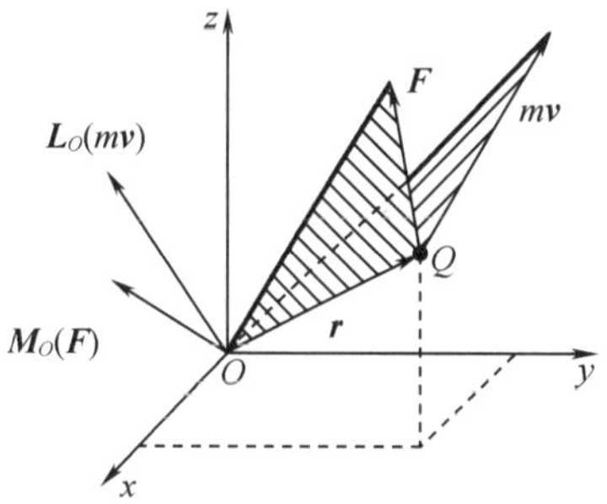

图 11-3　质点对定点的动量矩

根据质点动量定理$\frac{\mathrm{d}}{\mathrm{d}t}(m\boldsymbol{v})=\boldsymbol{F}$，且 O 为定点，有$\frac{\mathrm{d}\boldsymbol{r}}{\mathrm{d}t}=\boldsymbol{v}$，则上式可改写为

$$\frac{\mathrm{d}}{\mathrm{d}t}\boldsymbol{L}_O(m\boldsymbol{v})=\boldsymbol{v}\times m\boldsymbol{v}+\boldsymbol{r}\times\boldsymbol{F}$$

因为 $\boldsymbol{v}\times m\boldsymbol{v}=0$，$\boldsymbol{r}\times\boldsymbol{F}=\boldsymbol{M}_O(\boldsymbol{F})$，于是得

$$\frac{\mathrm{d}}{\mathrm{d}t}\boldsymbol{L}_O(m\boldsymbol{v})=\boldsymbol{M}_O(\boldsymbol{F}) \tag{11-8}$$

式(11-8)为质点动量矩定理，即质点对某固定点的动量矩对时间的一阶导数，等于作用力对同一点的矩。

取式(11-8)在直角坐标轴上的投影式，并考虑对点的动量矩与对轴的动量矩的关系，得

$$\begin{cases}\frac{\mathrm{d}}{\mathrm{d}t}L_x(mv)=M_x(F)\\ \frac{\mathrm{d}}{\mathrm{d}t}L_y(mv)=M_y(F)\\ \frac{\mathrm{d}}{\mathrm{d}t}L_z(mv)=M_z(F)\end{cases} \tag{11-9}$$

2. 质点系的动量矩定理

设质点系由 n 个质点组成，第 i 个质点的质量为 m_i，加速度为 $\boldsymbol{a}_i$，其到固定点 O 的矢径为 $\boldsymbol{r}_i$，外界物体对该质点作用的外力为 $\boldsymbol{F}_i^{(\mathrm{e})}$，质点系内其他质点对该质点作用的内力为 $\boldsymbol{F}_i^{(\mathrm{i})}$，由质点运动微分方程有

$$m_i\boldsymbol{a}_i=m_i\frac{\mathrm{d}\boldsymbol{v}_i}{\mathrm{d}t}=\boldsymbol{F}_i^{(\mathrm{e})}+\boldsymbol{F}_i^{(\mathrm{i})}\quad(i=1,2,\cdots,n)$$

上式两端叉乘 $\boldsymbol{r}_i$，得

$$\boldsymbol{r}_i\times m_i\boldsymbol{a}_i=\boldsymbol{r}_i\times m_i\frac{\mathrm{d}\boldsymbol{v}_i}{\mathrm{d}t}=\frac{\mathrm{d}}{\mathrm{d}t}(\boldsymbol{r}_i\times m_i\boldsymbol{v}_i)=\boldsymbol{r}_i\times\boldsymbol{F}_i^{(\mathrm{e})}+\boldsymbol{r}_i\times\boldsymbol{F}_i^{(\mathrm{i})}$$

这样的方程共有 n 个，相加后得

$$\sum\frac{\mathrm{d}}{\mathrm{d}t}(\boldsymbol{r}_i\times m_i\boldsymbol{v}_i)=\sum\boldsymbol{r}_i\times\boldsymbol{F}_i^{(\mathrm{e})}+\sum\boldsymbol{r}_i\times\boldsymbol{F}_i^{(\mathrm{i})}$$

上式左端为

$$\sum \frac{\mathrm{d}}{\mathrm{d}t}(\boldsymbol{r}_i \times m_i \boldsymbol{v}_i) = \frac{\mathrm{d}}{\mathrm{d}t}\sum (\boldsymbol{r}_i \times m_i \boldsymbol{v}_i) = \frac{\mathrm{d}\boldsymbol{L}_O}{\mathrm{d}t}$$

由于内力总是大小相等、方向相反地成对出现,因此上式右端的第二项为

$$\sum \boldsymbol{M}_O(\boldsymbol{F}_i^{(\mathrm{i})}) = 0$$

于是得

$$\frac{\mathrm{d}\boldsymbol{L}_O}{\mathrm{d}t} = \sum \boldsymbol{M}_O(\boldsymbol{F}_i^{(\mathrm{e})}) \tag{11-10}$$

式(11－10)为质点系动量矩定理,即质点系对于某定点 O 的动量矩对时间的一阶导数,等于作用于质点系的外力对于同一点的矩的矢量和。

实际计算时,一般采用投影式:

$$\begin{cases} \dfrac{\mathrm{d}L_x}{\mathrm{d}t} = \sum M_x(F_i^{(\mathrm{e})}) \\ \dfrac{\mathrm{d}L_y}{\mathrm{d}t} = \sum M_y(F_i^{(\mathrm{e})}) \\ \dfrac{\mathrm{d}L_z}{\mathrm{d}t} = \sum M_z(F_i^{(\mathrm{e})}) \end{cases} \tag{11-11}$$

应该注意,上述动量矩定理的表达式只适用于对固定点或固定轴。对于一般的动点或动轴,其动量矩定理具有较复杂的表达式。

例题 11－1　如图 11－4 所示的高炉运送矿石用的卷扬机,已知鼓轮的质量为 m_1,半径为 R,对轴 O 的转动惯量为 J,作用在鼓轮上的力偶矩为 M。小车和矿石的总质量为 m_2,轨道的倾角为 θ。设绳的质量和各处摩擦均忽略不计,求小车的加速度和钢丝绳的拉力。

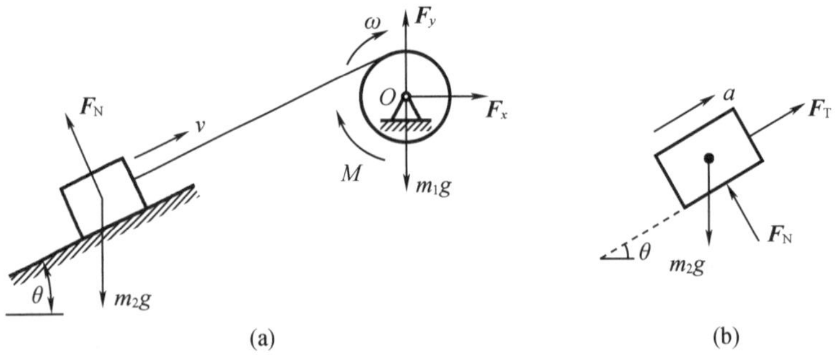

图 11－4　例题 11－1 图

解　取整体为研究对象,设顺时针为正,系统对轴 O 的动量矩为

$$L_O = J\omega + m_2 vR$$

系统外力对轴 O 的力矩为

$$\sum M_O = M - m_2 \sin\theta \cdot R$$

由质点系动量矩定理,有

$$\frac{\mathrm{d}L_O}{\mathrm{d}t} = \frac{\mathrm{d}}{\mathrm{d}t}(J\omega + m_2 vR) = M - m_2 g \sin\theta \cdot R$$

因 $\omega=\dfrac{v}{R}$，$\dfrac{\mathrm{d}v}{\mathrm{d}t}=a$，于是解得

$$a=R\alpha=\frac{MR-m_2gR^2\sin\theta}{J+m_2R^2}$$

为求钢丝绳的拉力，取小车为研究对象，由质心运动定理得

$$m_2a=F_{\mathrm{T}}-m_2g\sin\theta$$

解得钢丝绳的拉力为

$$F_{\mathrm{T}}=m_2g\sin\theta+m_2a$$

3. 动量矩守恒定律

如果作用于质点的力对某定点 O 或定轴 z 的矩恒等于零，则由式(11－8)和(11－9)知，质点对该点或该轴的动量矩保持不变，即

$$L_O(mv)=\text{恒矢量}$$

$$L_z(mv)=\text{恒量}$$

以上结论称为质点动量矩守恒定律。

由质点系动量矩定理知，质点系的内力不能改变质点系的动量矩。当外力对某定点或定轴的主矩等于零时，质点系对于该点或该轴的动量矩保持不变。这就是质点系动量矩守恒定律。

例题 11－2　如图 11－5(a)所示，质量皆为 m 的小球 A 和 B 以细绳相连，忽略摩擦和其余构件的质量。系统绕 z 轴自由转动，初始时系统的角速度为 ω_0，当细绳拉断后，求各杆与铅垂线成 θ 角时系统的角速度 ω。

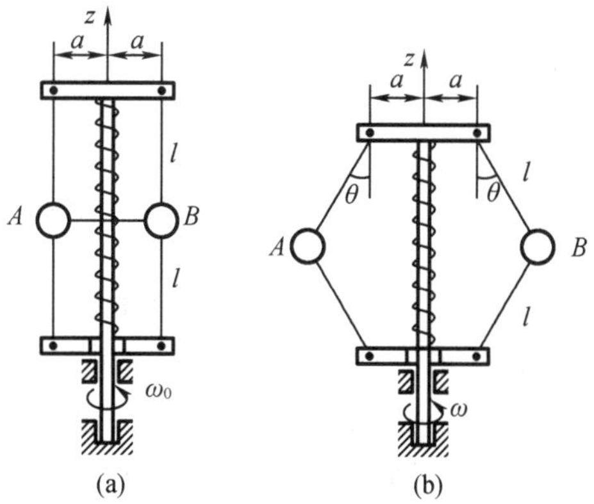

图 11－5　例题 11－2 图

解　取整体为研究对象，系统所受重力和轴承约束力对转轴的矩都等于零，因此系统对转轴的动量矩守恒。

当 $\theta=0$ 时，动量矩为

$$L_{z1}=2ma\omega_0a=2ma^2\omega_0$$

当 $\theta\neq0$ 时，动量矩为

$$L_{z2}=2m(a+l\sin\theta)^2\omega$$

由 $L_{z1}=L_{z2}$，得

$$\omega=\frac{a^2}{(a+l\sin\theta)^2}\omega_0$$

11.3 刚体绕定轴转动微分方程

如图 11－6 所示，设绕定轴转动的刚体上作用有主动力 $\boldsymbol{F}_1,\boldsymbol{F}_2,\cdots,\boldsymbol{F}_n$ 和轴承约束力 $\boldsymbol{F}_{N1}$、$\boldsymbol{F}_{N2}$，刚体对 z 轴的转动惯量为 J_z，角速度为 ω，对 z 轴的动量矩为 $L_z=J_z\omega$。如果不计轴承中的摩擦，轴承约束力对 z 轴的力矩为零，由质点系对轴的动量矩定理有

$$\frac{\mathrm{d}L_z}{\mathrm{d}t}=\frac{\mathrm{d}}{\mathrm{d}t}(J_z\omega)=\sum M_z(\boldsymbol{F}_i)$$

或可写为

$$J_z\alpha=\sum M_z(\boldsymbol{F}) \tag{11-12}$$

式(11－12)称为刚体绕定轴转动微分方程。

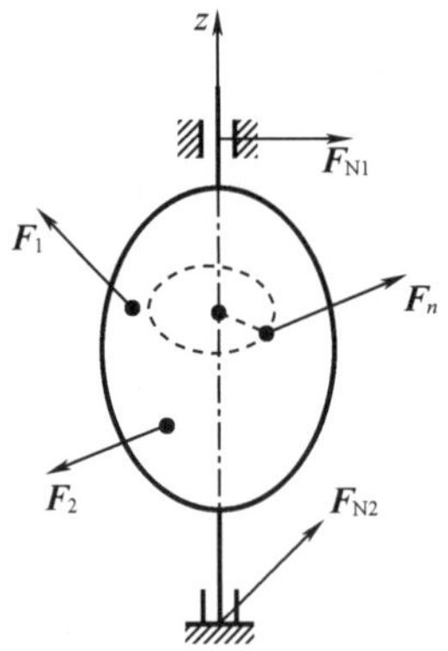

图 11－6　力系作用下的定轴转动刚体

由式(11－12)可见，刚体绕定轴转动时，作用于刚体上的主动力对转轴的矩使刚体的转动状态发生变化。如果作用于刚体的主动力对转轴的矩的代数和等于零，则刚体做匀速转动；如果主动力对转轴的矩的代数和为常量，则刚体做匀变速转动。在一定的时间间隔内，当主动力对转轴的矩相同时，若转动惯量大，则角加速度小，反之则角加速度大。可见，刚体转动惯量的大小表现了刚体转动状态改变的难易程度，即刚体的转动惯量是刚体转动惯性的度量。

刚体的转动微分方程 $J_z\alpha=\sum M_z(\boldsymbol{F})$ 与质点的运动微分方程 $m\boldsymbol{a}=\sum\boldsymbol{F}$ 有相似的形式，二者的求解方法也相似。

例题 11－3　如图 11－7 所示，已知滑轮半径为 R，转动惯量为 J，带动滑轮的皮带拉力为 $\boldsymbol{F}_1$ 和 $\boldsymbol{F}_2$。求滑轮的角加速度 α。

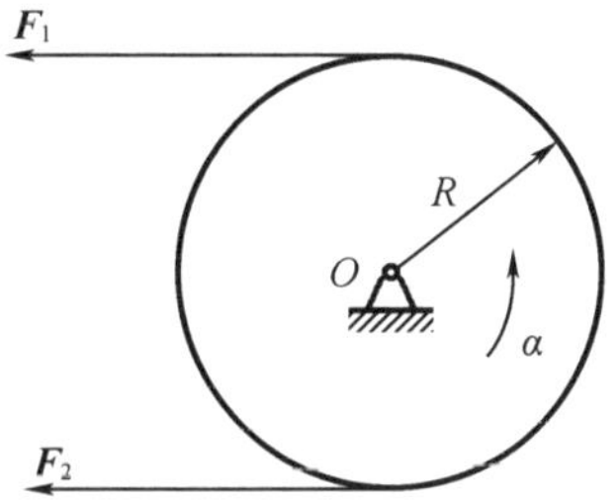

图 11-7　例题 11-3 图

解　由刚体绕定轴转动微分方程有

$$J\alpha = (F_1 - F_2)R$$

于是得

$$\alpha = \frac{(F_1 - F_2)R}{J}$$

由上式可见,只有当定滑轮匀速转动(或静止)或转动惯量为零时,定滑轮两端的皮带拉力相等。在动力学中,滑轮两端绳的拉力一般是不相等的。

11.4　刚体对轴的转动惯量

刚体的转动惯量是刚体转动惯性的度量,刚体对 z 轴的转动惯量定义为

$$J_z = \sum m_i r_i^2 \tag{11-13}$$

由式(11-13)可见,转动惯量的大小不仅与质量大小有关,而且与质量的分布情况有关,在国际单位制中的单位为 $kg \cdot m^2$。

工程中,常常根据工作需要来选定转动惯量的大小。例如,仪表中的指针必须具有较高的灵敏度,为保证其转动惯量尽可能地小,一般用轻金属制作,并尽量减小体积,如图 11-8(a)所示。又如,往复式活塞发动机、冲床等机器常在转轴上安装一个大飞轮,为保证机器受到冲击时,角加速度小,可以保持比较平稳的运转状态,可以增大其转动惯量,为此飞轮一般采用质量较大的金属,并使质量尽量分布在轮缘上,如图 11-8(b)所示。

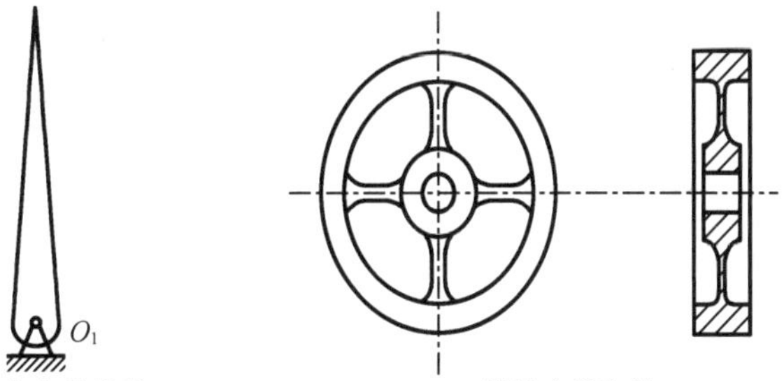

(a)仪表中的指针　(b)转轴上的飞轮

图 11-8　转动惯量的选取

1. 简单形状物体的转动惯量计算

(1)均质细直杆对 z 轴的转动惯量

如图 11 - 9 所示的均质细直杆,设杆长为 l,单位长度的质量为 ρ,取杆上一微段 dx,其质量为 $dm=\rho dx$,则其对 z 轴的转动惯量为

$$J_z = \int_0^l (\rho dx \cdot x^2) = \frac{1}{3}\rho l^3$$

杆的质量 $m=\rho l$,于是得

$$J_z = \frac{1}{3}ml^2 \tag{11-14}$$

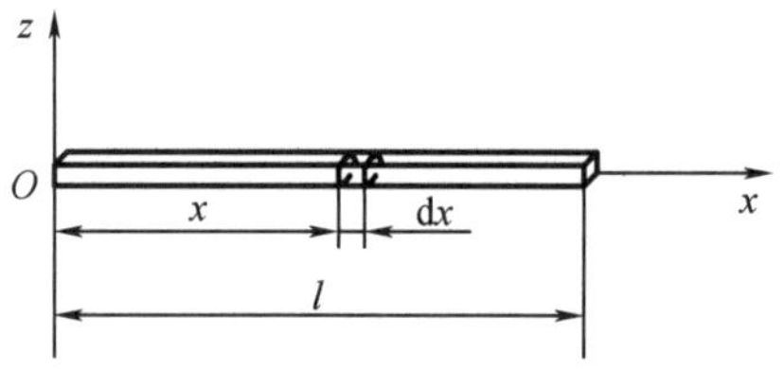

图 11 - 9 均质细杆对 z 轴的转动惯量

(2)均质薄圆环对中心轴的转动惯量

如图 11 - 10 所示的均质薄圆环,设圆环质量为 m,任意一微段质量 m_1 到中心轴的距离都等于半径 R,所以圆环对中心轴 z 的转动惯量为

$$J_z = \sum m_i R^2 = R^2 \sum m_i = mR^2 \tag{11-15}$$

(3)均质圆板对中心轴的转动惯量

如图 11 - 11 所示的均质圆板,设圆板的质量为 m,半径为 R,则其单位面积的质量为 $\rho_A = \dfrac{m}{\pi R^2}$。将圆板分为无数同心的薄圆环,任一圆环的半径为 r_i,宽度为 dr_i,则薄圆环的质量为

$$dm_i = 2\pi r_i dr_i \cdot \rho = 2\pi r_i dr_i \cdot \frac{m}{\pi R^2}$$

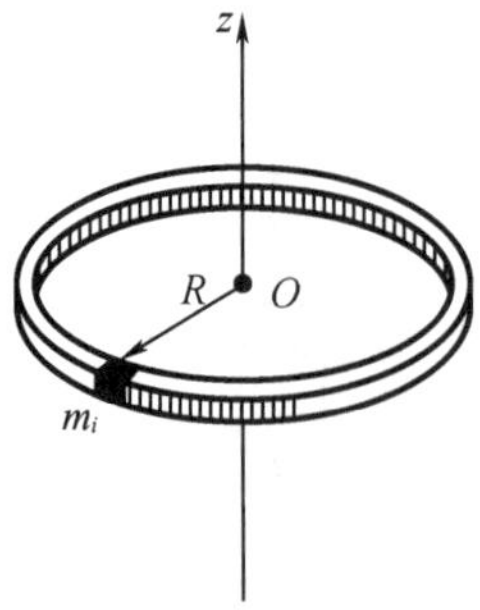

图 11 - 10 均质薄圆环对中心轴的转动惯量

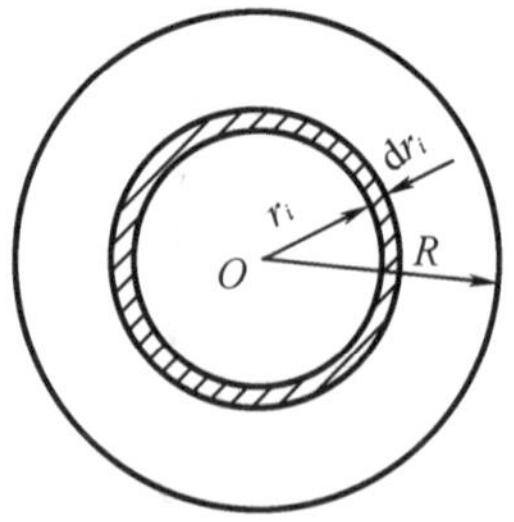

图 11 - 11 均质圆板对中心轴的转动惯量

则圆板对中心轴 O 的转动惯量为

$$J_O = \int_0^R r_i^2 \mathrm{d}m_i = \int_0^R r_i^2 2\pi r_i \mathrm{d}r_i \cdot \frac{m}{\pi R^2} = 2\pi \frac{m}{\pi R^2} \frac{R^4}{4}$$

即

$$J_O = \frac{1}{2} mR^2 \tag{11-16}$$

2. 回转半径(或惯性半径)

回转半径(或惯性半径)的定义为

$$\rho_z = \sqrt{\frac{J_z}{m}} \tag{11-17}$$

由式(11－17),若已知物体的质量 m 和回转半径 ρ,则转动惯量可表示为

$$J_z = m\rho_z^2 \tag{11-18}$$

即物体的转动惯量等于该物体的质量与回转半径平方的乘积。

3. 平行轴定理

我们已知构件对过质心轴的转动惯量,而若改变转轴位置,如何计算其转动惯量? 这个问题可由平行轴定理解决。

平行轴定理的表达式为

$$J_z = J_{zC} + md^2 \tag{11-19}$$

即刚体对任一 z 轴的转动惯量,等于刚体对通过质心并与该轴平行的 x 轴的转动惯量,加上刚体的质量 m 与两轴间距离 d 平方的乘积。

当构件由几个几何形状简单的构件组成时,计算整体的转动惯量可先分别计算每一部分的转动惯量,然后相加。

例题 11－4　如图 11－12 所示的简化钟摆,均质细直杆质量为 m_1,杆长为 l,均质圆盘质量为 m_2,半径为 R。求钟摆对于悬挂点的转动惯量。

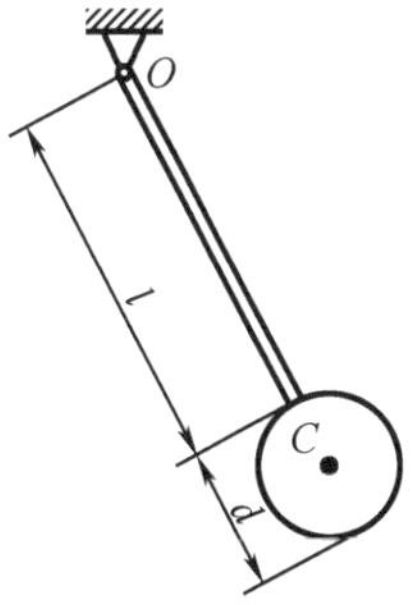

图 11－12　例题 11－4 图

解　钟摆对轴的转动惯量为

$$J_O = J_{O1} + J_{O2}$$

其中

$$J_{O1} = \frac{1}{3} m_1 l^2$$

$$J_{O2} = J_C + m_2 (l + R)^2$$

于是得

$$J_O=\frac{1}{3}m_1l^2+\frac{1}{2}m_2R^2+m_2(l+R)^2$$

11.5 质点系相对质心的动量矩定理

前面推导的动量矩定理只适用于惯性参考系中的固定点或固定轴,对于一般的动点或动轴,动量矩定理的形式较复杂。然而,相对于质点系的质心或通过质心的动轴,动量矩定理仍保持与相对固定点或固定轴相同的形式。

如图 11－13 所示的质点系,O 为固定点,以 O 为坐标原点建立直角坐标系 $Oxyz$;再以质心 C 为原点,建立动参考系 $Cx'y'z'$。任意质点系的运动都可看作随质心的平移与相对质心的运动,即图 11－13 中的动坐标系相对静坐标系的平移和动坐标系自身随质心的运动。在此动参考系内,任一质点 m_i 的相对矢径为 $\boldsymbol{r}_i'$、相对速度为 $\boldsymbol{v}_{\mathrm{ir}}$,根据点的速度合成定理,任意一点 i 的速度为

$$\boldsymbol{v}_i=\boldsymbol{v}_{\mathrm{ie}}+\boldsymbol{v}_{\mathrm{it}}=\boldsymbol{v}_C+\boldsymbol{v}_{\mathrm{it}}$$

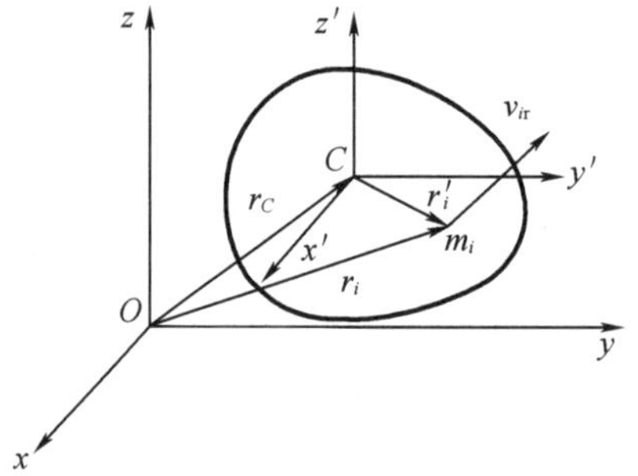

图 11－13 质点系相对质心的动量矩定理

由图 11－13 可见各位置矢量间的关系为

$$\boldsymbol{r}_i=\boldsymbol{r}_C+\boldsymbol{r}_i'$$

则质点系对定点 O 的动量矩为

$$\boldsymbol{L}_O=\sum\boldsymbol{L}_O(m_i\boldsymbol{v}_i)=\sum\boldsymbol{r}_i\times m_i\boldsymbol{v}_i$$

令质点系相对质心 C 的动量矩为

$$\boldsymbol{L}_C=\sum\boldsymbol{L}_C(m_i\boldsymbol{v}_{\mathrm{ir}})=\sum\boldsymbol{r}'_i\times m_i\boldsymbol{v}_{\mathrm{ir}}\tag{11-20}$$

实际上,以质点的相对速度或绝对速度计算质点系相对质心的动量矩的结果是相等的,即

$$\boldsymbol{L}_C=\sum\boldsymbol{r}'_i\times m_i\boldsymbol{v}_{\mathrm{ir}}=\sum\boldsymbol{r}'_i\times m_i\boldsymbol{v}_i$$

于是

$$\boldsymbol{L}_{1O}=\sum(\boldsymbol{r}_C+\boldsymbol{r}'_i)\times m_i\boldsymbol{v}_i=\boldsymbol{r}_C\times\sum m_i\boldsymbol{v}_i+\sum\boldsymbol{r}'_i\times m_i\boldsymbol{v}_i$$

由质点系动量表达式 $\sum m_i\boldsymbol{v}_i=m\boldsymbol{v}_C$ 代入上两式,质点系对点 O 的动量矩可写为

$$\boldsymbol{L}_O = \boldsymbol{r}_C \times m\boldsymbol{v}_C + \sum \boldsymbol{r}'_i \times m_i \boldsymbol{v}_C + \sum \boldsymbol{r}'_i \times m_i \boldsymbol{v}_{ir}$$

由质心坐标公式 $\sum m_i \boldsymbol{r}'_i = m\boldsymbol{r}'_C$，显然 $\boldsymbol{r}'_C = 0$，即 $\sum m_i \boldsymbol{r}'_i = 0$，于是上式中间一项为零，即

$$\boldsymbol{L}_0 = \boldsymbol{r}_C \times m\boldsymbol{v}_C + \boldsymbol{L}_C \tag{11-21}$$

式(11－22)表明，质点系对任一点 O 的动量矩等于集中于系统质心的动量 $m\boldsymbol{v}_C$ 对点 O 的动量矩与此系统对于质心 C 的动量矩 $\boldsymbol{L}_C$ 的矢量和。

$$\frac{\mathrm{d}\boldsymbol{L}_O}{\mathrm{d}t} = \frac{\mathrm{d}}{\mathrm{d}t}(\boldsymbol{r}_C \times m\boldsymbol{v}_C + \boldsymbol{L}_C) = \sum \boldsymbol{r}_i \times \boldsymbol{F}_i^{(e)}$$

其中 $\boldsymbol{r}_i = \boldsymbol{r}_C + \boldsymbol{r}'_i$，于是上式整理为

$$\frac{\mathrm{d}\boldsymbol{r}_C}{\mathrm{d}t} \times m\boldsymbol{v}_C + \boldsymbol{r}_C \times \frac{\mathrm{d}}{\mathrm{d}t} m\boldsymbol{v}_C + \frac{\mathrm{d}\boldsymbol{L}_C}{\mathrm{d}t} = \sum \boldsymbol{r}_C \times \boldsymbol{F}_i^{(e)} + \sum \boldsymbol{r}'_i \times \boldsymbol{F}_i^{(e)}$$

其中 $\dfrac{\mathrm{d}\boldsymbol{r}_C}{\mathrm{d}t} = \boldsymbol{v}_C$，$\dfrac{\mathrm{d}\boldsymbol{v}_C}{\mathrm{d}t} = \boldsymbol{a}_C$，$\boldsymbol{v}_C \times \boldsymbol{v}_C = 0$，$m\boldsymbol{a}_C = \sum \boldsymbol{F}_i^{(e)}$，于是上式为

$$\frac{\mathrm{d}\boldsymbol{L}_C}{\mathrm{d}t} = \sum \boldsymbol{r}'_i \times \boldsymbol{F}_i^{(e)} = \sum \boldsymbol{M}_C(\boldsymbol{F}_i^{(e)}) \tag{11-22}$$

其中，$\sum \boldsymbol{M}_C(\boldsymbol{F}_i^{(e)})$ 是质点系所有外力对质心的力矩的矢量和(主矩)。式(11－23)即为质点系相对质心的动量矩定理，该定理在形式上与质点系相对固定点的动量矩定理完全一样。

11.6　刚体的平面运动微分方程

平面运动刚体的位置，可由基点的位置与刚体绕基点的转角确定。如图 11－14 所示，取质心 C 为基点，坐标为(x_C, y_C)。$Cx'y'$为固连于质心 C 的平移参考系，设 D 为刚体上的任一点，CD 与 x 轴的夹角为 φ，则刚体的位置可由 x_C，y_C 和 φ 确定。图 11－14 中平面运动刚体相对于此动系的运动就是绕质心 C 的转动，则刚体对质心的动量矩为

$$L_C = J_C \omega \tag{11-23}$$

其中，J_C 为刚体对通过质心 C 且与运动平面垂直的轴的转动惯量，ω 为其角速度。

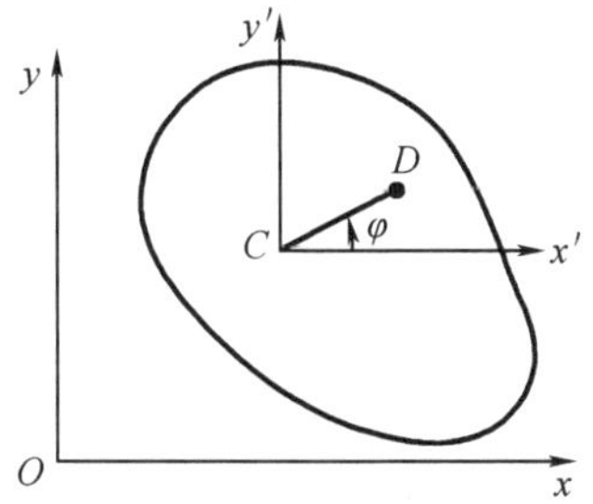

图 11－14　刚体的平面运动微分方程

设在刚体上作用的外力可向质心所在的运动平面简化为一平面力系 $\boldsymbol{F}_1, \boldsymbol{F}_2, \boldsymbol{F}_3, \cdots, \boldsymbol{F}_n$，刚体质量为 m，质心加速度为 $\boldsymbol{a}_C$，刚体角加速度为 $\alpha = \dfrac{\mathrm{d}\omega}{\mathrm{d}t}$。则应用质心运动定理和相对于质

心的动量矩定理,得

$$ma_C = \sum F^{(e)}, \quad \frac{d}{dt}(J_C\omega) = J_C\alpha = \sum M_C(F^{(e)}) \tag{11-24}$$

式(11－24)也可写为

$$\begin{cases} m\dfrac{d^2 r_C}{dt^2} = \sum F^{(e)} \\ J_C\dfrac{d^2\varphi}{dt^2} = \sum M_C(F^{(e)}) \end{cases} \tag{11-25}$$

式(11－25)即为刚体平面运动微分方程。

例题11－5 如图11－15所示的均质圆轮,质量为m、半径为r,沿水平直线滚动。设轮的半径为ρ_C,作用于圆轮的力偶矩为M,求轮心的加速度。如果圆轮对地面的静滑动摩擦系数为f_s,力偶矩M必须符合什么条件方不致使圆轮滑动?

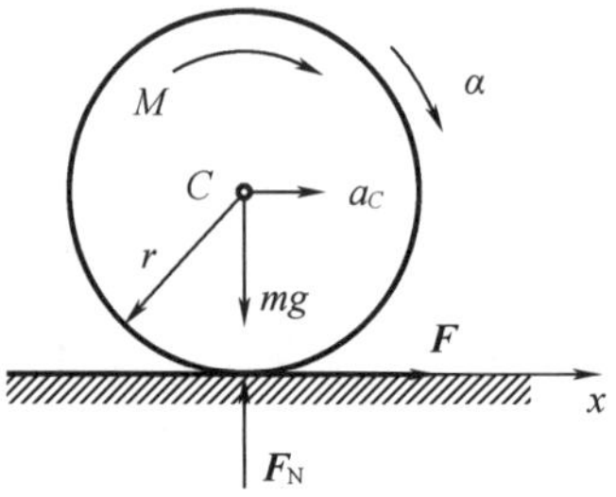

图11－15 例题11－5图

解 根据刚体的平面运动微分方程可列出如下三个方程:

$$ma_{Cx} = F$$

$$ma_{Cy} = F_N - mg$$

$$m\rho_C^2 a = M - Fr$$

式中,M和a均以顺时针转向为正。因$a_{Cy}=0$,故$a_{Cx}=a_C$。

根据圆轮滚而不滑的条件,有$a_C = ra$。以此式与上列三方程联立求解,得

$$F = ma_C$$

$$F_x = mg$$

$$a_C = \frac{Mr}{m(\rho_C^2 + r^2)}$$

$$M = \frac{F(r^2 + \rho_C^2)}{r}$$

欲使圆轮滚动而不滑动,必须有$F \leqslant f_s F_N$,或$F \leqslant f_s mg$。于是得圆轮只滚不滑的条件为

$$M \leqslant f_s mg\frac{r^2 + \rho_C^2}{r}$$

习　　题

11－1　如图 10－16 所示传动系统中 J_1，J_2 为轮 Ⅰ、Ⅱ 的转动惯量，轮 Ⅰ 的角加速度为 $\alpha_1=\dfrac{M_1}{J_1+J_2}$，对不对？

11－2　如图 11－17 所示，在铅直面内，杆 OA 可绕轴 O 自由转动，均质圆盘可绕其质心轴 A 自由转动。如杆 OA 水平时系统静止，自由释放后圆盘做什么运动？

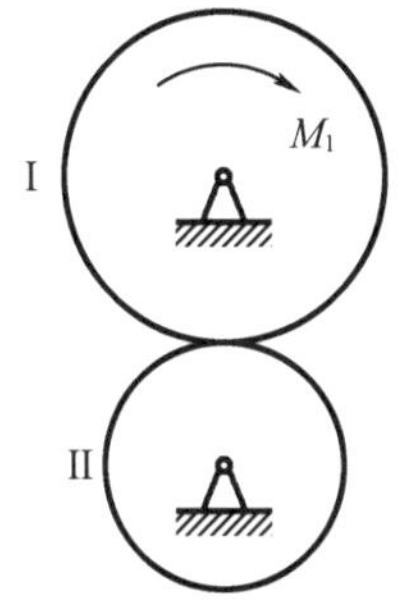

图 11－16　习题 11－1 图

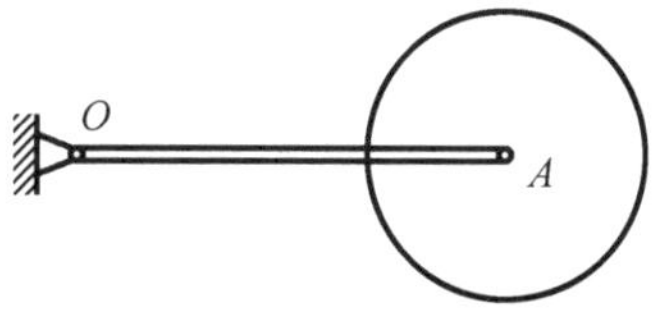

图 11－17　习题 11－2 图

11－3　质量为 m 的均质圆盘，平放在光滑水平面上，受力情况如图 11－18 所示。设开始时，圆盘静止，$r=\dfrac{R}{2}$。试说明各圆盘将如何运动。

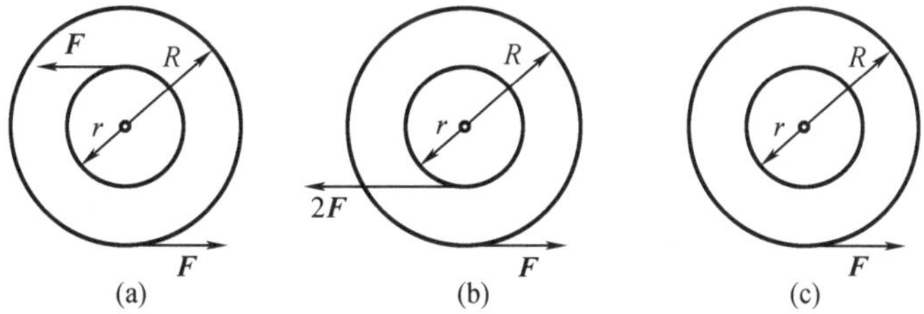

图 11－18　习题 11－3 图

11－4　无重杆 OA 以角速度 ω_O 绕轴 O 转动，$m=25$ kg，$R=200$ mm，均质圆盘以三种方式安装于杆 OA 的点 A，如图 11－19 所示。在图 11－19(a)中，圆盘与 OA 焊接在一起；在图 11－19(b)中，圆盘与 OA 在点 A 铰接，且相对杆 OA 以角速度 ω_r 逆时针转动，在图 11－19(c)中，圆盘相对杆 OA 以角速度 ω_r 顺时针转动。已知 $\omega_O=\omega_r=4$ rad/s，计算在这三种情况下，圆盘对轴 O 的动量矩。

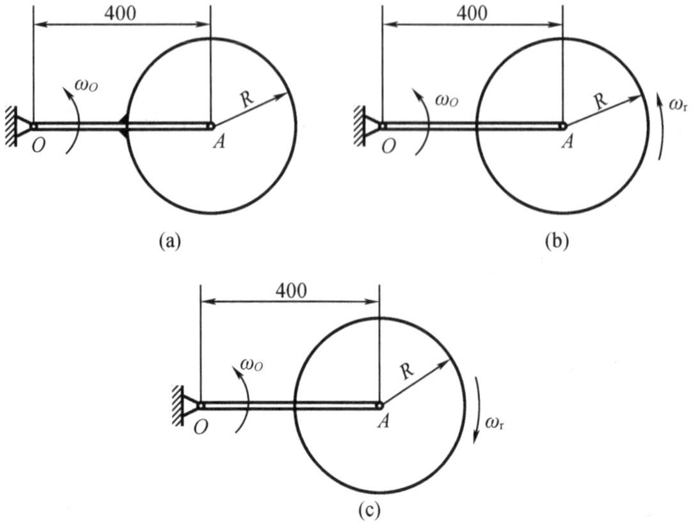

图 11－19　习题 11－4 图

11－5　如图 11－20 所示，质量为 m 的偏心轮子在水平面上做平面运动。轮心为 A，质心为 C，$AC=e$，轮子半径为 R，对轴心 A 的转动惯量为 J_A；C、A、B 三点在同一铅直线上。(1) 当轮子只滚不滑时，若 v_A 已知，求轮子的动量和对地面上 B 点的动量矩；(2) 当轮子又滚又滑时，若 v_A，ω 已知，求轮子的动量和对地面上 B 点的动量矩。

11－6　一半径为 R、质量为 m_1 的均质圆盘，可绕通过其中心 O 的铅直轴无摩擦地旋转，如图 11－21 所示。一质量为 m_2 的人在盘上由点 B 按规律 $s=\dfrac{1}{2}at^2$ 沿半径为 r 的圆周行走。开始时，圆盘和人静止。求圆盘的角速度和角加速度。

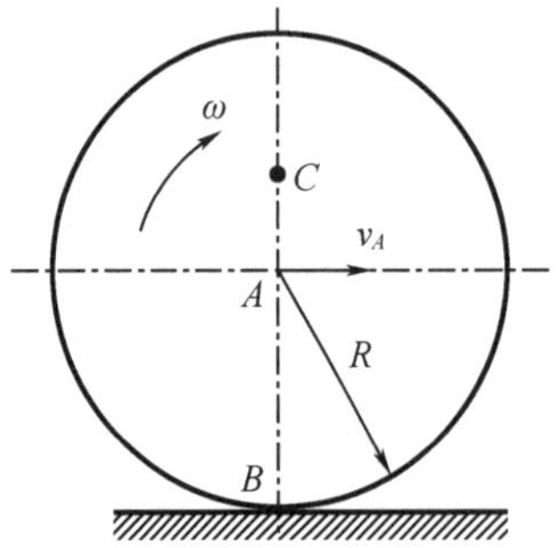

图 11－20　习题 11－5 图

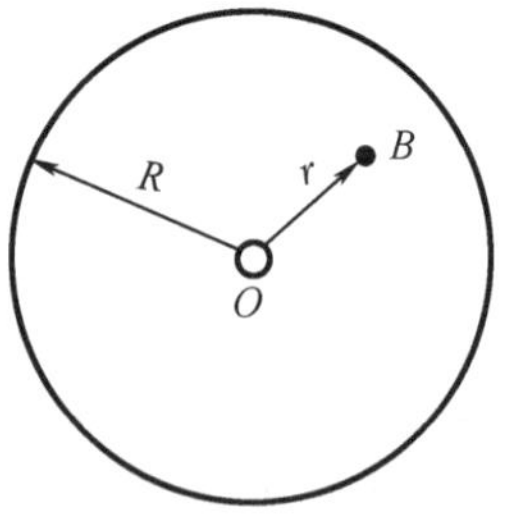

图 11－21　习题 11－6 图

11－7　如图 11－22 所示水平圆板可绕 z 轴转动。在圆板上有一质点 M 做圆周运动，已知其速度大小为常量，等于 v_O，质点 M 的质量为 m，圆的半径为 r，圆心到 z 轴的距离为 l，点 M 在圆板上的位置由角 φ 确定。如圆板的转动惯量为 J，并且当点 M 离 z 轴最远在点 M_0 时，圆板的角速度为零。轴的摩擦和空气阻力略去不计，求圆板的角速度与 φ 角的关系。

11－8　如图 11－23 所示的小球 M 系于线 AOM 的一端，此线穿过一铅直小管，小球绕

管轴沿半径 $MC=R$ 的圆周运动，每分钟 120 转。若将线段 AO 慢慢向下拉，使外面的线段缩短到 OM_1 的长度，此时小球沿半径 $C_1M_1=\dfrac{R}{2}$ 的圆周运动。求此时小球沿此圆周每分钟的转数。

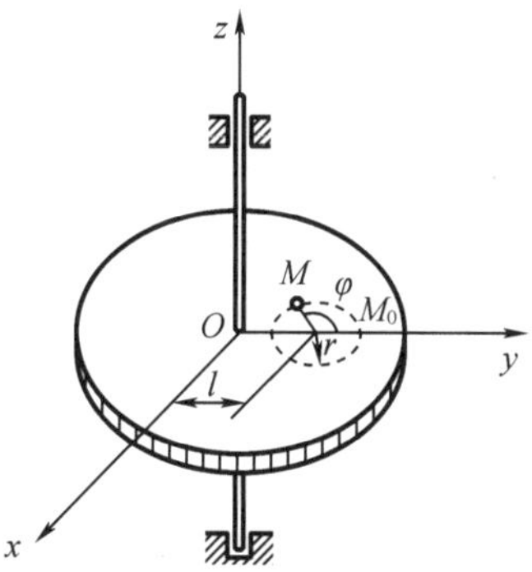

图 11－22　习题 11－7 图

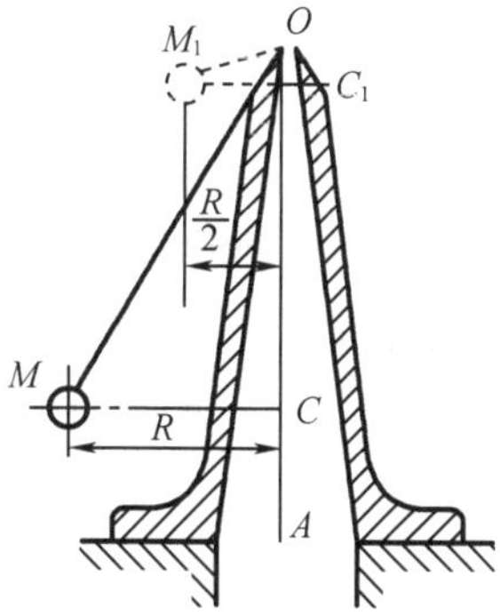

图 11－23　习题 11－8 图

11－9　如图 11－24 所示的小球 A，质量为 m，连接在长为 l 的无重杆 AB 上，放在盛有液体的容器中。杆以初角速度绕轴 O_1O_2 转动，小球受到与速度反向的液体阻力 $F=km\omega$ 的作用，k 为比例常数。求经过多少时间角速度 ω 变为初角速度的一半？

11－10　质量为 100 kg，半径为 1 m 的均质圆轮，以转速 $n=120$ r/min 绕轴 O 转动，如图 11－25 所示。有一水平常力 F 作用于闸杆，圆轮经 10 s 后停止转动，摩擦因数 $f=0.1$，求力 F 的大小。

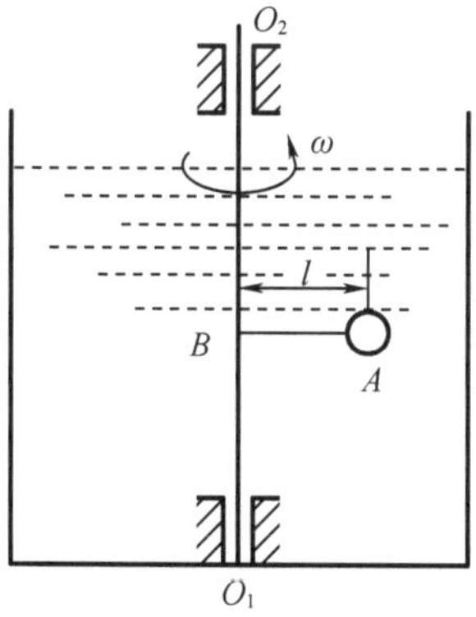

图 11－24　习题 11－9 图

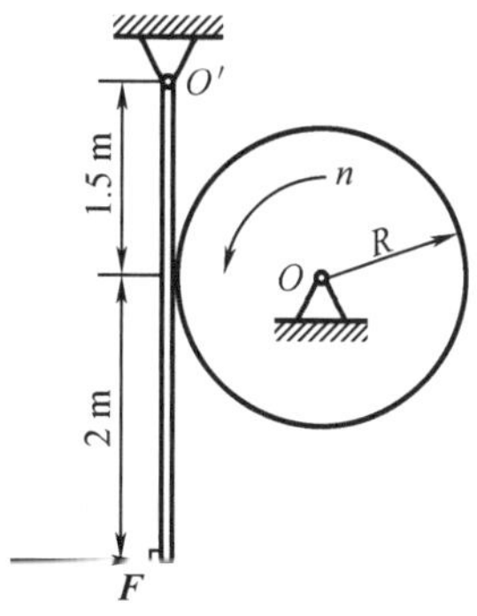

图 11－25　习题 11－10 图

第 12 章　动能定理

自然界中不同的运动形式对应不同的能量，我们可以用能量度量这些运动形式之间的转化。理论力学的主要研究对象是物体的机械运动，能量转化与功之间的关系在机械运动中表现为动能定理。动能定理从能量的角度来分析质点和质点系的动力学问题，同时还建立了机械运动与其他形式运动之间的联系。

本章将复习动能、势能等重要概念，推导出动能定理和机械能守恒定律，最后将综合运用动量定理、动量矩定理和动能定理分析解决较复杂的动力学问题。

12.1　力　的　功

设一质点在常力 F 作用下，沿直线走过一段路程 s，力 F 与位移方向间的夹角为 θ。力 F 在这段路程内所积累的效应用力的功来度量，记为 W，表示为

$$W = F\cos\theta \cdot s$$

功是代数量，其单位在国际单位制中为 J(焦耳)，1 J 等于 1 N 的力在同方向 1 m 路程上所做的功。

若质点 M 在变力 F 作用下沿曲线运动，如图 12－1 所示。力 F 在无限小位移 $\mathrm{d}r$ 中可视为常力，路程 $\mathrm{d}s$ 可视为直线。在一无限小位移中力所做的功称为元功，记为 δW，表示为

$$\delta W = F\cos\theta\mathrm{d}s \tag{12-1}$$

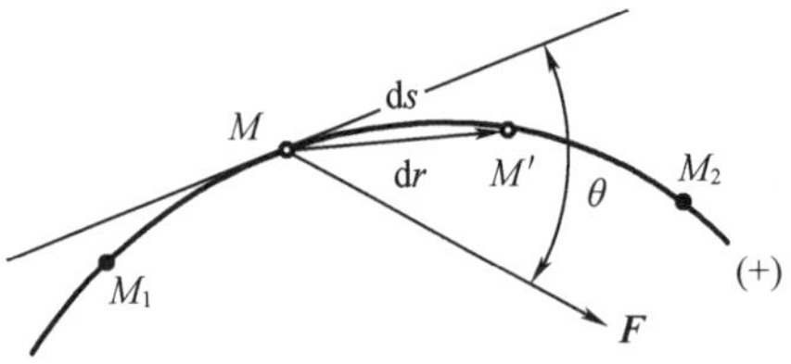

图 12－1　变力 F 对质点 M 所做的功

力在全路程上做的功等于元功之和，即

$$W = \int_0^s F\cos\theta\mathrm{d}s \tag{12-2}$$

式(12－1)、式(12－2)也可写成如下形式。

$$\delta W = \boldsymbol{F}\cdot\mathrm{d}\boldsymbol{r} \tag{12-3}$$

$$W = \int_{M_1}^{M_2}\boldsymbol{F}\cdot\mathrm{d}\boldsymbol{r} \tag{12-4}$$

由此可知，当质点运动过程中力始终与质点位移垂直时，该力不做功。

在直角坐标系中，有

$$\boldsymbol{F} = F_x\boldsymbol{i} + F_y\boldsymbol{j} + F_z\boldsymbol{k}$$

$$\mathrm{d}\boldsymbol{r} = \mathrm{d}x\boldsymbol{i} + \mathrm{d}y\boldsymbol{j} + \mathrm{d}z\boldsymbol{k}$$

将上两式代入式(12-4),整理得到作用力在质点从 M_1 到 M_2 的过程中所做的功

$$W_{12} = \int_{M_1}^{M_2}(F_x\mathrm{d}x + F_y\mathrm{d}y + F_z\mathrm{d}z) \tag{12-5}$$

式(12-5)称为功的解析表达式。

下面介绍几种常见力所做的功。

1. 重力所做的功

如图12-2所示,质点由 M_1 运动到 M_2,其重力 $P = mg$ 在直角坐标轴上的投影为

$$F_x = 0$$

$$F_y = 0$$

$$F_z = -mg$$

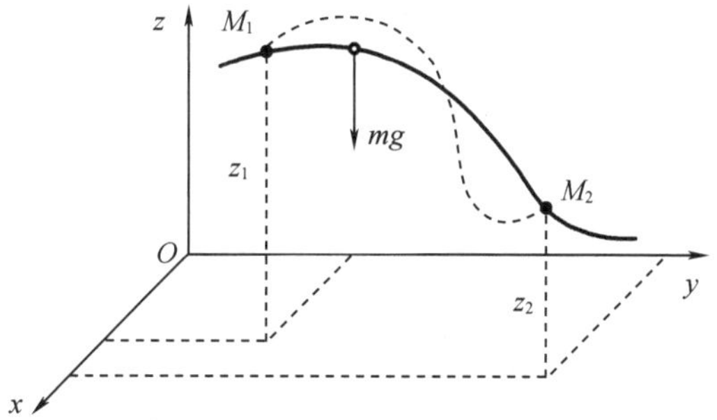

图12-2　重力所做的功

根据式(12-5),重力所做的功为

$$W_{12} = \int_{z_1}^{z_2} -mg\mathrm{d}z = mg(z_1 - z_2) \tag{12-6}$$

可见重力做功仅与质点运动始末位置的高度差 $(z_1 - z_2)$ 有关,与运动轨迹的形状无关。

对于质点系,设第 i 个质点的质量为 m_i,运动始末的高度差为 $(z_{i1} - z_{i2})$,则质点系重力做功之和为

$$\sum W_{12} = \sum m_i g(z_{i1} - z_{i2})$$

由质心坐标公式,有

$$mz_C = \sum m_i z_i$$

由此可得

$$\sum W_{12} = mg(z_{C1} - z_{C2}) \tag{12-7}$$

式中,m 为质点系全部质量之和,$(z_{C1} - z_{C2})$ 为运动始末位置质点系质心的高度差。质点系重力做功仍与质心的运动轨迹形状无关。

2. 弹性力所做的功

物体受弹性力的作用,作用点 A 按如图12-3所示的轨迹从 A_1 到 A_2。在弹簧的弹性极限内,弹性力的大小与其变形量 δ 成正比,即

$$F = k\delta$$

式中,k 为弹簧刚度系数(或刚性系数)。k 的单位在国际单位制中为 N/m 或 N/mm。

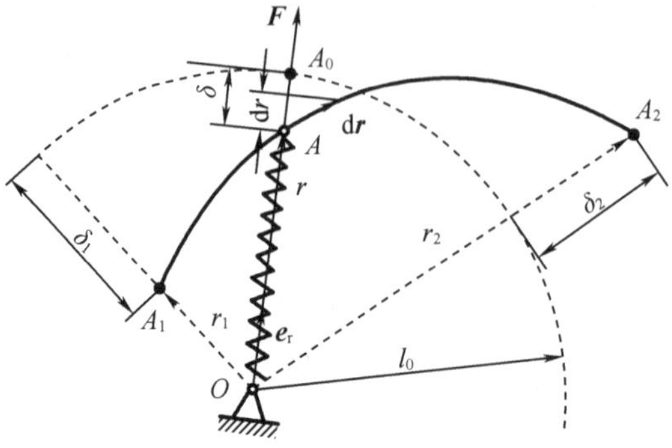

图 12-3 弹性力所做的功

以点 O 为原点,设点 A 的矢径为 r,长度为 $\boldsymbol{r}$。设沿矢径方向的单位矢量为 $\boldsymbol{e}_r$,弹簧原长 $r < l_0$,则弹性力

$$\boldsymbol{F} = -k(r - l_0)\boldsymbol{e}_r$$

当弹簧伸长时,$r > l_0$,力 $\boldsymbol{F}$ 指向坐标原点,与 $\boldsymbol{e}_r$ 的方向相反;当弹簧被压缩时,$r < l_0$,力 $\boldsymbol{F}$ 背离坐标原点,与 $\boldsymbol{e}_r$ 的方向一致。由式(13-4),点 A 由 A_1 到 A_2 时,弹性力做功为

$$W_{12} = \int_{A_1}^{A_2} \boldsymbol{F} \cdot \mathrm{d}\boldsymbol{r} = \int_{A_1}^{A_2} -k(r - l_0)\boldsymbol{e}_r \cdot \mathrm{d}\boldsymbol{r}$$

因为

$$\boldsymbol{e}_r \cdot \mathrm{d}\boldsymbol{r} = \frac{\boldsymbol{r}}{r} \cdot \mathrm{d}\boldsymbol{r} = \frac{1}{2r}\mathrm{d}(\boldsymbol{r} \cdot \boldsymbol{r}) = \frac{1}{2r}\mathrm{d}(r^2) = \mathrm{d}r$$

于是

$$W_{12} = \int_{r_1}^{r_2} -k(r - l_0)\mathrm{d}r = \frac{k}{2}[(r_1 - l_0)^2 - (r_2 - l_0)^2]$$

或令 $\delta_1 = r_1 - l_0$ 及 $\delta_2 = r_2 - l_0$,有

$$W_{12} = \frac{k}{2}(\delta_1^2 - \delta_2^2) \tag{12-8}$$

式(12-8)推导中 A 点轨迹是空间任意曲线。由此可见,弹性力做功只与弹簧在始末位置的变形量 δ 有关,与力的作用点 A 的轨迹形状无关。

3. 定轴转动刚体上作用力所做的功

如图 12-4 所示,定轴转动的刚体,设刚体上某一质点 A 所受的力 F 与力作用点 A 处的轨迹切线之间的夹角为 θ,则力 F 在切线上的投影为

$$F_t = F\cos\theta$$

当刚体绕定轴转动时,转角 $\mathrm{d}\varphi$ 与弧长 $\mathrm{d}s$ 的关系为

$$\mathrm{d}s = R\mathrm{d}\varphi$$

式中,R 为力作用点 A 到轴的距离。力 F 的元功为

$$\delta W = F \cdot \mathrm{d}r = F_t\mathrm{d}s = F_tR\mathrm{d}\varphi$$

式中，F_tR 等于力 F 对转轴 z 的力矩 M_z，于是

$$\delta W = M_z \mathrm{d}\varphi$$

当刚体从角 φ_1 转到 φ_2 的过程中力 F 所做的功为

$$W_{12} = \int_{\varphi_1}^{\varphi_2} M_z \mathrm{d}\varphi \tag{12-9}$$

如果 $M_z = C$，则

$$W_{12} = M_z(\varphi_2 - \varphi_1)$$

如果刚体上作用一力偶，则力偶所做的功仍可用式(12－9)计算，其中 M_z 为力偶对转轴 z 的矩。

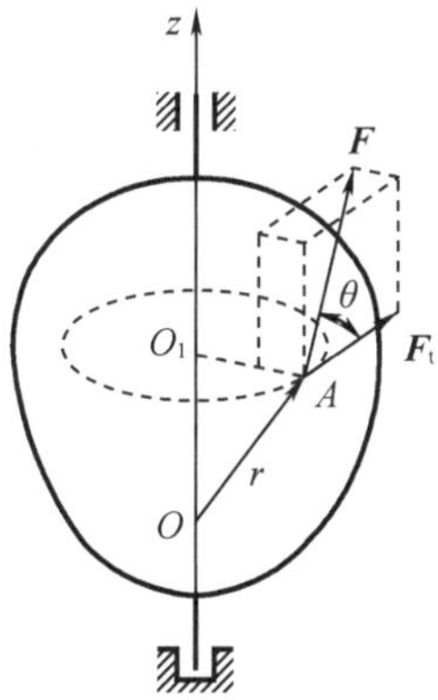

图 12－4　定轴转动刚体上作用力所做的功

12.2　质点和质点系的动能

1. 质点的动能

设质点的质量为 m，速度为 v，则质点的动能定义为

$$T = \frac{1}{2}mv^2$$

动能是标量，恒取正值。动能在国际单位制中的单位为 J。

2. 质点系的动能

质点系内各质点动能的代数和称为质点系的动能，即

$$T = \sum \frac{1}{2}m_i v_i^2$$

刚体是由无数质点组成的特殊质点系。刚体做不同运动时，各质点的速度分布不同，其动能表达式也就不同。下面按质点系动能的定义，推导几种特殊运动刚体的动能表达式。

(1) 平移刚体的动能

当刚体平移时，各点的速度都相同，可以统一用质心速度 v_C 来表示，于是得平移刚体的动能为

$$T = \sum \frac{1}{2}m_i v_i^2 = \frac{1}{2}v_C^2 \sum m_i$$

或写成

$$T=\frac{1}{2}mv_C^2 \tag{12-10}$$

式中，$M=\sum M_i$ 是刚体的质量。

(2)定轴转动刚体的动能

当刚体绕定轴 z 转动时，其上任一点的质量为 m_i，其到转轴的距离为 r_i，刚体的角速度为 ω，则其速度为 $v_i=r_i\omega$。于是绕定轴转动刚体的动能为

$$T=\sum\frac{1}{2}m_iv_i^2=\sum\left(\frac{1}{2}m_ir_i^2\omega^2\right)=\frac{1}{2}\omega^2\sum m_ir_i^2$$

式中，$\sum m_ir_i^2=J_z$ 是刚体对 z 轴的转动惯量，于是得

$$T=\frac{1}{2}J_z\omega^2 \tag{12-11}$$

(3)平面运动刚体的动能

如图 12-5 所示，一平面运动的刚体，设点 P 是某瞬时的速度瞬心，ω 是平面图形转动的角速度。此瞬时，刚体上各点速度的分布与绕点 P 定轴转动的刚体相同，于是根据式(12-11)得做平面运动刚体的动能为

$$T=\frac{1}{2}J_P\omega^2 \tag{12-12}$$

式中，J_P 是刚体对瞬时轴 P 的转动惯量。

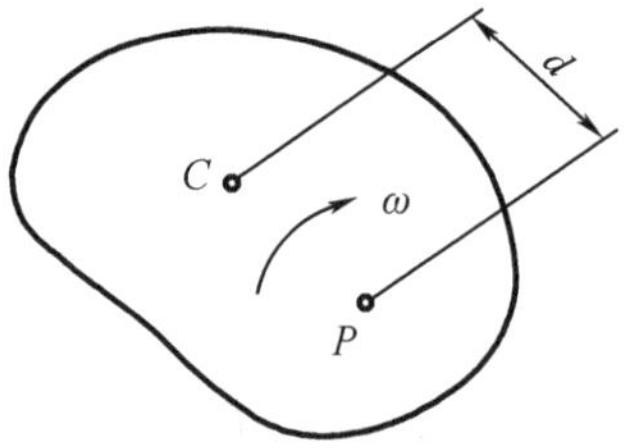

图 12-5 刚体对瞬时轴的转动惯量

设 C 为刚体的质心，根据平行轴定理有

$$J_P=J_C+md^2$$

式中，J_C 为对质心 C 的转动惯量。代入式(12-12)中，得

$$T=\frac{1}{2}(J_C+md^2)\omega^2=\frac{1}{2}J_C\omega^2+\frac{1}{2}m(d\omega)^2$$

因 $d\omega=v_C$，于是得

$$T=\frac{1}{2}mv_C^2+\frac{1}{2}J_C\omega^2 \tag{12-13}$$

即做平面运动刚体的动能，等于随质心平移的动能与绕质心转动的动能的和。

12.3　动能定理基本概念

1. 质点的动能定理

由质点运动微分方程得

$$m\boldsymbol{a} = m\frac{\mathrm{d}\boldsymbol{v}}{\mathrm{d}t} = \boldsymbol{F}$$

在方程两边点乘该质点的位移 d$\boldsymbol{r}$,得

$$m\frac{\mathrm{d}\boldsymbol{v}}{\mathrm{d}t} \cdot \mathrm{d}\boldsymbol{r} = \boldsymbol{F} \cdot \mathrm{d}\boldsymbol{r}$$

因 $\mathrm{d}\boldsymbol{r} = \boldsymbol{v}\mathrm{d}t$,则

$$m\boldsymbol{v} \cdot \mathrm{d}\boldsymbol{v} = m\mathrm{d}\boldsymbol{v} \cdot \boldsymbol{v} = \frac{1}{2}m\mathrm{d}(\boldsymbol{v} \cdot \boldsymbol{v}) = \mathrm{d}\left(\frac{1}{2}m\boldsymbol{v}^2\right) = \boldsymbol{f} \cdot \mathrm{d}\boldsymbol{R}$$

或

$$\mathrm{d}T = \delta W \tag{12-14}$$

式(12－14)为质点动能定理的微分形式,即质点动能的增量等于作用在质点上力的元功。

对式(12－14)积分,有

$$T_2 - T_1 = W_{12} \tag{12-15}$$

式(12－15)为质点动能定理的积分形式,即在质点运动的某个过程中,质点动能的改变量等于作用于质点的力做的功。

质点的动能定理建立了质点的动能与作用力的功的关系。由式(12－14)或(12－15)可见,力做正功,质点动能增加;力做负功,质点动能减小。

2. 质点系的动能定理

设质点系由 n 个质点组成,质点系内任一质点的质量为 m_i,速度为 v_i,根据质点动能定理,每个质点的动能均可表示为

$$\mathrm{d}\left(\frac{1}{2}m_i v_i^2\right) = \delta W_i$$

式中,δW_i 表示作用于这个质点的力 F_i 所做的元功。

将 n 个质点的动能定理表示的方程相加,得

$$\sum \mathrm{d}\left(\frac{1}{2}m_i v_i^2\right) = \sum \delta W_i$$

或

$$\mathrm{d}\left[\sum\left(\frac{1}{2}m_i v_i^2\right)\right] = \sum \delta W_i$$

设质点系的动能 $T = \sum \frac{1}{2}m_i v_i^2$,质点系上所有力所做的微功 $\delta W = \sum \delta W_i$,于是得

$$\mathrm{d}T = \delta W \tag{12-16}$$

式(12－16)为质点系动能定理的微分形式,即质点系动能的增量,等于作用在质点系上

所有力所做的元功的和。

对式(12－16)积分,得

$$T_2 - T_1 = W_{12} \tag{12-17}$$

式(12－17)为质点系动能定理的积分形式,即质点系在某一段运动过程中,动能的改变量等于作用于质点系的所有力所做功的和。

3. 理想约束及内力做功

约束力做功等于零的约束或做功之和等于零的约束称为理想约束。对于光滑固定面、一端固定的绳索、光滑铰支座、球铰链、止推轴承、固定端等约束,由于其约束力垂直于力作用点的位移或力作用点没有位移,其约束力不做功,是理想约束。在理想约束条件下,质点系动能的改变只与主动力做功有关,式(12－16)和式(12－17)中只需计算主动力所做的功。

光滑铰链、刚性二力杆以及不可伸长的绳索等作为系统内的约束时,其中单个约束力可能做功,但一对约束力做功之和等于零,也属于理想约束。如图12－6(a)所示,铰链处相互作用的约束力 F 和 F' 等值反向共线,其在铰链中心的任何位移 $\mathrm{d}\boldsymbol{r}$ 上做功之和等于零。又如图12－6(b)所示,跨过光滑定滑轮的绳索对系统两个质点的拉力 $F_1 = F_2$,如绳索不可伸长,则两端的位移 $\mathrm{d}\boldsymbol{r}_1$ 和 $\mathrm{d}\boldsymbol{r}_2$ 在沿绳索上的投影必相等,则 $\boldsymbol{F}_1$ 和 $\boldsymbol{F}_2$ 做功之和等于零。对如图12－6(c)所示的二力杆,其在 A、B 两点的约束力有 $F_1 = F_2$,而两端位移沿 AB 连线的投影也相等,故 $\boldsymbol{F}_1$、$\boldsymbol{F}_2$ 做功之和也等于零。

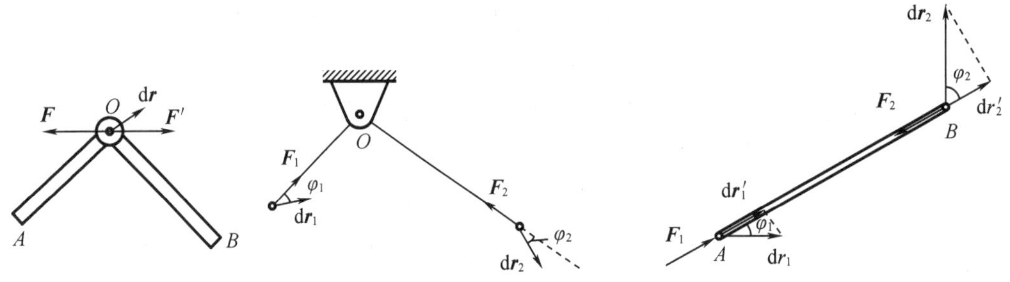

(a)铰链 (b)绳索 (c)二力杆

图12－6 一对约束力做功

一般情况下,滑动摩擦力与物体的相对位移反向,摩擦力做负功,不是理想约束,应用动能定理时应计入摩擦力所做的功。但当轮子在固定面上只滚不滑时,接触点为瞬心,滑动摩擦力作用点没动,此时的滑动摩擦力也不做功。因此,不计滚动摩阻时,纯滚动的接触点也是理想约束。

这里必须指出,作用于质点系的内力在某些情形下,虽然等值反向共线,但其做功之和并不等于零。例如,如图12－7所示,质点系由两个相互吸引的质点 M_1 和 M_2 组成,两质点相互作用的力 $\boldsymbol{F}_{12}$ 和 $\boldsymbol{F}_{21}$ 是一对内力,虽然内力的矢量和等于零,但是当两质点相互靠近时,两力做功之和为正,或两质点相互离开时,两力做功之和为负。又如,汽车发动机的气缸内膨胀的气体对活塞和气缸的作用力都是内力,内力所做的功使汽车的动能增加,故内力做功之和不等于零。应用动能定理时都要计入这些内力所做的功。

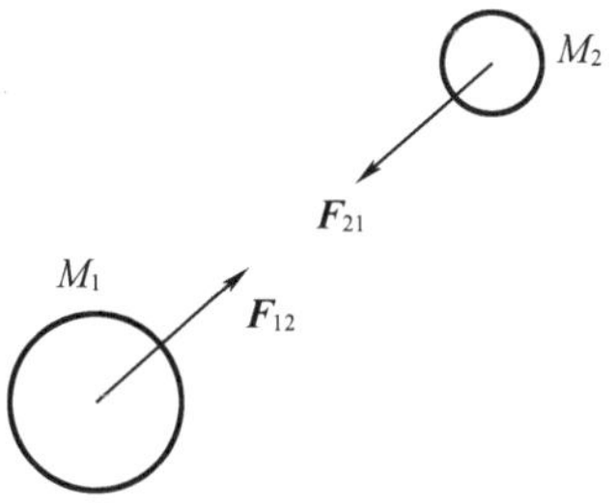

图 12 - 7　内力做功

同时也应注意,在某些情况下,内力做功之和等于零。例如,刚体内两质点相互作用的内力,等大、反向、共线,由于刚体上任意两点间的距离保持不变,沿这两点连线的位移必定相等,其中一力做正功,另一力做负功,这两力做功之和等于零。刚体内任一对内力做功的和都等于零。不可伸长的柔索等所有内力做功之和也等于零。

从以上分析可见,在应用质点系动能定理时,要根据具体情况仔细分析所有的作用力,以确定它是否做功。

例题 12 - 1　如图 12 - 8 所示,质量为 m 的质点,自高 h 处自由落下,落到下面有弹簧支持的板上,设板和弹簧的质量都可忽略不计,弹簧的刚度系数为 k。求弹簧的最大压缩量。

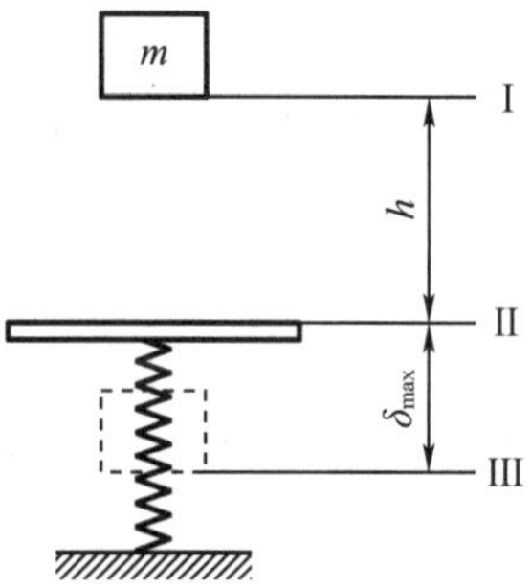

图 12 - 8　例题 12 - 1 图

解　质点从位置 I 落到板上是自由落体运动,速度由 0 增加到 v_1,应用动能定理

$$\frac{1}{2}mv_1^2 - 0 = mgh$$

求得

$$v_1 = \sqrt{2gh}$$

质点从位置Ⅱ继续运动到位置Ⅲ,弹簧被压缩,质点速度逐渐减小,当速度等于零时,弹簧压缩量达到最大值 δ_{max}。在这段过程中应用动能定理

$$0 - \frac{1}{2}mv_1^2 = mg\delta_{max} - \frac{1}{2}k\delta_{max}^2$$

解得

$$\delta_{max} = \frac{mg}{k} \pm \frac{1}{k}\sqrt{m^2g^2 + 2kmgh}$$

由于弹簧的压缩量是正值,故应取

$$\delta_{\max}=\frac{mg}{k}+\frac{1}{k}\sqrt{m^2g^2+2kmgh}$$

本题也可以把上述两段过程合在一起考虑,即对质点从Ⅰ处开始下落至弹簧压缩到最大值的Ⅲ处应用动能定理,在这一过程的始末位置质点的动能都等于零。由动能定理

$$0-0=mg(h+\delta_{\max})-\frac{k}{2}\delta_{\max}^2$$

解得同样结果。

例题 12-2 如图 12-9 所示,卷扬机鼓轮在力偶 M 的作用下将圆柱由静止沿倾角为 θ 的斜坡上拉。已知鼓轮的质量为 m_1,质量分布在轮缘上,半径为 R_1;圆柱的质量为 m_2,质量均匀分布,半径为 R_2。设圆柱只滚不滑,求圆柱中心 C 经过路程 s 时的速度与加速度。

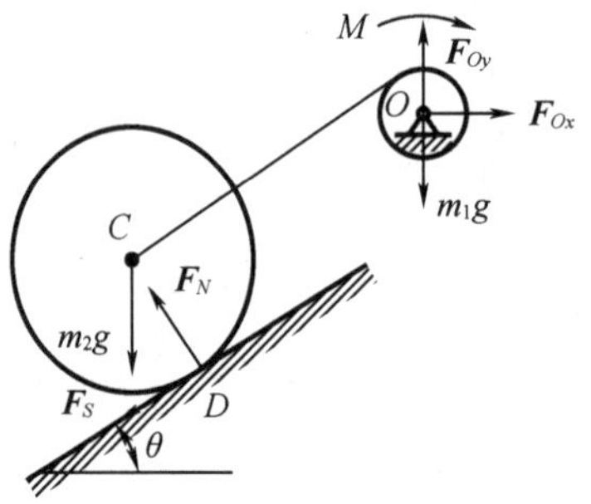

图 12-9 例题 12-2 图

解 圆柱和鼓轮组成一质点系,受力如图 12-2 所示。因为点 O 没有位移,力 F_{Ox},F_{Oy} 和 m_1g 所做的功等于零;圆柱沿斜面只滚不滑,瞬心 D 点速度为零,因此作用于点 D 的法向约束力 F_N 和静摩擦力 F_s 不做功,此系统只受理想约束,且内力做功为零。主动力所做的功为

$$W_{12}=M\varphi-m_2g\sin\theta\cdot s$$

质点系的动能为

$$T_1=0$$

$$T_2=\frac{1}{2}J_1\omega_1^2+\frac{1}{2}m_2v_C^2+\frac{1}{2}J_C\omega_2^2$$

式中,J_1、J_C 分别为鼓轮对轴 O、圆柱对质心 C 的转动惯量,即

$$J_1=m_1R_1^2$$

$$J_C=\frac{1}{2}m_2R_2^2$$

ω_1 和 ω_2 分别为鼓轮和圆柱的角速度,即

$$\omega_1=\frac{v_C}{R_1}$$

$$\omega_2=\frac{v_C}{R^2}$$

于是

$$T_2=\frac{v_C^2}{4}(2m_1+3m_2)$$

由质点系的动能定理，得

$$\frac{v_C^2}{4}(2m_1+3m_2)-0=M\varphi-m_2g\sin\theta\cdot s \tag{1}$$

式中，$\varphi=\frac{s}{R_1}$，解得

$$v_C=2\sqrt{\frac{(M-m_2gR_1\sin\theta)s}{R_1(2m_1+3m_2)}}$$

系统运动过程中，速度 v_C 与路程 s 都是时间的函数，将式(1)两端对时间求一阶导数，有

$$\frac{1}{2}(2m_1+3m_2)v_Ca_C=M\frac{v_C}{R_1}-m_2g\sin\theta\cdot v_C \tag{2}$$

求得圆柱中心 C 的加速度为

$$a_C=\frac{2(M-m_2gR_1\sin\theta)}{(2m_1+3m_2)R_1}$$

12.4　功率、功率方程、机械效率

1. 功率

单位时间内力所做的功称为功率，数学表达式为

$$P=\frac{\delta W}{\mathrm{d}t}$$

因为 $\delta W=\boldsymbol{F}\cdot\mathrm{d}\boldsymbol{r}$，因此功率表达式可写为

$$P=\frac{\boldsymbol{F}\mathrm{d}\boldsymbol{r}}{\mathrm{d}t}=\boldsymbol{F}\cdot\boldsymbol{v} \tag{12-18}$$

即功率等于力与力作用点速度 $\boldsymbol{v}$ 的乘积。功率是工程中的一个重要概念，每部机器能够输出的最大功率是一定的，如汽车上坡时，需要较大的驱动力，这时应换低速挡来降低速度，以求在发动机功率一定的条件下，产生较大的驱动力。

作用在以角速度 ω 转动的刚体上的力的功率为

$$P=\frac{\delta W}{\mathrm{d}t}=M_z\frac{\mathrm{d}\varphi}{\mathrm{d}t}=M_z\omega \tag{12-19}$$

式中，M_z 是力对转轴 z 的矩。

功率的单位在国际单位制中为 W(瓦特)。每秒钟力所做的功等于 1 J 时，其功率为 1 W。工程中常用千瓦(kW)为单位。

2. 功率方程

取质点系动能定理的微分形式，两端除以 dt，得

$$\frac{\mathrm{d}T}{\mathrm{d}t}=\sum\frac{\delta W_i}{\mathrm{d}t}=\sum P_i \tag{12-20}$$

式(12－20)称为功率方程,即质点系动能对时间的一阶导数,等于作用于质点系的所有力的功率的代数和。

功率方程常用来研究机器在工作时能量的变化和转化问题。例如车床工作时,电场对电机转子的作用力做正功,使转子转动,电场力的功率称为输入功率。由于皮带传动、齿轮传动和轴承之间都有摩擦,摩擦力做负功,使一部分机械能转化为热能;传动系统中的零件也会互相碰撞,也要损失一部分功率,这些功率都取负值,称为无用功率。车床切削工件时,切削阻力对夹持在车床主轴上的工件做负功,这是车床加工零件必须付出的功率,称为有用功率或输出功率。

每部机器的功率都分为上述三部分。在一般情形下,式(12－20)可写成

$$\frac{\mathrm{d}T}{\mathrm{d}t}=P_{输入}-P_{有用}-P_{无用} \tag{12-21}$$

3. 机械效率

有效功率与输入功率的比值称为机器的机械效率,用 η 表示,即

$$\eta=\frac{有效功率}{输入功率} \tag{12-22}$$

式中,有效功率 $=P_{有用}+\frac{\mathrm{d}T}{\mathrm{d}t}$。由式(12－22)可知,机械效率 η 表明机器对输入功率的有效利用程度,它是评定机器质量好坏的指标之一。显然,一般情况下,$\eta<1$。

12.5 普遍定理的综合应用

动力学普遍定理包括动量定理、动量矩定理和动能定理。动量定理和动量矩定理是矢量形式,两者都用于研究机械运动;动能定理是标量形式,还可用于研究机械运动与其他运动有能量转化的问题。基本定理提供了解决动力学问题的一般方法,而在求解比较复杂的问题时,往往需要根据各定理的特点,联合运用。

针对某个具体问题,用哪个定理求解,具有很大的灵活性,但一般来说,可总结为以下几条规律供参考:

(1)在动能与功容易计算的前提下,利用动能定理的积分形式,可以较方便地求解速度和角速度的问题;

(2)利用动能定理的积分形式时,如果末了时刻的速度或角速度是任意位置的函数,则可以对时间求一阶导数求得加速度或角加速度;

(3)若系统中有刚体平移、刚体定轴转动或刚体平面运动,可拆开分别利用质心运动定理、刚体定轴转动微分方程、刚体平面运动微分方程求解;

(4)一般涉及刚体的平移可以考虑动量定理,涉及转动可以考虑动量矩定理。

习　　题

12－1　三个质量相同的质点，同时由点 A 以大小相同的初速度 v_0 抛出，但其方向各不相同，如图 12－10 所示。如不计空气阻力，这三个质点落到水平面上时，三者的速度大小是否相等？三者重力做功是否相等？三者重力的冲量是否相等？

12－2　均质圆轮无初速度地沿斜面纯滚动，轮心降落同样高度而到达水平面，如图 12－11 所示。忽略滚动摩阻和空气阻力，到达水平面时，轮心的速度 v 与圆轮半径大小是否有关？当轮半径趋于零时，与质点滑下结果是否一致？轮半径趋于零，还能只滚不滑吗？

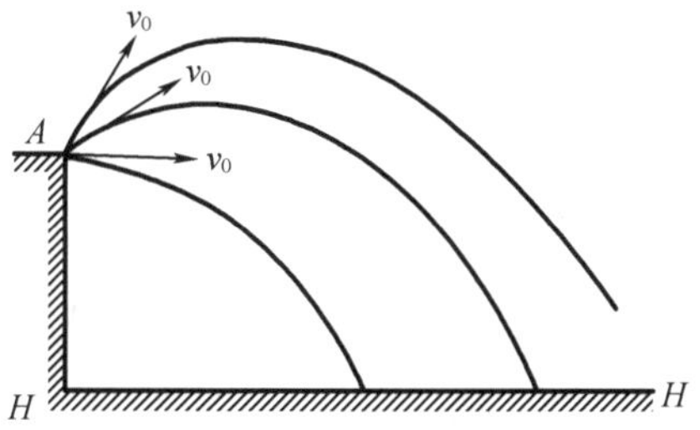

图 12－10　习题 12－1 图

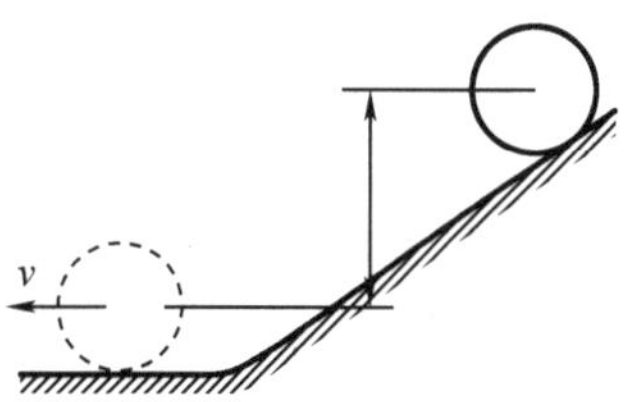

图 12－11　习题 12－2 图

12－3　小球连一不可伸缩的细绳，绳绕于半径为 R 的圆柱上，如图 12－12 所示。如小球在水平光滑面上运动，初始速度 v_0 垂直于细绳。小球在以后的运动中动能不变吗？对圆柱中心轴 z 的动量矩守恒吗？小球的速度总是与细绳垂直吗？

12－4　甲乙两人重量相同，沿绕过无重滑轮的细绳，由静止起同时向上爬升，如图 12－13 所示。如甲比乙更努力上爬，问：(1) 谁先到达上端？(2) 谁的动能大？(3) 谁做的功多？(4) 如何对甲、乙两人分别应用动能定理？

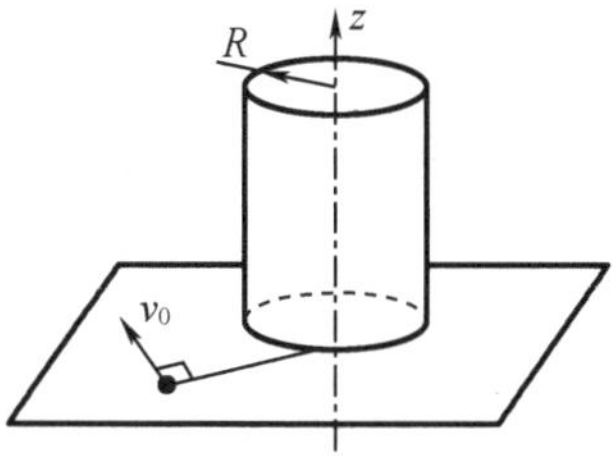

图 12－12　习题 12－3 图

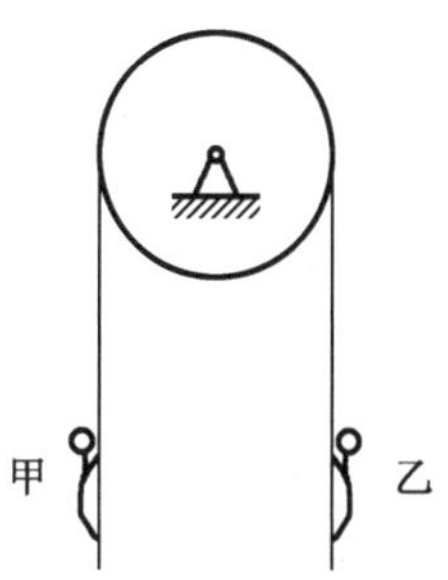

图 12－13　习题 12－4 图

12－5　如图 12－14 所示，圆盘的半径 $r=0.5\ \text{m}$，可绕水平轴 O 转动。在绕过圆盘的绳上吊有两物块 A、B，质量分别为 $m_A=3\ \text{kg}$，$m_B=2\ \text{kg}$。绳与盘之间无相对滑动。在圆盘上作用一力偶，力偶矩按 $M=4\varphi$ 的规律变化。求由 $\varphi=0$ 到 $\varphi=2\pi$ 时，力偶 M 与物块 A、B 的重力所做功之和。

12－6　如图 12－15 所示，坦克的履带质量为 m，两个车轮的质量均为 m_1。车轮可视为均质圆盘，半径为 R，两车轮轴间的距离为 πR。设坦克前进速度为 v，计算此质点系的动能。

12－7　自动弹射器如图 12－16 放置，弹簧在未受力时的长度为 200 mm，恰好等于筒长。欲使弹簧改变 10 mm，需力 2 N。如弹簧被压缩到 100 mm，然后让质量为 30 g 的小球自弹射器中射出，求小球离开弹射器筒口时的速度。

12－8　如图 12－17 所示，滑道连杆机构曲柄 OA 长为 a，以匀角速度 ω 绕轴 O 转动，曲柄对转动轴的转动惯量为 J_O，滑道连杆质量为 m，不计滑块 A 的质量，求此机构的动能，以及 φ 角为多大时动能有最大值与最小值，最大值和最小值是多少。

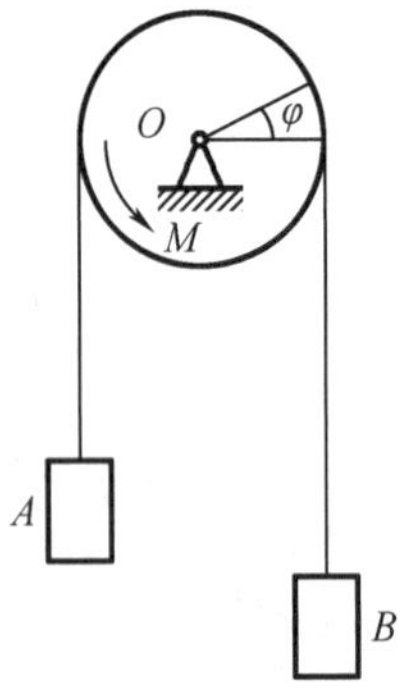

图 12－14　习题 12－5 图

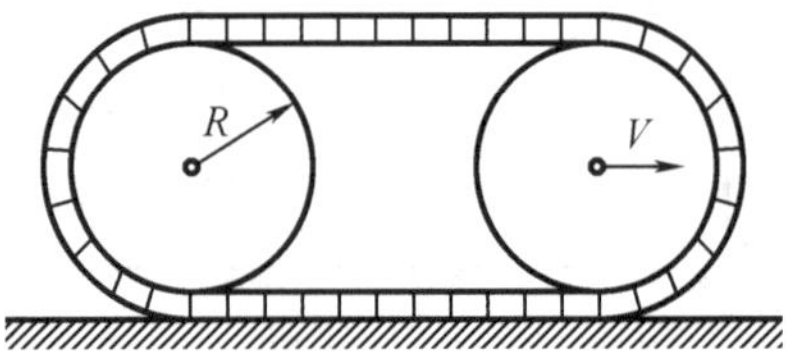

图 12－15　习题 12－6 图

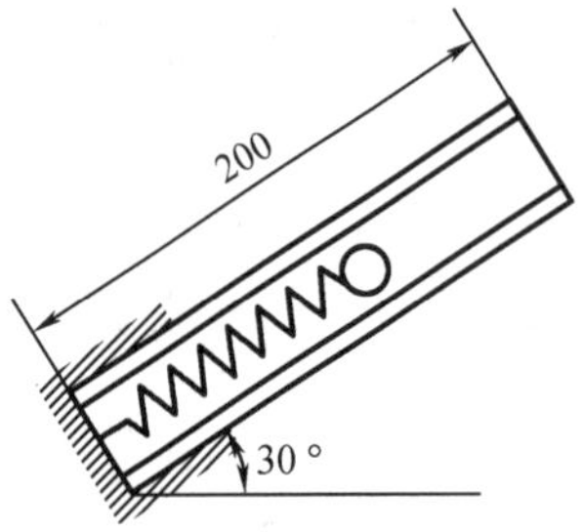

图 12－16　习题 12－7 图

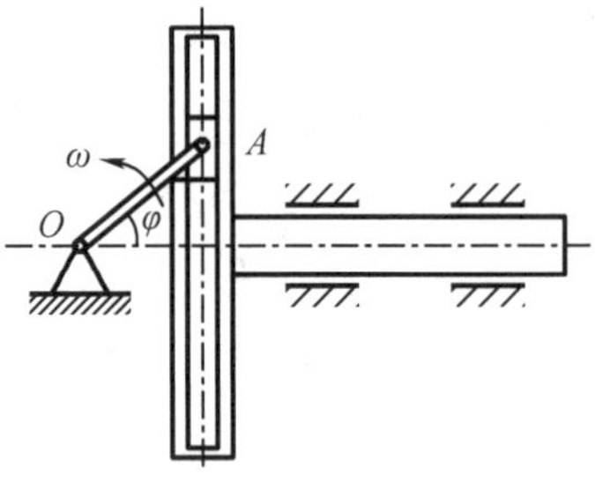

图 12－17　习题 12－8 图

12－9　如图 12－18 所示，平面机构由两均质杆 AB、BO 组成，两杆的质量均为 m，长度均为 l，在铅垂平面内运动。在杆 AB 上作用一不变的力偶矩 M，系统从如图 12－18 所示位置由静止开始运动，不计摩擦。求当 AB 杆的 A 端即将碰到铰支座 O 时 A 端的速度。

12－10　在如图 12－19 所示滑轮组中悬挂两个重物，重物 Ⅰ 的质量为 m_1，重物 Ⅱ 的质量为 m_2。定滑轮 O_1 的半径为 r_1，质量为 m_3；动滑轮 O_2 的半径为 r_2，质量为 m_4。两轮都视为均质圆盘。绳重和摩擦略去不计，$m_2 > 2m_1 - m_4$。求系统由静止开始运动重物下降距离 h 时的速度。

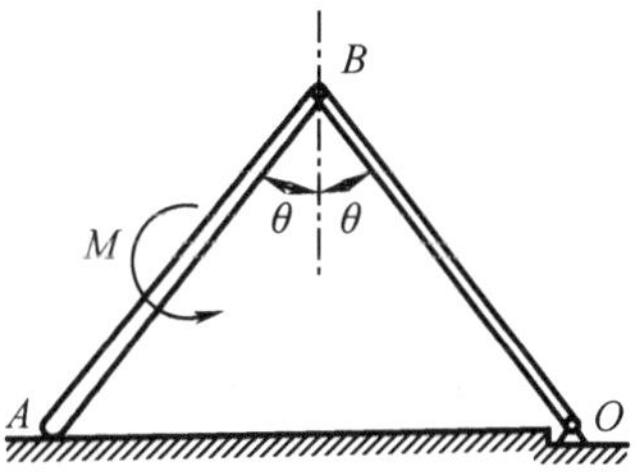

图 12－18　习题 12－9 图

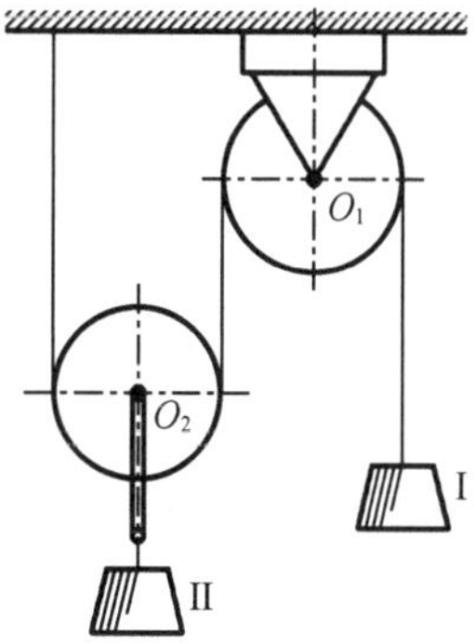

图 12－19　习题 12－10 图

附录 A　运动学综合应用习题

A－1　如图 A－1 所示，轮 O 在水平面上滚动而不滑动，轮心以匀速 $v_O=0.2\ \mathrm{m/s}$ 运动，轮缘上固连销钉 B，此销钉在摇杆 O_1A 的槽内滑动，并带动摇杆绕 O_1 轴转动。已知轮的半径 $R=0.5\ \mathrm{m}$，在如图 A－1 所示位置时，AO_1 是轮的切线，摇杆与水平面间的交角为 60°。求摇杆在该瞬时的角速度和角加速度。

A－2　平面机构的曲柄 OA 长为 $2l$，以匀角速度 ω_O 绕轴 O 转动。在如图 A－2 所示位置时，$AB=BO$，并且 $\angle OAD=90°$。求此时套筒 D 相对杆 BC 的速度和加速度。

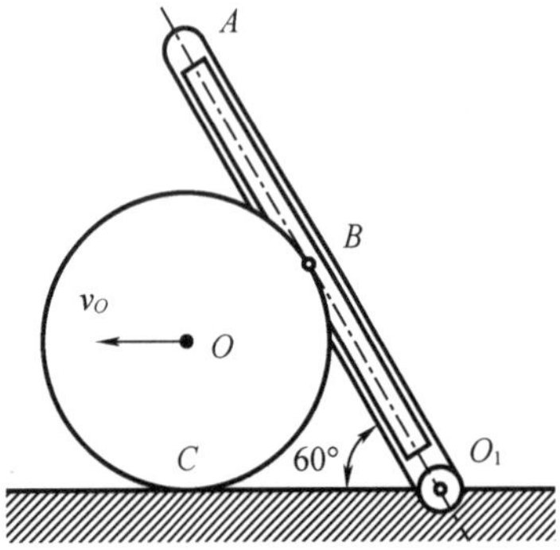

图 A－1　习题 A－1 图

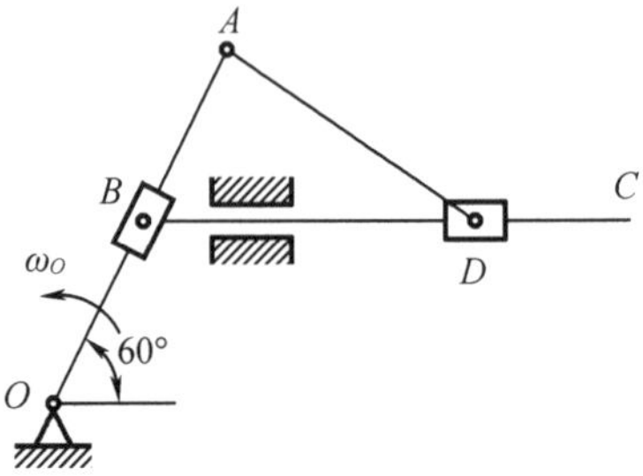

图 A－2　习题 A－2 图

A－3　已知如图 A－3 所示的机构中滑块 A 的速度为常数，$v_A=0.2\ \mathrm{m/s}$，$AB=0.4\ \mathrm{m}$。求当 $AC=CB$，$\theta=30°$ 时，杆 CD 的速度和加速度。

A－4　轻型杠杆式推钢机，曲柄 OA 借连杆 AB 带动摇杆 O_1B 绕 O_1 轴摆动，杆 EC 以铰链与滑块 C 相连，滑块 C 可沿摇杆 O_1B 滑动；摇杆 O_1B 摆动时带动杆 EC 推动钢材，如图 A－4 所示。已知 $OA=r$，$AB=\sqrt{3}r$，$O_1B=\frac{2}{3}l\,(r=0.2\ \mathrm{m},\ l=1\ \mathrm{m})$，$\omega_{OA}=\frac{1}{2}\mathrm{rad/s}$。在如图 A－4 所示位置时，$BC=\frac{4}{3}l$。求：(1)滑块 C 的绝对速度和相对于摇杆 O_1B 的速度；(2)滑块 C 的绝对加速度和相对于摇杆 O_1B 的加速度。

A－5　如图 A－5 所示的放大机构中，杆Ⅰ和Ⅱ分别以速度 v_1 和 v_2 沿箭头方向运动，其位移分别以 x 和 y 表示。如杆Ⅱ与杆Ⅲ平行，其间距离为 a，求杆Ⅲ的速度和滑道Ⅳ的角速度。

A－6　如图 A－6 所示，半径 $R=0.2\ \mathrm{m}$ 的两个相同的大环沿地面向相反方向无滑动地滚动，环心的速度为常数：$v_A=0.1\ \mathrm{m/s}$，$v_B=0.4\ \mathrm{m/s}$。当 $\angle MAB=30°$ 时，求套在这两个大环上的小环 M 相对于每个大环的速度和加速度，以及小环 M 的绝对速度和绝对加速度。

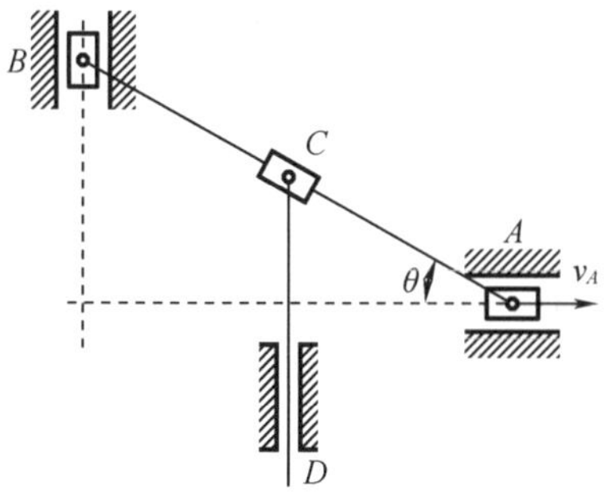

图 A-3　习题 A-3 图

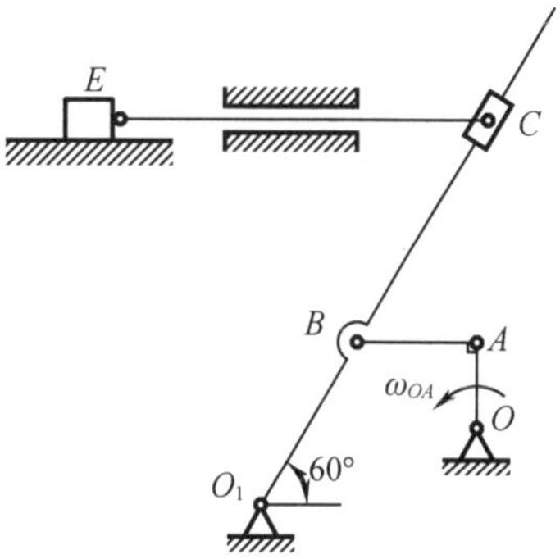

图 A-4　习题 A-4 图

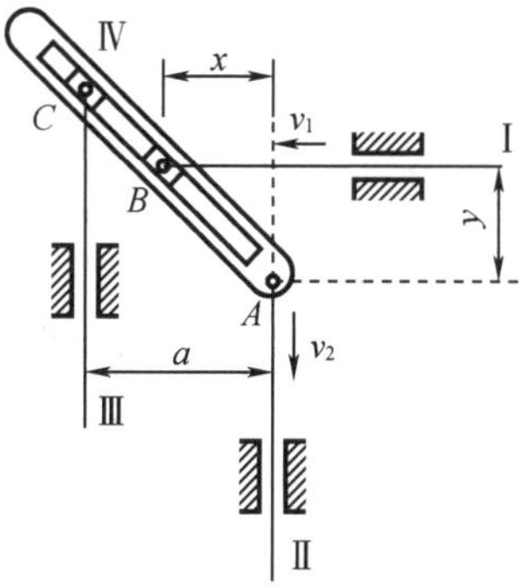

图 A-5　习题 A-5 图

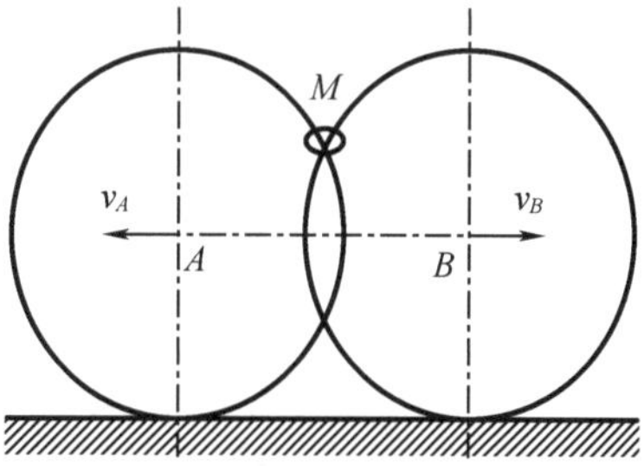

图 A-6　习题 A-6 图

附录 B　动力学综合应用习题

B－1　如图 B－1 所示，三棱柱 A 沿三棱柱 B 的斜面滑动，三棱柱 A 和 B 的质量分别为 m_1 与 m_2，三棱柱 B 的斜面与水平面成 θ 角。如开始时系统静止，忽略摩擦力，求运动时三棱柱 B 的加速度。

B－2　如图 B－2 所示的曲柄滑槽机构，均质曲柄 OA 绕水平轴 O 做匀角速度转动。已知曲柄 OA 质量为 m_2，$OA=r$，滑槽 BC 质量为 m_2，重心在 D 点。滑块 A 的质量和各处摩擦力不计。求当曲柄 OA 转至如图 B－2 所示位置时，滑槽 BC 的加速度、水平轴 O 的约束力以及作用在曲柄 OA 上的力偶矩 M。

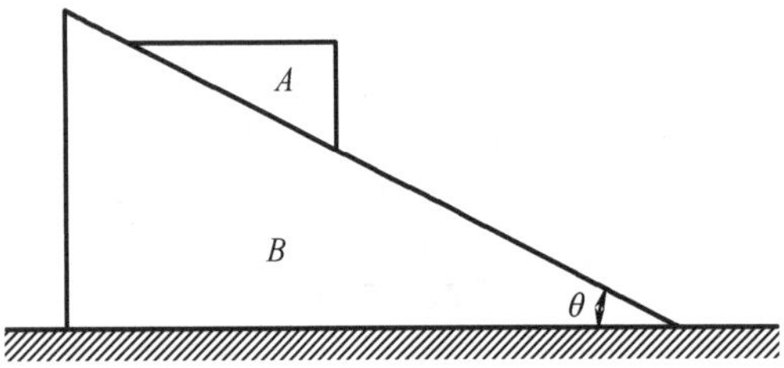

图 B－1　习题 B－1 图

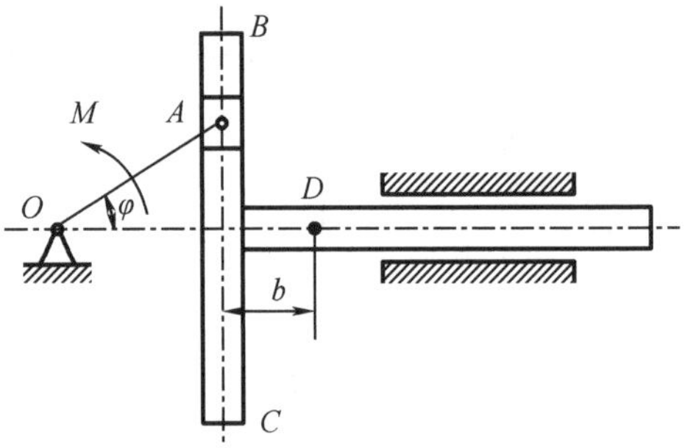

图 B－2　习题 B－2 图

B－3　如图 B－3 所示，三棱柱 ABC 的质量为 m_1，放在光滑的水平面上，可以无摩擦地滑动。质量为 m_2 的均质圆柱体 O 由静止沿斜面 AB 向下纯滚动，如斜面倾角为 θ，求三棱柱 ABC 的加速度。

B－4　如图 B－4 所示，滚子 A 的质量为 m_1，沿倾角为 θ 的斜面向下只滚不滑。滚子 A 借一跨过定滑轮 B 的绳子提升质量为 m_2 的物体 C，同时定滑轮 B 绕 O 轴转动。滚子 A 与定滑轮 B 的质量相等、半径相等，且都为均质圆盘。求滚子 A 重心的加速度和系在滚子 A 上绳的张力。

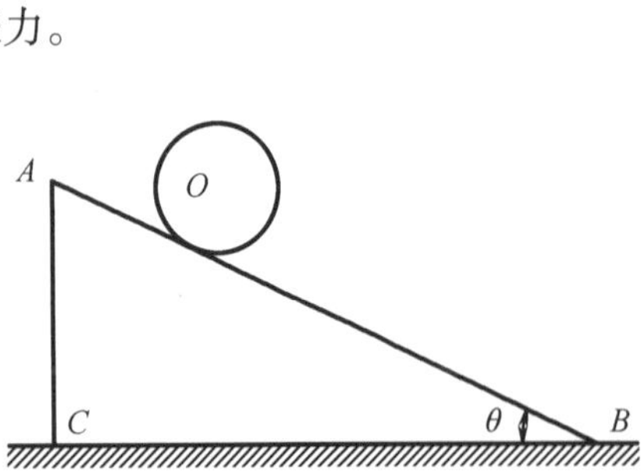

图 B－3　习题 B－3 图

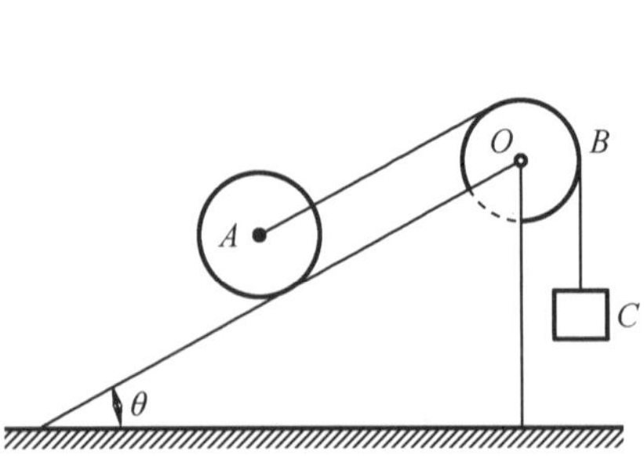

图 B－4　习题 B－4 图

B－5　在如图 B－5 所示机构中，沿斜面纯滚动的圆柱体 O' 和鼓轮 O 为均质物体，质量

均为 m，半径均为 R，绳子不能伸缩，其重力忽略不计。粗糙斜面的倾角为 θ，不计滚阻力偶。如在鼓轮 O 上作用一常力偶 M。求鼓轮 O 的角加速度和轴承 O 的水平约束力。

B－6　均质细杆 OA 可绕水平轴 O 转动，另一端铰接一均质圆盘，圆盘可绕 A 在铅直面内自由转动，如图 B－6 所示。已知杆 OA 长为 l，质量为 m_1；圆盘半径为 R，质量为 m_2。摩擦力不计，初始时杆 OA 水平，杆 OA 和圆盘静止。求杆 OA 与水平线成 θ 角的瞬时，杆 OA 的角速度和角加速度。

B－7　如图 B－7 所示，均质细杆 AB 长为 l，质量为 m，由直立位置开始滑动，上端 A 沿墙壁向下滑，下端 B 沿地板向右滑，不计摩擦力。求细杆 AB 在任一位置 θ 时的角速度、角加速度和 A、B 处的约束力。

B－8　如图 B－8 所示，均质细杆 AB 长为 l，质量为 m，初始在直立位置，由于微小干扰，杆绕 B 点倾倒，不计摩擦力。求：(1) B 端脱离墙时杆 AB 的角速度、角加速度和 B 处的约束力；(2) 整根杆着地时质心的速度和杆 AB 的角速度。

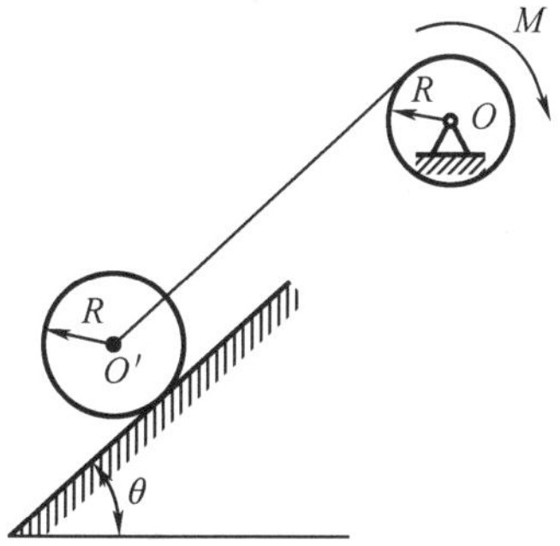

图 B－5　习题 B－5 图

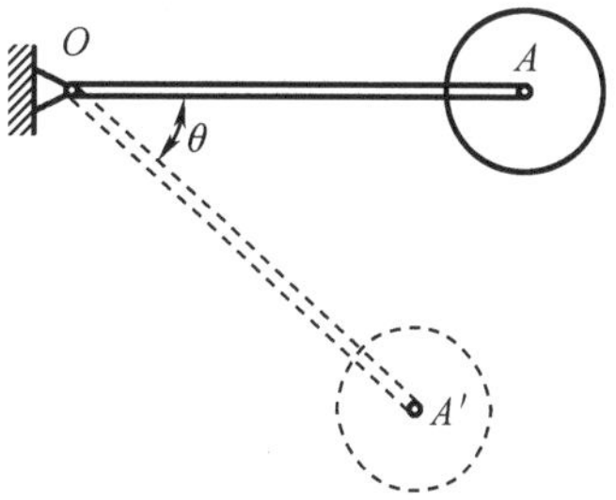

图 B－6　习题 B－6 图

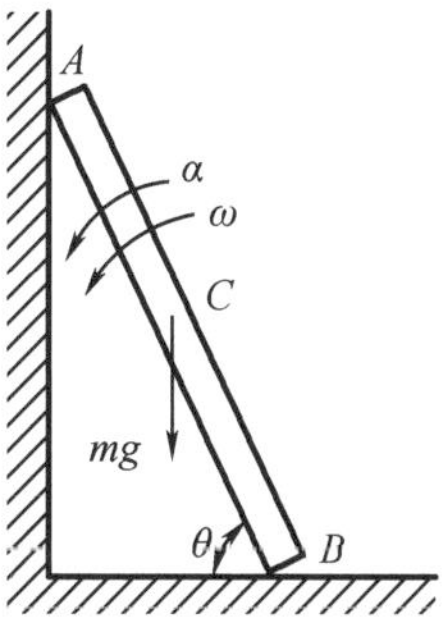

图 B－7　习题 B－7 图

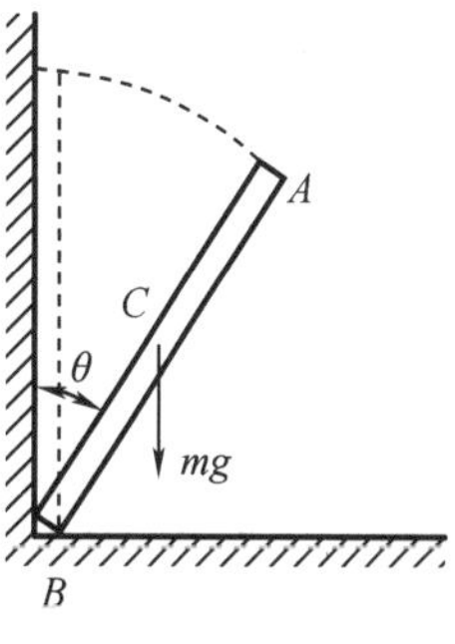

图 B－8　习题 B－8 图

部分习题参考答案

第 2 章

2-1 $F_A = 1.25\ \text{kN}, F_B = 2.165\ \text{kN}$

2-3 $F_{AB} = \frac{\sqrt{3}}{3}G, F_{BC} = \frac{2\sqrt{3}}{3}G$

2-4 $F_{AB} = \frac{\sqrt{6}}{\sqrt{3}+1}G, F_{BC} = \frac{2}{\sqrt{3}+1}G$

2-5 $F_3 = 50\left(\sqrt{6} + \frac{2}{3}\sqrt{3}\right)\ \text{N}$

2-6 $\alpha = 0.5/\tan\theta$

第 3 章

3-1 (a)0;(b)$pl\sin\alpha$;(c)$pl\sin\theta$;(d)pa;(e)$p(l+r)$;(f)$p\sqrt{l^2+b^2}\sin\theta$

3-2 184 N·m

3-3 $F_A = 10\sqrt{5}\ \text{N}, F_B = -10\ \text{N}$

3-4 $F_A = 115.625\ \text{kN}, F_B = 134.375\ \text{kN}$

3-5 $M_A = Fb\sin\theta, F_B = F\left(a - \frac{b}{\tan\theta}\right)$

3-6 $F_{Ax} = 0, F_{Ay} = M/a, F_{Bx} = 0, F_{By} = -M/a$

3-7 (a)$F_{Ax} = 0, F_{Ay} = -M/l, F_{Bx} = M/l$;(b)$F_{Ax} = 0, F_{Ay} = -M/l, F_{Bx} = M/l$;(c)$F_{Ax} = 0, F_{Ay} = -M/(l\cos\theta), F_{Bx} = M/(l\cos\theta)$

3-8 $F_{Ax} = M/l, F_{Ay} = -M/l$

3-9 $T_2 = 100\ \text{N}$

3-10 14 N·m

3-11 $F_{Ax} = 0, F_{Ay} = -M/a, F_B = M/a$

3-12 $F_{Ax} = -5.57\ \text{kN}, F_{Ay} = -64.5\ \text{kN}, F_B = 30.38\ \text{kN}$

第 4 章

4-1 $F'_R = 466.5\ \text{N}, M_O = 21.44\ \text{N}\cdot\text{m}; F_R = 466.5\ \text{N}, d = 45.96\ \text{mm}$

4－2　(1) $F'_R=150\ \text{N}, M_O=900\ \text{N}\cdot\text{mm}$；(2) $F=150\ \text{N}, y=-6\ \text{mm}$

4－3　$F_x=4\ \text{kN}, F_{y1}=28.73\ \text{kN}, F_{y2}=1.269\ \text{kN}$

4－4　$F_{Ax}=0, F_{Ay}=6\ \text{kN}, M_A=12\ \text{kN}\cdot\text{m}$

4－5　$F_{Ax}=-4.661\ \text{kN}, F_{Ay}=-47.62\ \text{kN}$；$F_B=22.4\ \text{kN}$（杆 BC 受拉力）

4－6　$F_{BC}=848.5\ \text{N}, F_{Ax}=2\ 400\ \text{N}$；$F_{Ay}=1\ 200\ \text{N}$

4－7　$F_A=-15\ \text{kN}, F_B=40\ \text{kN}, F_C=5\ \text{kN}, F_D=15\ \text{kN}$

4－8　$M=\dfrac{Fr\cos(\beta-\theta)}{\sin\beta}$

4－9　$M=\dfrac{r_1r_3r}{r_2r_4}P$；$F_{3x}=\dfrac{r}{r_4}P\tan\theta, F_{3y}=P\left(1-\dfrac{r}{r_4}\right)$

4－10　$F_{Ax}=-F_{Bx}=120\ \text{kN}, F_{Ay}=F_{By}=300\ \text{kN}$

4－11　$F_{Ax}=0, F_{Ay}=-\dfrac{M}{2a}$；$F_{Dx}=0, F_{Dy}=\dfrac{M}{a}$；$F_{Bx}=0, F_{By}=-\dfrac{M}{2a}$

4－12　$F_{Ax}=-F, F_{Ay}=-F$；$F_{Dx}=2F, F_{Dy}=F$；$F_{Bx}=-F, F_{By}=0$

4－13　$F_{Ax}=1\ 200\ \text{N}, F_{Ay}=150\ \text{N}$；$F_B=1\ 050\ \text{N}$；$F_{BC}=1\ 500\ \text{N}$（压）

4－14　$AC=x=a+\dfrac{F}{k}\left(\dfrac{l}{b}\right)^2$

4－15　$F_{Ax}=-120\ \text{kN}, F_{Ay}=-160\ \text{kN}$；$F_B=160\sqrt{2}\ \text{kN}$；$F_C=-80\ \text{kN}$

4－16　$F_{Ax}=267\ \text{N}, F_{Ay}=-87.5\ \text{N}$；$F_B=550\ \text{N}$；$F_{Cx}=209\ \text{N}, F_{Cy}=-187.5\ \text{N}$

4－17　$F_D=84\ \text{kN}$

第 9 章

9－2　$n_{\max}=\dfrac{30}{\pi}\sqrt{\dfrac{fg}{r}}$

9－3　$t=\sqrt{\dfrac{h}{g}\dfrac{m_1+m_2}{m_1-m_2}}$

9－4　$F_{N\max}=m(g+e\omega^2), \omega_{\max}=\sqrt{\dfrac{g}{e}}$

9－5　$n=67\ \text{r/min}$

9－6　$x=\dfrac{v_0}{k}(1-\mathrm{e}^{-kt}), y=h-\dfrac{g}{k}t+\dfrac{g}{k^2}(1-\mathrm{e}^{-kt}), y=h-\dfrac{g}{k^2}\ln\dfrac{v_0}{v_0-kx}+\dfrac{gx}{kv_0}$

9－7　$h=78.4\ \text{mm}$

9－8　$F=2\ 369\ \text{N}, F=0$

9－9　$f_{\min}=\dfrac{1}{2\pi}\sqrt{\dfrac{g}{A}}=3.151\ \text{Hz}$

9－10　$F_{MA}=\dfrac{ml}{2a}(a\omega^2+g), F_{MB}=\dfrac{ml}{2a}(a\omega^2-g)$

9－11 $F=m\left(g+\frac{l^2v^2}{x^3}\right)\sqrt{1+\left(\frac{l}{x}\right)^2}$

9－12 $F_N=0.284\ \text{N}$

9－13 椭圆$\frac{x^2}{x_0^2}+\frac{k}{m}\frac{y^2}{y_0^2}=1$

第 10 章

10－4 $\ddot{x}+\frac{k}{m+m_1}x=\frac{m_1 l\omega^2}{m+m_1}\sin\varphi$

10－5 $p=\frac{l\omega}{2}(5m_1+4m_2)$

10－6 $x_C=\frac{m_3 l}{2(m_1+m_2+m_3)}+\frac{m_1+2m_2+2m_3}{2(m_1+m_2+m_3)}l\cos\omega t,y_C=\frac{m_1+2m_2}{2(m_1+m_2+m_3)}l\sin\omega t,$

$F_{x\max}=\frac{1}{2}(m_1+2m_2+2m_3)l\omega^2$

10－7 向左移动$\frac{a-b}{4}$

10－8 $p=(m_1+2m_2)v$

10－9 $p=\frac{5}{2}ml_1\omega$

10－10 $F_{Ox}=m_3\frac{R}{r}a\cos\theta+m_3g\cos\theta\sin\theta,$

$F_{Oy}=(m_1+m_2+m_3)g-m_3g\cos 2\theta+m_3\frac{R}{r}a\sin\theta-m_2a$

第 11 章

11－4 $L_O=18\ \text{kg}\cdot\text{m}^2/\text{s},L_O=20\ \text{kg}\cdot\text{m}^2/\text{s},L_O=16\ \text{kg}\cdot\text{m}^2/\text{s}$

11－5 $p=\frac{R+e}{R}mv_A,L_B=[J_A-me^2+m(R+e)^2]\frac{v_A}{R};$

$p=m(v_A+e\omega),L_B(J_A+mRe)\omega+m(R+e)v_A$

11－6 $\omega=\frac{2m_2art}{m_1R^2+2m_2r^2},\alpha=\frac{2m_2ar}{m_1R^2+2m_2r^2}$

11－7 $\omega=\frac{ml(1-\cos\varphi)v_0}{J+m(l^2+r^2+2rl\cos\varphi)}$

11－8 $n=480\ \text{r/min}$

11－9 $t=\frac{l}{k}\ln 2$

11－10 $F=269.3\ \text{N}$

第 12 章

12-5 $W=109.7\ \text{J}$

12-6 $T=\frac{1}{2}(3m_1+2m)v^2$

12-7 $v=8.1\ \text{m/s}$

12-8 $T=\frac{1}{2}(J_O+ma^2\sin^2\varphi)\omega^2,T_{\max}=\frac{1}{2}(J_O+ma^2)\omega^2,T_{\min}=\frac{1}{2}J_O\omega^2$

12-9 $v_A=\sqrt{\frac{3}{m}[M\theta-mgl(1-\cos\theta)]}$

12-10 $v_2=\sqrt{\frac{4gh(m_2-2m_1+m_4)}{8m_1+2m_2+4m_3+3m_4}}$

附录 B

B-1 $a_B=\frac{m_1g\sin 2\theta}{2(m_2+m_1\sin^2\theta)}$

B-2 $a_{BC}=-r\omega^2\cos\omega t,F_{Ox}=-r\omega^2\left(\frac{m_1}{2}+m_2\right)\cos\omega t,F_{Oy}=m_1g-\frac{1}{2}m_1r\omega^2\sin\omega t,$

$M=r\left(\frac{1}{2}m_1g+m_2r\omega^2\sin\omega t\right)\cos\omega t$

B-3 $a=\frac{m_2\sin 2\theta}{3m_1+m_2+2m_2\sin^2\theta}g$

B-4 $a=\frac{m_1\sin\theta-m_2}{2m_1+m_2}g,F=\frac{3m_1m_2+(2m_1m_2+m_1^2)\sin\theta}{2(2m_1+m_2)}g$

B-5 $\alpha=\frac{M-mgR\sin\theta}{2mR^2},F_x=\frac{1}{8R}(6M\cos\theta+mgR\sin 2\theta)$

B-6 $\omega=\sqrt{\frac{3m_1+6m_2}{m_1+3m_2}\frac{g}{l}\sin\theta},\alpha=\frac{3m_1+6m_2}{m_1+3m_2}\frac{g}{2l}\cos\theta$

B-7 $\omega=\sqrt{\frac{3g}{l}(1-\sin\theta)},\alpha=\frac{3g}{2l}\cos\theta,F_A=\frac{9}{4}mg\cos\theta\left(\sin\theta-\frac{2}{3}\right),$

$F_B=\frac{1}{4}mg\left[1+9\sin\theta\left(\sin\theta-\frac{2}{3}\right)\right]$

B-8 $\omega=\sqrt{\frac{3g}{l}(1-\cos\theta)},\alpha=\frac{3g}{2l}\sin\theta,F_{Bx}=\frac{3}{4}mg\sin\theta(3\cos\theta-2),F_{By}=mg-\frac{3}{4}mg$
$(3\sin^2\theta+2\cos\theta-2)$

参 考 文 献

[1] 哈尔滨工业大学理论力学教研室. 理论力学[M]. 6 版. 北京:高等教育出版社,2002.

[2] 程燕平. 理论力学[M]. 哈尔滨:哈尔滨工业大学出版社,2008.